文史哲學集成

王甦著

退溪學論集

文史哲出版社印行

國立中央圖書館出版品預行編目資料

退溪學論集 / 王甦著. -- 初版. -- 臺北市 :
文史哲, 民81
面 : 公分. -- (文史哲學集成 : 250)
參考書目:面
ISBN 957-547-100-8(平裝)

1. 李滉 - 學識 - 哲學 2. 李滉 - 學識 - 文學

132.53 81000686

㉕⓪ 文史哲學集成

退溪學論集

著者：王甦
出版者：文史哲出版社
登記證字號：行政院新聞局局版臺業字五三三七號
發行人：彭正雄
發行所：文史哲出版社
印刷者：文史哲出版社
台北市羅斯福路一段七十二巷四號
郵撥〇五一二八八一二彭正雄帳戶
電話：三五一一〇二八

實價新台幣五二〇元

中華民國八十一年二月初版

ISBN 957-547-100-8

自序

退溪是韓國的理學宗師，也是朱子學派的巨擘。我研究退溪學，開始於一九七八年，那時我任教於漢城市檀國大學，其年八月，第三屆退溪學國際學術會議在漢城舉行，我應邀參與盛會，寫成「退溪詩學」論文，長達六萬字，精簡爲一萬字在大會發表，全文由嶺南大學教授李章佑博士譯成韓文，在「退溪學報」連載，深受讀者歡迎。退溪學研究院遂於一九八一年發行單行本，問世以來，銷路頗佳，至八八年已發行三版。而八五年我幸獲得第一屆退溪學術奬，即以此書爲代表作。

退溪學國際學術會議，最初係由退溪學研究院舉辦，一九七六年在韓國大邱市舉行第一屆退溪學術會議，僅發表四篇論文，其中只有一位外國人，他是日本武藏大學的渡部學教授，其他三位都是韓籍學者。一九八五年國際退溪學會在韓成立，退溪學研究院則退居協辦的地位，其實，不論是主辦或協辦，只是名義的不同，實際上皆由退溪學研究院理事長李東俊先生負責策畫推動。第十屆退溪學國際學術會議，於一九八八年在漢城舉行，共有十六個國家、一百四十位學者與會，發表論文六十七篇，這個論文篇數，是第一屆會議的十六倍，如此豐碩的收穫，是李東俊先生多年來辛勤播種，努力耕耘的成果。令人痛惜的是：東俊先生竟因此積勞成疾，不幸於次年元旦與世長辭。眞可謂鞠躬盡瘁，求仁得仁了。其後兩屆退溪學國際學術會議，相繼在北京、莫斯科舉行，這是前所未有的重大突破，這一突破，揭開了退溪學進軍共產國家的序幕，也完成了東俊先生生前未完成的心願。

回憶東俊先生辭世，轉眼已逾三年。而「退溪詩學」問世，至今已逾十載。常有朋友相問，何時出版退溪學專集，愧未能確切作答。今檢歷次參加退溪學國際學術會議論文十篇，還有已發表的退溪學論文四篇、及朱子學論文二篇，共計十六篇，都二十五萬言。在內容方面，以文學爲主，哲學次之。其文學部份，可視爲「退溪詩學」的續集，惟前者是鳥瞰式的掃描，後者是雷射式的透視，一求其廣，一求其深，此其相異處。

本書各篇皆獨立成文，爲顧及其完整性，篇與篇之間，難免有重複處，但重複不是雷同，因各篇主題不同，取材多寡不同，論述輕重不同，合而觀之，可以互相補充，可以互相發明，對於愛好退溪學的讀者，不無參考的價值。

八十一年壬申仲春　王　甦序于淡江大學中文系研究室

退溪學論集 目 錄

壹、文學篇

退溪的文學觀

壹、孔子的文學觀

退溪李滉，爲韓國李朝時代的大儒，其生平學問，遠紹洙泗，近法晦菴。幼年便能背誦論語兼集註，自初章至終篇不差一字。其用功之勤，可見一斑，而退溪的文學觀，其源流所自，早已與孔朱的思想遙契，且結下不解之緣，誠如吾友杜松柏兄所言：「學術研究，大多前有所承，除了師弟相傳，父子相授之外，有的遠紹古人，有的私淑域外，均有其根源脈絡可尋。」（註一）故欲探求退溪的文學觀，宜先了解孔子及朱子的文學觀。茲先論孔子，左傳引仲尼之言：

志有之：言以足志，文以足言。不言，誰知其志？言之無文，行而不遠。（註二）

所謂「言之無文，行而不遠」，此可視爲孔子尙文的文學觀。論語載：

子曰：辭，達而已矣。（衞靈公）

蘇軾解釋說：

夫言止於達意，疑若不文，是大不然。求物之妙，如繫風捕影，能使是物了然於心者，蓋千萬

人而不一遇也，而況能使了然於口與手者乎？是之謂辭達。辭至於能達，則文不可勝用矣。（註三）

辭之達能道人意中之事，曲盡其致。如禹之行水，迴旋曲折，抑揚往復，行乎其所宜行，止乎其所當止，而不見艱難辛苦之態，欲達此境地，實非易事。禮記載：

子曰：情欲信，辭欲巧。（表記）

情欲信實，辭欲巧妙。信實是內容美，巧妙是形式美。以上所說的辭達與辭巧，都是尚文的文學觀。

孔子尚文的文學觀，與後世的純美文學不同。純美文學，或夸過其理，名實兩乖；或文勝其質，淫濫失眞。孔子則主張文質彬彬，恰到好處。論語載：

子曰：質勝文則野，文勝質則史，文質彬彬，然後君子。（雍也）

質指內在之美，文指外在之美。「文質彬彬」，是善與美的均衡調和，此雖就個人修養而言，實則此種思想，亦同樣合乎文學與藝術的審美標準。論語載：

子謂韶：盡美矣，又盡善也。謂武：盡美矣，未盡善也。（八佾）

韶樂盡美又盡善，美指文，善指質，盡美盡善，這是文與質的圓滿統一，是藝術審美的最高標準。武樂盡美而未盡善。這是從仁學的基本觀點出發，重視樂章的道德意義。就美和善而言，在孔子心目中，善比美更爲重要。孔子指出：「人而不仁，如樂何？」（八佾）這就是說，一個人如果仁德有虧，奏樂就失去意義，徒具形式。就仁與樂而言，「仁」是「樂」之美的內容，「樂」之美則是「仁」的表現形式。所以朱註說：「美者，聲容之盛；善者，美之實也。」孔子不否認音樂之美有其獨立存在之價值。但如盡美而未盡善，不免令人有「美中不足」之感。

孔子的文學觀，除了「尙文」以外，更重要的是「尙用」。孔子是淑世主義者，其主實用，理所當然。即以前文所論「辭達」而言，「辭達」的目的，在於明道。辭至於能達，何患道之不明。以行遠而論，言欲行遠，在爲世用。世如不用，行遠何益？顧炎武謂文須「有益於天下，有益於將來」（註四），此即文欲行遠的最佳註脚。

論語中記載孔子論詩之語，多帶有尙用的主張，例如：

不學詩，無以言。（季氏）

子曰：小子何莫學夫詩？詩可以興，可以觀，可以羣，可以怨。邇之事父，遠之事君，多識於鳥獸草木之名。（陽貨）

子曰：誦詩三百，授之以政，不達；使於四方，不能專對；雖多，亦奚以爲？（子路）

此數章言學詩之助益，最爲深切著明。其中最爲後儒稱道者，是興觀羣怨四者，此四者是作詩之法，亦是讀詩之法。他如事父事君，達政專對，以及德性之涵養，知識之廣博，皆須取資於詩。此可見詩之爲用之大，而孔門詩教之意義，其社會功能顯然大於藝術價值。（註五）

要而言之，孔子的文學觀，雖有尙文與尙用之不同，但此二者，似相反而實相成，似矛盾而實一致。劉勰說：

道沿聖以垂文，聖因文而明道。（註六）

文者所以明道，道因文而明。孔子的尚文，不是爲藝術而藝術，不是爲作文而作文。是爲明道而作文，爲明道而藝術。換句話說，尚文只是手段，明道才是目的。尚用即是明道。論語載：

子曰：志於道，據於德，依於仁，游於藝。（述而）

志道、據德、依仁、游藝。前三者是本，而藝是末。游有「玩物適情」之意。文學在孔門，原爲末事，論其工夫，實與志道相爲終始，相爲表裏。就學詩而言，所謂「溫柔敦厚，詩教也。」（註七）孔學側重人生，深通人情。其文學觀雖有尚文尚用之不同，然其最高目的，仍在明道淑世，此可稱之爲「主善的文學觀」，而「溫柔敦厚」正是主善文學的基本精神。尚文的目的不離實用，實用的精神不離主善。一言以蔽之，孔門的文學，即是主善的文學。主善的文學，不免有重道輕藝的傾向，而使文學喪失其獨立性，加以後世儒者的推波助瀾，偏於一端，影響所及，其藝術審美之觀念，自然難期客觀。因而對文學家不免存有偏見。楊雄以作賦爲「雕蟲篆刻」（註八）程子以作文爲「玩物喪志」（註九），甚至有人以爲「一爲文人，便無足觀」（註一〇）此種觀念，當然是受了孔子思想的影響，而加以推演的。

退溪是理學大儒，在其少年時便能發憤爲學，熟讀論語，對於孔子的詩教，體會至深，嘗教李宏仲說：

孔子以不爲二南爲墻面，韓公以不學詩書爲腹空，假使公專意此學，自古安有不學詩書底理學耶？……前日面勸讀詩，今問讀何書？是公意以讀詩爲不切於心學，而不欲讀之，此大誤也。（註一一）

値得注意者，退溪在此信中所說「孔子以不爲二南爲墻面」的話，乃本於論語陽貨篇，爲孔子教子伯魚學詩之語。（註一二）退溪引此以教李宏仲讀詩，並以爲讀詩有切於心學。於此可見孔子之詩教對退溪的影響。

退陶言行錄載：

侍坐於書齋，先生謂在座諸人曰：儒家意味自別：工文藝，非儒也；取科第，非儒也。金富弼問：書院學田所入不足，請儲穀息利。先生曰：息利二字，便不是儒者所道。（註一三）

所云「儒家意味自別」、「不是儒者所道」，此可見退溪不惟以儒者自居，亦以儒者之道教人。而「工文藝」、「取科第」、「息利」諸事，皆非儒者所當爲，故亦爲退溪所排斥。

大體而論，孔子重道輕藝之觀念，尙用主善之思想，後世儒者莫不視爲天經地義，奉爲行爲準則，退溪以孔子之徒自居，自亦不能例外。

貳、朱子的文學觀

退溪之學，遠祖孔子，近宗朱子。對於朱子書，沉潛反覆，俯讀仰思，積習旣久，體會至深，成朱書節要二十卷，用功之勤，罕有其比。晚年尤篤好朱子詩，非惟好之，而又樂之；非惟樂之，而又學之、和之。其和朱之詩，多達八題二十九首。（註一四），其他模擬朱詩、點化朱句，尤不勝縷指。此可見其仰止之情，私淑之意，是如何的深切。其於爲文亦然，例如朱子有「戊申封事」，以六事建言，退溪亦有「戊辰六條疏」，六事與六條，雖可謂之巧合，然亦不無承襲之意。綜觀退溪一生，旣尊信朱子不渝，則其文學觀，亦必深受朱子的影響。是以欲了解退溪的文學觀，必先了解朱子的文學觀。

朱子「天才卓絕，學力宏肆」，他不但是宋代理學家的集大成者，而且在宋代理學家的文學觀方面，他也是集大成者。黃東發稱朱子「落筆成章，殆於天造。……其泛應人事，遊戲翰墨，則行雲流水之自然」（註一五）黃氏此語雖不無溢美之處，但朱子以理學家而兼文學家，他在中國文學史上，自有其應得的地位；其文學觀亦能承先啓後，有所樹立，有所廓清，而爲典型之儒者。

一、文　觀

朱子論文的基礎，本於理學家「文以載道」的主張，而加以推闡。「文以載道」之說，見於周濂溪「通書」，其言謂：

文所以載道也。輪轅飾而人弗庸，徒飾也，況虛車乎？（註一六）

朱子註說：

文所以載道，猶車所以載物，故爲車者必飾其輪轅，爲文者必善其辭說，皆欲人之愛而用之。然我飾之而人不用，則猶爲虛飾而無益於實。況不載物之車，不載道之文，雖美其飾，亦何爲乎？

朱子所謂「爲文者必善其辭說」，便有「尚文」之意。然其所以「尚文」，是「欲人之愛而用之」，「愛而用之」便是「尚用」了。「尚用」才能有益於實，有益於世，此即「道」之作用。文如離道，有如無物之車，飾爲虛飾，文爲虛文，皆屬徒然。可見朱子並不反對文辭的修飾，而是主張文辭的修飾，其先決條件，是要有其充實的內容，此即「文以載道」之旨。

語類載：

才卿問：韓文李漢序頭一句甚好？曰：公道好，某看來有病。陳曰：文者貫道之器，且如六經是文，其中所說皆是這道理，如何有病？曰：不然，這文皆是從道中流出，豈有文反能貫道之理？文是文，道是道。文只如喫飯時下飯耳。若以文貫道，却是把本爲末，以末爲本，可乎？其後作文者皆是如此。（註一七）

此段對話頗爲重要，韓愈弟子李漢，作昌黎文集序，有文以貫道之說（註一八），柳宗元亦有「文者以明道」之語（註一九）。周子「文以載道」之說，是以文爲道之工具，有道本文末之意，似乎有分「文與道」爲二之嫌。然此並非朱子之意。朱子雖承認「文是文，道是道」，但他又以爲「這文皆是從道中流出」，此說較柳子「文以明道」、周子「文以載道」之說爲圓融，更較李漢「文以貫道」之說爲進步。朱子此種見解，似從孔子「有德者必有言」（論語憲問）之說推闡出來。所謂「文只如喫飯時下飯耳」，此是以文喻菜肴，以道喻飯。古文家把菜肴當飯吃，未免舍本逐末。

語類又載：

> 道者文之根本，文者道之枝葉，惟其根本乎道，所以發之於文皆道也。三代聖賢文章，皆從此心寫出，文便是道。

> 今東坡之言曰：吾所謂文必與道俱，則是文自文，而道自道。待作文時，旋去找個道來放入裏面，此是他大病處。（同註一七）

道爲根本，文爲枝葉，此爲理學家典型之文學觀。朱子既不滿古文家「以文貫道」的見解，自然亦不同意東坡「文與道俱」之說。他稱東坡「文辭偉麗，近世無匹」（註二〇）「雄健有餘，只下字亦有不貼實處。」（同註一七）偉麗指其辭采，雄健指其風格。蘇文雖有所長，亦有所短。語類載：

> 問東坡與韓公如何？曰：平正不及韓公。東坡說得高妙處，只是說佛，其他處又皆麤。（註二一）

> 其詞意矜豪譎詭，亦有非有道君子所欲聞，是以平時每讀之，未嘗不喜。然既喜，未嘗不厭，往往不能終帙而罷。（同註二〇）

朱子對東坡之文頗多評論，總其大要，貶多於褒。朱子讀蘇氏之文，既喜又厭，喜是喜其「文辭之工」，厭是厭其「義理之悖」（註二二）。喜是情感的作用，厭是理智的作用。文學之美必須能表現人生之善，也就是將文章與道德合而爲一。朱子在「讀唐志」中說：

夫古之聖賢，其文可謂盛矣。然初豈有意學爲如是之文哉？有是實於中，則必有是文於外。（註二三）

所謂「有是實於中，則必有是文於外」，雖與韓愈「根之茂者其實遂，膏之沃者其光曄」之言相類。然朱子認爲韓雖作原道，「徒能言其大體，而未見其有探討服行之效。」（同註二三）故其書中出於諂諛、戲豫、放浪而無實者不少。是以凡衒浮華而忘本實之文，皆爲朱子所不取。

朱子說：

古人文章大率只是平說而意自長。

又說：

歐陽公文平淡，雖平淡其中却自美麗。（同註一七）

所謂「平說」便不事華藻。「意自長」乃內容之自然美。「平說而意自長」，即「平淡中却自美麗」之意。如何才能使文章做到平淡中的美麗，此須讀書明理，理明義精，文字自佳。讀書須「貫穿百氏及經史，乃所以辨驗是非，明此義理，豈特欲使文詞不陋而已。（同註一七）

朱子雖不尚文詞，但亦不廢文詞。他主張：

作文字須是靠實，說得有條理乃好。不可架空細巧。大率要七分實，只二三分文。如歐公文字

好者，只是靠實而有條理。（同註一七）

朱子認爲作文的標準是：七分實，三分文。忌「架空細巧」，架空則浮而不實，細巧則繁而少致，須是「靠實而有條理」。「靠實」是言之有物，「有條理」是言之有序。有物有序，文質兼顧，然就「七分實、三分文」之標準觀之，仍然是「道爲根本，文爲枝葉」之文學觀的推闡。

至於作文之道，先要理會法度。他認爲：

文字自有一個天生成腔子，古人文字自貼這天生成腔子。

問史記如何？曰：史記不可學，學不成却顚了。不如且理會法度文字。（同註一七）

朱子所說「天生成腔子」，是指文章的法度。史記之文，如天馬行空，逸氣縱橫，能從無尺寸處起尺寸，其法度在筆墨之外，所以朱子說「史記不可學」。他認爲：

前輩做文字，只依定格，依本分做，所以做得甚好。後來人却厭其常格，則變一般新格做，本是要好，然未好時先差異了。（同註一七）

前輩做文字「只依定格」，即是能守古人法度。後人「厭其常格」，便失却古人法度。「變一般新格做」，自然做不好。朱子所謂「新格」，當是指的時文。朱子對於古文家頗有微辭，對於時文尤爲不滿。

其答徐載叔說：

所喩學者之害，莫大於時文，此亦救弊之言。然論其極，則古文之與時文，其使學者棄本逐末，

爲害等爾。（註二四）

時文與古文之害，能使學者「棄本逐末」，此種見解，即是程子「作文害道」之遺意。（註二五）

此外，朱子主張，對於「詩筆雜文，不須理會，科舉是無可奈何。」（同註一七）對於老莊禪佛，則觝排甚力。語類載：

> 有言莊老禪佛之害者，曰：禪學最害道，莊老於義理絕滅猶未盡，佛則人倫已壞，至禪則又從頭將許多義理，掃滅無餘。以此言之，禪最爲害之深者。（註二六）

詩筆雜文所以不須理會，以其失在不純，無益於道。應科舉是爲了光耀門楣，難違父兄之命，所以朱子說「是無可奈何」，頗有身不由己之意。

至於老莊禪佛之害。甚者至於滅絕人倫義理。儒者皆認爲大逆不道，而持堅決反對之態度。韓愈作原道，主張「人其人，火其書，廬其居」，其闢佛之嚴厲可見。朱子作中庸章句序，指斥老佛之徒，「彌近理而大亂眞」，對於禪學之害，朱子表示深痛惡絕，其與劉子澄書，不滿陸子靜之爲禪，朱子說：

> 子靜寄得對語來，語意圓轉渾浩，無疑滯處，但不免些禪底意思。昨答書戲之曰：這些子恐是葱嶺帶來。（註二七）

禪宗東土初祖達摩，梁時東來傳教。所謂「葱嶺帶來」即指禪學而言，因葱嶺在西域，達摩自西域來震旦，故朱子云然。其後退溪亦屢言「葱嶺」事，即本朱子此言。

二、詩觀

朱子以理學家而兼詩人，他在論文章時的見解，擺出一副衞道的面孔，不脫「道爲根本，文爲枝葉」的色彩。這是儒家思想的典型，對於以作文章爲能事的人，都沒有什麼好感。對於作古文和時文，都持反對的態度。以爲「才要作文章，便是枝葉害著學問，反兩失也」。（同註一七）

他的論詩和論文，其立場不盡相同。一般說來，論文的立場偏重於道理，而論詩的立場則偏重於情理。但不論作詩作文，皆須充實學問，涵養情性，變化氣質，厚植靈根，然後攄發胸中所蘊，自成佳文。此即劉勰「文采所以飾言，而辯麗本於情性」之理。（註二八）

朱子於答鞏仲至書中說：

> 來喻所云漱六藝之芳潤，以求眞瀋，此誠極至之論。然恐亦須先識得古今體製，雅俗鄉背，仍更洗滌得盡腸胃間夙生葷血脂膏，然後此語方有所措。如其未然，竊恐穢濁爲主，芳潤入不得也。（註二九）

朱子這些話雖是就論詩而言，實亦適用於論文。他主張「先識得古今體製，雅俗鄉背」，這全靠多讀書，熟讀求精，識透前人文字奧妙，「要使方寸之中，無一字世俗言語意思，則其爲詩，不期於高遠，而自高遠矣。」（同註二九）爲詩如此，爲文亦然。

對於作詩，不可徒事葩藻，悅人之觀聽，要能發其蕭散沖遠之趣，而得乎古人之高風遠韻。然詩之風格，與志之高下有關，志高則格高。朱子答楊宋卿說：

> 熹聞詩者志之所之。在心爲志，發言爲詩。然則詩者豈復有工拙者，亦視其志之所向者高下如何耳。（註三〇）

但看志之高下，不論詩之工拙。此爲朱子論詩之基本主張，此種主張，仍帶有理學家「重道輕文」的色彩。朱子認爲「詩有工拙之論，而葩藻之詞勝，言志之功隱矣」（同註三〇）。「葩藻之詞勝，言志之功隱」，這是枝葉盛而根本微，是捨本逐末，務外遺內，犯了理學家之大忌。細味朱子之意，其所重視者是其志之高下，而非其詩之工拙。在朱子看來，詩之高格繫乎作者之高志。志高則格高，格高則其詩自佳。所以不論工拙者，惟恐詞勝志隱，工文害道也。

因爲工文害道，所以不宜多作。因爲詩貴高格，所以要本於性情，朱子說：

> 作詩間以數句適懷亦不妨，但不用多作，蓋便是陷溺爾。當其不應事時，平淡自攝，豈不勝如思量詩句。至如眞味發溢，又却與尋常好吟者不同。（註三一）
>
> 古人做詩不十分著題却好，今人做詩愈著題，愈不好。（註同前）

朱子的作詩態度，頗似邵康節，康節是「亦不多吟，亦不少吟，亦不不吟，亦不必吟」。（註三二）順其自然，以調性適情，其實，還應加上兩句「亦不好吟，亦不苦吟」（註三三）。朱子不廢作詩，亦不肯多作，只是偶以「數句適懷」，「適懷」是吟詠情性，適可而止。多作便用功妨事，陷溺其心。其作詩的時機是「不應事時」，作詩的態度是「平淡自攝」，攝有持養之意。「不應事時」才有閒情逸致,「平淡自攝」才能「眞味發溢」。所謂「眞味發溢」,是至性至情的流露,有其自然的音響節奏,風神雋永,自成高格。故能「與尋常好吟者不同」。好吟者刻意作詩,用功苦思,失其眞味天趣,所以「愈著題,愈不好」,古人做詩,發興吐詞,直抒胸臆,雖「不十分著題却好」。作詩能夠「眞味發溢」,自然吐詞不凡,格高意遠。因而在風格方面,朱子屢言平淡、平易。平淡、平易都是出於自然,不假造作。朱子說:

淵明詩平淡出於自然,後人學他平淡,便相去遠矣。李太白詩非無法度,乃從容於法度之中,蓋聖於詩者也。

詩須是平易不費力,句法渾成。因舉陸務觀詩:春寒催喚客嘗酒,夜靜臥聽兒讀書。不費力好。(同註三一)

陶詩平淡是「出於自然」,是「眞味發溢」,後人學他平淡,如何可能。李太白「從容於法度之中」,此法度即是自然之則。陸務觀詩平易不費力,即合乎此自然之則。此皆朱子認爲理想之佳作。此種見地,基於詩本性情、出於「眞味發溢」,皆自然而然。故其答鞏仲至書說:

夫古人之詩,本豈有意於平淡者?但對今之狂怪雕鎪、神頭鬼面,則見其平;對今之肥膩腥臊、酸鹹苦澀,則見其淡耳。自有詩之初,以及魏晉作者非一,而其高處無不出此。(同註二九)

於此可見朱子主張詩之平淡,一則是見到古代作者之高處,而有以取法乎上;一則是不滿後世詩人之造作,而有以匡救時弊,所以批評白樂天琵琶行說:

白樂天琵琶行云：嘈嘈切切錯雜彈，大珠小珠落玉盤云云，這是和而淫；至淒淒不似向前聲，滿坐重聞皆掩泣，這是淡而傷。（同註三一）

「和而淫」、「淡而傷」，未免有失性情之正，須知外美必資於內美而成，「淫」則有害於正，「傷」則有害於和，衡以孔子「關雎樂而不淫，哀而不傷（論語八佾）的話，琵琶行顯然不合儒家的中道。

由於朱子論詩崇尚平淡自然，嚮往古人之高風遠韻，對於講究格律的近體詩，存有卑視的偏見。他說：

> 至律詩出而後詩之與法，始皆大變，以至今日，益巧益密，而無復古人之風矣。（同註二九）

律詩講求對仗工穩，求其平淡自然，不可多得。時人「益巧益密」，雕琢藻飾，有損眞美，故朱子有「無復古人之風」之慨。

大體而言，作詩但求「數句適懷」則可，不用多作。對於徒事葩藻的詩文，宜戒絕不作。朱子說：

> 近世諸公作詩費工夫要何用？元祐時有無限事合理會，諸公却盡日唱和而已。今言詩不必作，且道恐分了爲學工夫。然到極處，當自知作詩果無益。（同註三一）

元祐時諸公「盡日唱和」，不理會政事，非唯「分了爲學工夫」，且亦有害於道。朱子此等議論，頗能顯示儒者重道輕文的觀念。

叁、退溪的文學觀

了解孔子和朱子對於文學的觀念，然後退溪的文學觀亦可得而言。退溪在理學方面，是朱子的嫡傳。他在學術上的成就，也和朱子相類，是以理學家而兼文學家。其思想的主要淵源，是儒家的正統思想。

退溪自幼至老，好學不倦，經傳子史，靡不博觀，而尤用心於性理之學，門人趙穆稱其「言則聖賢之訓，而其理則得之於心。其用則散於萬事，而其體則具於一身。」（註三四）此可見退溪實爲體用合一的儒者典型，因而其文學觀自亦帶有儒者重道輕文之色彩。

就文學作品而言，退溪有文集四十九卷，別集一卷、外集一卷、續集八卷，合計五十九卷，其中有書三十七卷、詩九卷、其餘爲教、疏、箚、辭狀、序、記、跋、箴、銘、祝文、祭文、墓誌、行狀、雜著，幾於無體不備。此外，尚有「三經釋義」、「四書釋義」、「宋季元明理學通錄」十四卷、「朱子書節要」二十卷、「啓蒙傳疑」、「聖學十圖」、「陶山十二曲」等。其學問廣博，工夫篤實，深明義理，以盡精微，得濂洛關閩諸儒之正傳，卓然爲海東之考亭。其發於詩文論辨者，皆有以淑人心而扶世道，蔚然爲一代斯文之宗匠。其純文學以詩爲大宗，多達二千餘首。其散文之篇幅，雖多於其詩，然其內容，偏於論學說理，而少抒情寫景之作。然觀其所著「過清平山有感」詩序（註三五）、

「丹陽山水可遊者續記」（註三六）、及「陶山雜詠記」諸文（註三七）清詞麗句，奔赴筆端，如空潭瀉泉，泠然希音；如窕窈深谷，時見幽人。淡而有致，雅與境稱。其中尤以「陶山雜詠記」一文，寄興悠遠，寓意遙深，有不食人間煙火之氣。此其所養者厚，所得者深，故能凋華謝彩，沖淡自然，愈樸而愈見其眞，愈淡而愈見其趣。有其實於其中，必有其文於外。觀其文可以知其人，觀其文亦可知其文學觀。

一、文　觀

(一)文以明道

文以載道，是儒者的信條。孔子曾云：

　文王旣沒，文不在茲乎？（論語子罕）

孔子此處所說的「文」，其實也就是道，朱註說：「道之顯者謂之文」，這句話有文道合一的意思。所以他主張「文從道出」。退溪也同此見解。他推崇李晦齋說：

　晦齋之學甚正，觀其所著文字，皆自胸中流出，理明義正，渾然天成，非所造之深，能如是乎？（註三八）

退溪所云晦齋「所造之深」，即指其造道之深。此無異說晦齋文字，皆從道中流出。退溪嘗許「晦齋學問爲東方第一」（同註三八），並非偶然，亦非過譽。

退溪於答黃仲擧別紙說：

凡君子述古垂世，但務明吾道，以俟知者。（註三九）

此即「文以明道」之意。退溪曾撰「李晦齋行狀」，極言其學力深處（註四〇）。其意以爲學力既深，理明義精，發之於文，自然斐然可觀。

㈡文以達意

文字是達意的工具，達意達得妙，便是好的文章。韓愈稱樊紹述「文從字順」（註四一），文從字順，即是達意的必要條件。

退陶言行錄載：

先生嘗曰：辭，達意而已。然學者不可不解文章。若不解文章，雖粗知文字，未能達意於言辭。古文後集，有氣之文也，須讀取五六百遍，然後始見功。（註四二）

作文須達意，欲達其意，不可不解文章。此處所云「解文章」，不僅是了解文章，而且要能操筆作文。且要能作達意之文。退溪認爲作文貴能行氣，能夠熟讀有氣之古文，下筆自然得心應手。此即韓愈所謂「氣盛，則言之短長與聲之高下者皆宜」之理（註四三）。退溪自言：

吾壯年只讀得（指古文後集）數百遍，而操筆臨紙，則若或起之，自然胸中流出矣。（同註四二）

所云「自然胸中流出」，可見其天機駿利，文思泉湧，而無艱難勞苦之態，退溪此話不啻現身說法，以個人之作文經驗，爲達意說的註脚，作學文者的南針。

㈢文以正心

文學本乎情性，詩篇三百，孔子歸之無邪。無邪即是得性情之正。文學貴能感人，感人之文，皆是發於至情。故劉勰說：「吐納英華，莫非情性。」（註四四）退溪亦云：「詩雖末技，本於性情」（註四五）趙穆月川日記載：

先生曰：某人甚有文才，而爲人甚虛疏可恨，是知務文學矣，治心最緊，不可忽也。

余因率爾對曰：心行不得正，雖有文學何用焉？

先生曰：文學豈可忽哉？學文所以正心也。是亦論語首篇註朱夫子論弟子職之意也。（註四六）

退溪此處所云「文學」，似指「文學」之廣義，然必包括詩文。詩文爲末技，可資以涵養性情，故不可廢，然徒知務文學而忽治心，此乃舍本逐末，爲退溪所不取。

㈣文以述情

文以正心著重於個人之修養，文以述情則兼及於對人對物之關係。退溪於答李仲久書中說：

嘗得南時甫書，舉節要中答呂伯恭書：「數日來蟬聲益清，每聽之未嘗不懷高風也」一段云：「若此歇後語，取之何用？」滉答說：今不能記得其大意：「若曰作歇後看，則歇後；作非歇後看，則非歇後」云云。大抵人之所見不同，所好亦異。滉平日極愛此等處，每夏月綠樹交蔭，蟬聲滿耳，心未嘗不懷仰兩先生之風，亦如庭草一閒物耳，每見之輒思濂溪一般意思也。（註

四七）

聽蟬聲益清，而懷仰高風，此乃以象徵之筆法，托物寓意，使人默會於意象之表，情高而韻亦高，意美而境亦美。故退溪於答南時甫書中論蟬聲一條說：

蟬者，物之至清至潔，而爲大賢因物懷人之所稱。所懷之人亦大賢，以此作懷人故事之名言，其閒好意思爲如何耶？

大抵節要書歸重在於學問，則所取皆當以訓戒責勵之意爲主，然一向取此，則不幾於使人拘束切蹙，而無寬展樂易、願慕興起底意思耶？故其間雖不係訓警之言，如此條之類，亦多取之。所以欲見大賢尋常言動游息之際，向人應物之頃，興緒情味之爲如何？而目想心追，則宛然若與一時及門諸人，陪侍從容周旋，酬應於一堂之上。或時遇此景此物，此人此事，怳若聆其謦欬，睹其儀刑，而不覺有悟悅欣適之意。則其所以助發其慕古嚮道、進進無已之心者，爲益豈少耶？（註四八）

此書論蟬聲一條極爲重要，世人誤以爲朱子書只知板起面孔說教，不知朱子有其嚴肅不苟之處，亦有其輕鬆風趣之處，訓戒責勵是曉之以理，蟬聲之喻是興之以情，情以濟理，理以導情，情理交融，自不覺有悟悅欣適之意。情欣適而味無窮，理粲然而人不厭。能使人淨化心靈，消除鄙吝。退溪於答李仲久書中說：

「來諭嶺梅吐芬，時寄一枝」之語，令人深有慨於千里同襟之意。此間今年春候異甚，至四月

花始盛開，而梅亦未免於因地應時，人或以是爲梅病，竊以爲非眞知梅者，因報來書，而手折一枝。（同註四七）

此借梅花以喻襟懷，梅之清芬，即我之清芬。此時「萬塵息吹，一眞孤露」，悠然心會，表裡俱澈。情與境適，樂於道俱。「託心身於宇宙，寓美感於人生」（註四九）皆文學情感之作用。

以上所言明道、達意、正心、述情四者，前三者尙用的意思較多，藝術的意味較少；後者藝術的意味較多，尙用的意思較少。其實，文學爲藝術之一，藝術有求美之要求，尙用雖非以求美爲目的，然苟無其文，道不虛行。所謂「桃李不言，下自成蹊。」非惟其實之爽口，亦以其華之悅目。質必待文而彰，文必附質而行。質文雖有輕重，而實不能偏廢。徒事藻飾，不足爲文，徒有佳質，不足爲美。明乎夫子「文質彬彬」之教，實無偏重偏輕之必要。

至於作文之法，退溪雖言之不多，然觀其與弟子時人之應答討論，以及爲文之際，字裡行間所流露者，亦可略窺其措意之所在。

㈤識蹊徑

古人作文，意到筆隨，文從字順，初無所謂法。此因人心各具自然之文，此自然之文，不外情理二端，劉勰所謂「情動而言形，理發而文見」（同註四四），此是自然成文，神而明之，存乎其人。雖然出乎自然，但亦有其不可易者，是其法即寓於無法之中，只是後人不察其故而已。宋景濂說「三代無文人，六經無文法」（註五〇）其實六經未嘗無文法，只是不以文法稱而已。

退溪雖以文爲末技，然亦不廢作文。其答李剛而問目中說：

屬文一事，初學亦不可不知蹊徑。（註五一）

退溪所云「蹊徑」，指作文的常法而言。欲知作文的常法，宜先模擬古人文章，學古而不泥古，用法而不泥法，然後神明變化，自出機杼。退溪於答李剛而書中說：

大抵文字常格之外，自出機軸，如兵法之出奇無窮，固是妙處。然其出奇處，亦須有節度方略，有來歷可師法，故可貴而不敗。若無是數者，而過於好奇，則不敗者鮮矣。何可每每以是爲貴？其合用正法處，止當用正法可也。今此文字全篇別一機軸，好似兵法之出奇。滉所欲改處，皆是奇兵之中，一二曲節合用正法處。（同註五一）

作文始於有法，終於無法，有法須模擬前人之文，無法須自出機杼，神明於法度之外。退溪所云「常格」、「正法」，皆要師法古人，以知其規模大概。退溪教人熟讀「古文後集」，其意即在於此。知作文之「正法」，而後能求其變化，「自出機軸，如兵法之出奇無窮，固是妙處」，然此「妙處」未易企及。若好奇自用，合用正法處不用正法，「則不敗者鮮矣。」劉勰說：「舊練之才，則執正以馭奇；新學之銳，則逐奇而失正。」（註五二）作文如作戰，沙場老將可以出奇制勝，新兵只宜謹守正法。

退溪此書在評論曹南冥的「好奇自用之病」（同註五一）觀其用心，以偏重在用正方面。能用正始能「執正馭奇」，好用奇則不免「逐奇失正」。

㈥尚行氣

朱子說：「行文要緊健有氣勢，鋒刃快利，忌輭弱寬緩。」（註五三）文章有氣才有勢，有勢才有力。曾國藩至謂「行氣爲文章第一義。」（註五四）退溪對文章之行氣，亦甚重視。曾教學者熟讀「古文後集」，他說「古文後集是有氣之文」（同註四二），能熟讀有氣之文，自然脣吻調利，聲出金石，玲玲如振玉。就內容而言，氣由理而生，理直則氣壯，故主理所以帥氣，退溪與朴澤之書說：

主於踐理者，養氣在其中，聖賢是也。（註五五）

退溪此處之「踐理」，有如孟子之「集義」。理與義皆人心之所同然。凡事物之當然者謂之理（註五六），踐理而得其宜者謂之義，故退溪認爲踐理則養氣在其中。氣充於內，則文見於外。

就形式而言，文章貴乎行氣，行氣寓乎音節，音節存乎字句，字句之長短，聲調之高下，皆與行氣息息相關，字句要駢散錯綜，聲調要抑揚變化。其文氣才能疏逸有致。一篇之中，當用駢句則用駢，當用散句則用散，二者須交互運用，相輔相成，不可偏廢。因爲駢中無散，則氣壅而難暢；散中無駢，則辭孤而易枯。退溪注重文章行氣，故深知箇中竅奧。試析陶山雜詠序一段文字，即可略知其梗概：

余恒苦積病纏繞，雖山居不能極意讀書。

幽憂調息之餘，

有時

身體輕安，心神灑醒，

俛仰宇宙，感慨係之。

則撥書攜筇而出，

臨軒玩塘，陟壇尋社。

巡圃蒔藥，搜林擷芳。

或坐石弄泉，登臺望雲；

或磯上觀魚，舟中狎鷗。

隨意所適，逍遙徜徉，

觸目發興，遇景成趣。

至興極而返。

爲便於說明，故將此段文字，排列如上形式。觀其句法，以四言爲主，首尾皆用長短不齊之散句，而起句又較結句爲長，此中亦有緣由，起句「苦病」，接以長句，以見「幽憂」方來。末言「興極」，結以短句，以示無復餘意。此皆情理之自然，而非有意安排。在四言句型中，又雜以奇句，取參差之美，以避免整齊的單調。

在對偶方面，如「臨軒玩塘，陟壇尋社；巡圃蒔藥，搜林擷芳」，四句型式相同，此四句之中，前兩句與後兩句又各自相對。下列「或坐石弄泉，登臺望雲」與「或磯上觀魚，舟中狎鷗」，是兩個字數相同的排句，但其上下的結構詞性却不相同，上句有四個動詞，且皆相對爲文，下句只有兩個動詞，而非相對爲文。上句泉、雲爲同類，下句魚鷗爲同類，皆又各自相對。

在音節方面，似駢非駢，似散非散，抑揚高下，雖無定法可言，而有諧和之妙。如「身體輕安，心神灑醒，俯仰宇宙，感慨係之」，上兩句「安」「醒」爲平仄句型，先揚後抑，下兩句「宙」、「之」爲仄平句型，先抑後揚。又如「隨意所適，逍遙徜徉，觸目發興，遇景成趣」，「適」、「徉」爲上仄下平，「興」、「趣」爲上平下仄。此種抑揚之音節變化，暗合沈約所謂「若前有浮聲，則後須切響」的法則（註五八）此可見退溪對於作文，雖未措意聲律之精工，然亦未嘗忽視音節行氣之諧美。

二、詩　觀

㈠詩以言志

古人說：「詩者，志之所之，在心爲志，發言爲詩。」（註五九）詩以言志爲主，此乃儒者之傳統看法，亦是客觀存在的事實，所謂「人稟七情，應物斯感，感物吟志，莫非自然。」（註六〇）在退溪所著兩千餘首詩篇中，言志之詩，所在多有，此是極爲自然之事。其中以言志爲題之詩，即有下列五首：

1. 三月病中言志（註六一）　癸卯作
2. 東巖言志（註六二）　丙午作

3. 東巖言志（同註六一）　丙午作

4. 求志（註六三）　辛酉作

5. 陶山言志（註同前）　辛酉作

以上五首，後兩首爲退溪六十一歲時作，茲錄如下：

求志

隱志非他達所由，天民德業尚須求。
希賢正屬吾儕事，守道寧忘此日憂。
大錯鑄成容改轍，迷途覺處急回輈。
祇從顏巷勤攸執，貴富空雲一點浮。

陶山言志

自喜山堂半已成，山居猶得免躬耕。
移書稍稍舊龕盡，植竹看看新筍生。
未覺泉聲妨夜靜，更憐山色好朝晴。
方知自古中林士，萬事渾忘欲渾名。

希賢守道，隱居山林爲退溪之素志。在退溪其他詩中，亦常流露其山林之志。非僅言志之詩爲然。

㈡詩以適情

詩所以言志，亦所以涵養性情。詩緣情而生，因物興感。情爲詩之胚，景乃詩之媒（註六四）。作詩係乎情景，由興而發。故退溪說：

詩於學者最非緊切，然遇景値興，不可無詩矣。（同註四二）

「遇景値興」，何以「不可無詩」？正因爲觸景生情，興來情適，無詩則無以吐露胸中所蘊，無以發舒當下所感，故曰「不可無詩」。是知詩乃適情之具，染翰成章，感物吟詠，遇景而生，値興而發，情不自禁，思不可已。退溪有和子中閒居「吟詩」說。

詩不誤人人自誤，興來情適已難禁。
風雲動處有神助，葷血消時絕俗音。
栗里賦成眞樂志，草堂改罷自長吟。
緣他未著明明眼，不是吾緘耿耿心。（同註六三）

所云「詩不誤人人自誤」，非惟有不可多作之意，且見得作者之態度，亦不可忽視，自誤與否，存乎一心。詩人以詩累情，哲人以詩適情。興來情適，發而爲詩，風雲動處，如有神助。栗里樂志，草堂長吟，皆能消除葷血，摒絕俗音，善以詩適情者。

㊂詩以善群

前言適情，在涵養一己心性，善羣在調和人際關係，適情之詩，多感懷、詠物、游覽之類，善羣之詩，多宴飲、贈答、送別之類。退溪與黃仲舉書說：

酬唱往復，自古人切偲輔仁之道觀之，已爲末事，而猶有輸情寫意，諷喻感發之快，故古人樂之。（註六五）

朋友之間，酬唱往復，以「輸情寫意，諷喻感發」，這是詩的社會作用，而有「善羣」的功效。尤其是親朋合散之際，作詩釋懷助興，令人留下難忘的回憶。

退溪年譜載：三年己巳，拜判中樞府事。戊申，詣闕謝恩，乞退，許之。己酉，乘船東歸，宿奉恩寺。

名士傾朝出餞，各賦詩敍別。先生有詩云：

列坐方舟盡勝流，歸心終日爲牽留。

願將漢水添行硯，寫出臨分無限愁。

此詩流露出豐富的情感，而有感染人羣的作用，此即其「善羣」之處。鍾嶸說：「嘉會寄詩以親，離羣托詩以怨」（註六六），「嘉會寄詩以親」，固然是「善羣」，「離羣托詩以怨」，亦是「善羣」。「怨」由「離羣」而生，詩人溫柔敦厚，怨而不怒。「怨」有諷喻之義，意在消除個人與羣體之間不能和諧之苦。王夫之說：「以其怨者而羣，羣乃益摯」（註六七），即是此意。

四詩以爲敎

孔子之教，以詩教爲先，退溪以孔子之徒自居，對於孔子的詩教，體會深切，力行不倦。嘗自言「於詩用力頗深」，對於詩教亦甚留意，曾勸弟子李宏仲讀詩說：「自古安有不學詩書底理學耶？」

（同註一一）至於其詩教的方式，可歸納下列六者：

1.引詩爲教：即或引古人之詩，以斷章取義，發抒個人之見解；或引古人之詩，以發明言外之意。前者如退溪言行錄載：

辛酉三月晦，先生步出溪南齋，率李福宏、德弘等往陶山，憩冢頂松下，時山花盛開，烟林明娟。先生詠杜詩「盤渦鷺浴底心性，獨樹花發自分明」之句。德弘問：此意如何？曰：爲己君子，無所爲而然者，暗合於此意思。學者須當體驗「正其誼不謀其利，明其道不計其功」，若小有一毫爲之之心，則非學也。（註六八）

觀退溪所言「爲己君子」云云，與杜詩本意相去甚遠，不過借杜詩以發其端，而抒己意。後者如退溪與奇明彥書說：

晦菴宿梅溪館詩，如所戒寫呈。雖然，人慾之險，乃有以拄天地、貫日月之氣節，一朝摧銷陷沒於一妖物頰上之微渦，取辱至此，爲天下訴笑如胡公者，其可畏如此。故朱夫子尚云「寄一生於虎尾春冰」，而常持「雪未消草已生」之戒，在我輩當如何哉！（註六九）

朱子宿梅溪館詩有二首，觀退溪有「頰上微渦」之言，當係指後一首，茲誌於下：

十年湖海一身輕，歸對黎渦却有情。
世路無如人欲險，幾人到此誤平生。（註七〇）

退溪書朱子宿梅溪館等詩，教奇明彥，以戒人慾之險。又退溪亦曾引朱子「棄却甜桃樹，巡山摘醋梨」之句，（註七一）以勉其孫安道專心向學。

2.評詩爲教：即評論古人詩，以推其言外之意，如退溪與奇明彥書，評論朱子九曲櫂歌詩說：

蓋九曲乃是尋幽極處，而別無奇勝，若因其無勝，而遂謂遊事了訖，則興盡意闌，而向來所歷奇觀，都成虛矣。故末句云云，意若勸遊人須如漁人尋入桃源之境，則當得世外別乾坤之樂，至是方爲究竟處，不但如今所見而止耳。乃旣竭吾才後，如有所立卓爾處，亦百尺竿頭、更進一步處，然則此處及八曲所謂「莫言此地無佳境，自是遊人不上來」之類，可作學問造詣處看矣。（同註六九）

此評論古人詩爲教，亦有評論時人詩爲教者，如退溪與趙士敬書說：

細看公詩，近覺有長進，得趣味，可喜。但其間不無有誇逞矜負自喜之態，而少謙虛斂退溫厚之意。恐如此不已，終或有妨於進德修業之實也。

其首章「歸來十里江村路，宿鳥趨林只自知」，此一句正是公所以自言其超然獨得於人不及知處，以詩人趣味論之，亦甚得意，然以學問意思看來，正恐病處在此句上。何者？以其太早計也。（註七二）

3.和詩爲教：退溪詩集中，和詩甚多，有和古人者，有和時人及弟子者，然以詩教言，則以後者爲切要。如退溪有次韻趙士敬詩說：

學絕今人豈有師，虛心看理庶明疑。

因風寄謝趨林鳥，只自知時莫強知。（註七三）

此詩緊要處全在結句，所謂「只自知時莫強知」，即孔子教子路「知之爲知之，不知爲不知」（論語爲政）之意，退溪因不滿趙士敬「歸來十里江村路，宿鳥趨林只自知」之句，故作此詩以教之。其他之和詩甚多，不煩列舉。

4. 題詩爲教：此類詩範圍甚廣，包括題書院、題堂庵、題樓臺、題書畫等，此類詩往往有說教意味，茲錄二首以見意：

明誠齋

明誠旨訣學兼庸，白鹿因輸兩進功。
萬理一原非頓悟，眞心實體在專攻。

不欺堂

曾思心法日星懸，人鬼關門更截然。
獨臥獨行無敢慢，尋常何地不爲天。（註七四）

5. 贈詩爲教：此類詩爲數亦夥，如贈李秀才叔獻詩：

歸來自歎久迷方，靜處纔窺隙裡光。
勸子及時追正軌，眞嗟行脚入窮鄉。（同註七三）

又如：示金彥遇

萬化機緘妙且淵，春深無處覓中邊。
當時不有思和點，此理誰知在眼前。（同註七四）

6.改詩爲教：即修改他人之詩，加以適度之潤飾，以去其病，而增其美。如退溪與黃仲舉書說：來詩既云「揮盡千峯筆，吟成萬瀑雷」，則詩成揮灑之意，已說盡矣。而復綴之曰「千張白石紙，灑作黑雲堆」，無乃重疊揮灑之意，而前後四句，互相撑拄不諧暢乎？此所以語奇而意躓也。

混不揆，僭妄欲改轉數字曰「誰把千峯筆？吟成萬瀑雷」，間「張白石」以下云云，如此，則首尾串一意，無重累之病。（同註六五）

退溪批評黃仲舉此四句詩「語奇意躓」，有「重疊揮灑之意」。不如改轉數字，而作「千張白石紙，灑作黑雲堆。誰把千峯筆？吟成萬瀑雷」，如此改轉，不僅首尾一貫，義無重贅，且顯得氣韻生動，妙造自然。

以上詩觀部份，雖有言志、適情、善羣、爲教四者，實皆歸重於詩教，此固孔門之家法。而此四者，亦不能外於孔子興觀羣怨之情。朱子以「感發志意」、「考見得失」、「和而不流」、「怨而不怒」釋興觀羣怨，以發明孔子之意，當亦爲退溪所信從，而退溪亦能透過學詩作詩之工夫，實踐「學文所以正心」的文學觀。此處的「正心」是正己心，也可說是正人心。就正己心來說，主要是涵養性情，將情感與理性，作適當的調和，使身心平衡，得到健全的發展。就正人心來說，主要是調和個體與羣體的關係，樹立和而不流，卑以自牧的高風，發揮感染人羣的作用，使頑廉懦立，聞風默化。使窮賤者易安，幽居者靡悶。而同歸於溫柔敦厚，各以其情而自得。其功化之及物，誠如退溪弟子金誠一所言「求之東方，箕子以後，一人而已」（註七五）

㈤知體格

作詩須知體格，正如作文須識蹊徑。體是體式，格是格律。體有古體詩，有近體詩。古體詩有古體的格律，近體詩有近體的格律。作詩者不可不知。退溪與鄭子精書說：

> 夫詩雖末技，本於性情，有體有格，誠不可易而爲之。君惟以誇多鬥靡、逞氣爭勝爲尚，言或至於放誕，義或至於厖雜。一切不問，而信口信筆，胡亂寫去，雖取快於一時，恐難傳於萬世。況以此等事爲能而習熟不已，尤有妨於謹出言收放心之道，切宜戒之。仍取古今名家，著實加工而師效之，庶幾不至於墜墮也。（同註四五）

此段話頗爲重要，退溪教導鄭子精作詩須先知體格，不可率易爲之。最重要的是要「取古今名家，著實加工而師效之」，也就是要先熟習古今體格，又謂「古今能詩者千鍛百鍊，非至恰好，不輕以示人」（同註四五），觀退溪此書之意，只知古今詩的體格，不過是學詩的初階，必須「千鍛百鍊」，以至恰好，方可示人，此亦可見退溪作詩態度的嚴謹。朱子於答鞏仲至書中，主張作詩「須先識得古今體製」，亦即退溪師效「古今名家」之意。

㈥尚簡淡

退溪於詩用力頗深，早年樂觀陶杜詩，有契於陶詩的高曠，和杜詩的工妙。年譜載：

十三年甲午，廷試文臣者英會圖，排律十韻，先生居首。

甲午年退溪三十四歲，能以排律十韻，榮膺廷試文臣之首，可見其筆力之健。排律以對仗工整爲尙，以辭藻華麗爲能。然此非退溪所好，故不屑徒事華采，退溪自言：

吾詩枯淡，人多不喜。（同註三八）

枯謂枯寂，淡謂沖淡，枯如大音希聲，淡如玄酒無色。枯有無欲自得之意，淡有飲之太和之味。邵康節「清夜吟」詩說：「月到天心處，風來水面時。一般清意味，料得少人知。」（註七六）此詩有自得之趣，自然之美。退溪評此詩有「天人合一、興趣超妙、潔淨精微、從容灑落底氣象」（同註一一），觀退溪此評，亦可略窺其意趣之所在。弟子鄭惟一稱退溪「爲詩清嚴簡淡，類其爲人」（同註四二）簡之至便能「潔淨精微」，淡之至便能「從容灑落」。理學家注重人生日用，而人生日用必以灑落恬淡爲能事。爲詩類其爲人，此固理學家之所同。退溪論詩以簡淡爲尙，一則因其天資近道，恬淡寡欲；一則因其充養有素，深受朱子平淡詩風的影響。對於「過情」「逞氣」之語，「門靡」「虛夸」之辭，均表不喜，因其有違簡淡的原則，亦不合乎性情之正。故「人有作太眞送臨邛道士還報唐天子詩，欲課之。先生批曰：太眞之事，白樂天始作俑，魚無極鋪張之，大丈夫口中豈可狀出淫醜之語也？」（同註四二）此等見解，即孔子「放鄭聲」之遺意，退溪於答李剛而書中說：

第恐欲求淫聲以較雅樂，先已蕩於淫聲，是不可不痛戒耳。（同註五一）

不僅淫聲當戒，如禪佛老莊，皆所當戒，並謂「東方異端之害，佛氏爲甚。」（註七七）而「禪學如膏油，近人則輒汙。」（註七八）此種排斥「異端」之主張，與朱子大致相同。

肆、結論

儒者主張文以載道，文從道出，不免重道輕文，而產生尚用的文學觀。退溪認爲「學文所以正心」，即是儒者尚用文學觀的眞血脈。然退溪雖以文爲末事，但亦不廢詩文，且於詩文用功頗深，而有甚高之成就。鄭惟一稱退溪說：

其詩初甚清麗，既而剪去華靡，一歸典實，莊重簡淡，自成一家。爲文本諸六經，參之諸子，華實相兼，文質得中，雄渾而典雅，清健而和平。要其歸則又粹然一出於正。（同註三四）

觀退溪詩文之成就，其學力之深不難想見，退溪推崇朱子說：

集註章句之所以百世無異辭者，以能集衆長而精去取。有少未安，不憚修改，期就於至善，無可改而後已。（同註四七）

「集衆長而精去取」，此是爲學切要工夫。不憚修改，尤爲重要。爲文如此，爲詩亦然。退溪認爲：

古之能詩者，千鍛百鍊，非至恰好，不輕以示人。

故曰：「語不驚人死不休」，此間有無限語言。（同註四五）

此處之「千鍛百鍊」，亦即前云「不憚修改」，此種實事求是，精益求精的精神，顯示退溪亦有「尙文」的觀念。不過，此種「尙文」的最高目的，仍然歸重在明道上面。退溪批評「金佔畢非學問底人，終身事業只在詞華上」（同註三八）。以詞華爲事業，不免務外遺內，虛有其表，這是以「尙文」爲目的，是退溪所不能苟同的。惟有以學問爲事業，以明道爲文章。又能「千鍛百鍊」、「不憚修改」，力求簡約精當，一字不可增減。司空圖所云「如鑛出金，如鉛出銀」、「是有眞宰，與之沉浮」（註七九），到此境界，華實相兼，文質得中，眞味發溢，理趣俱到，才合乎理想的標準。然欲達此境界，實非易事。故退溪引老杜「語不驚人死不休」句曰：此間有無限語言。筆者更續之曰：「此中有無限工夫」。

【附註】

註　一：七十七年三月廿四日中央日報杜松柏「且來細解十四道學術研題」。

註　二：見左傳襄公二十五年。

註　三：見答謝民師書、經進東坡文集卷四六。

註　四：日知錄卷二二、文須有益於天下。

註　五：拙著孔學抉微、詩教有說，茲不具論。

註　六：見文心雕龍、原道第一。

註　七：禮記經解篇引孔子之語。

註　八：見法言吾子篇。

註　九：見二程全書、遺書十八、葉四十二。

註一〇：語見宋史三四〇卷劉摯傳：摯每言：「士當以器識爲先，一號爲文人，無足觀矣。」又姚永樸文學研究法卷一，以爲宋陳忠肅公瓘之語。案劉摯生卒年（一〇三〇——一〇九七）略早於陳瓘（一〇六二——一一二六），且宋史陳瓘傳不載此語，姚說有誤。

註一一：退溪全書、册二、卷三六、答李宏仲。

註一二：論語陽貨：子謂伯魚曰：「女爲周南、召南矣乎？人而不爲周南、召南，其猶正墻面而立也與？」

註一三：退溪全書册四、退陶言行錄卷二、葉三六。

註一四：詳見拙著退溪詩學、葉二〇三。

註一五：見黃氏日鈔卷三六。

註一六：見通書文辭第二十八。

註一七：見語類一三九、論文上。

註一八：愚案李漢說「文者貫道之器」，此說實本於文中子，文中子說：「學者博誦云哉乎，必也貫乎道，文者苟作云哉乎，必也濟乎義。」（中說卷二、天地）意謂學文本爲道義。

註一九：見柳宗元答韋中立論師道書。

註二〇：朱子大全卷四一、答程允夫。

註二一：語類卷一三〇、本朝四。

註二二：朱子於答程允夫書中說：「吾弟讀之（案指讀蘇氏之文）。愛其文辭之工，而不察其義理之悖」，筆者斷章借用。

註二三：朱子大全卷七十。

註二四：朱子大全卷五六。

註二五：二程全書、册一、遺書十八云：問作文害道否？曰：害也。凡爲文不專意則不工。若專意則志局於此，又安能與天地同其大也？

註二六：語類卷一二六、釋氏。

註二七：朱子大全卷三五。

註二八：見文心雕龍情采第三十一。

註二九：朱子大全卷六十四。

註三〇：朱子大全卷三十九。

註三一：語類卷一四〇、論文下。

註三二：答傅欽之。

註三三：邵康節有首尾吟一百三十五首，每詩首尾均有「堯夫非是愛吟詩」之句。又康節「無苦吟」云：「平生無苦吟，書翰不求深。行筆因調性，成詩爲寫心。」

註三四：見退溪全書册四、退陶言行錄卷一。

註三五：此文作於壬寅，退溪年四十二，文見退溪全書册一、卷一。

註三六：此文作於戊申，退溪年四十八，文見退溪全書册一、卷四二。

註三七：此文作於辛酉，退溪年六十一，文見退溪全書册一、卷三。

註三八：見退溪全書册四、退陶言行錄卷五、議論第四。

註三九：見退溪全書册一、卷十九。

註四〇：見退溪全書册二、卷四十九。

註四一：見南陽樊紹述墓誌銘，銘曰：「文從字順各識職，有欲求之此其躅」，韓昌黎文集卷七。

註四二：見退溪全書册四、退陶言行錄卷五、雜記第五。

註四三：見韓昌黎文集卷三、答李翊書。

註四四：見文心雕龍體性第二十七。

註四五：見退溪全書册二、卷三五、與鄭子精。

註四六：見退溪全書册四、退陶言行錄卷二。案「論語首篇註朱夫子論弟子職」，係指學而篇「行有餘力，則以學文」句朱註：程子曰：爲弟子之職，力有餘則學文，不修其職而先文，非爲己之學也。尹氏曰：德行，本也；文藝，末也，窮其本末，知所先後，可以入德矣。

註四七：見退溪全書册一、卷十。

註四八：見退溪全書册一、卷十四。

註四九：方東美先生語，見生生之德、葉一一四、生命情調與美感。

註五〇：見宋文憲公全集卷二十一、曾助教文集序。

註五一：見退溪全書册一、卷二一。

註五二：見文心雕龍定勢第三十。

註五三：引見方東樹昭昧詹言。

註五四：見曾文正公家訓、諭紀澤、同治元年八月初四。

註五五：見退溪全書册一、卷十二。

註五六：此退溪之語，見退溪全書册四、退陶言行錄卷一。

註五七：見退溪全書册一、卷三。

註五八：見宋書卷六七、謝靈運傳論。

註五九：語出毛詩序，見昭明文選卷四五。

註六〇：語出文心雕龍明詩第六。

註六一：退溪全書册三、續集卷一。

註六二：退溪全書册一、文集卷一。

註六三：退溪全書册一、文集卷三。

註六四：語本謝榛四溟詩話卷三。

註六五：退溪全書册三、續集卷四。

註六六：見梁書卷四九、詩品序。

註六七：見船山遺書詩繹。

註六八：見退溪全書册四、退溪言行錄卷三、樂山水。

註六九：見退溪全書册一、卷十六、案朱子次林擇之詩，有「虎尾春冰寄此生」、及「雪未消時草已生」之句。見朱子大全卷五。

註七〇：見朱子大全卷五、案朱子詩題原爲「宿梅溪胡氏客館，觀壁閒題詩，自警二絕」。

註七一：見退溪全書册二、卷四十、與安道孫。

註七二：見退溪全書册一、卷二三。

註七三：見退溪全書册三、續集卷二。

註七四：均見退溪全書册一、卷五。

註七五：見退溪全書册四、退陶言行錄卷一。

註七六：引見性理大全卷七十。

註七七：見退溪全書册一、卷六、戊辰六條疏。

註七八：見退溪全書册一、卷十三、與洪應吉。

註七九：見司空圖詩品、洗鍊、含蓄。

退溪的詩學與詩教

一、引　言

退溪先生是大韓民國儒學的宗師。韓國儒學之有退溪，正如中國儒學之有朱子。朱子集中國儒學的大成，而退溪則爲朱學的發揚者與實踐者，故有「海東考亭」（註一）之稱。中國儒家講三統，就是血統、政統和道統。血統的關係最親，政統的關係最疏，道統的關係最尊。論其重要性，則以道統的關係最重要。因爲如果沒有道統的關係，那麼，血統的關係雖親，而未必能相愛；政統的關係已疏，更未必能相安。不能相愛便難免失和，不能相安便難免生亂。由此可知道統關係是如何的重要了。退溪學宗紫陽，是朱子的嫡傳。在血統上雖是韓國人，在道統上也可以說是中國人。其實，儒家的道統思想，是放之四海而皆準，傳之百世而可法的。並沒有地域之分，也沒有時間的限制。

宋以後的儒學，一般人稱爲理學。退溪對於理學方面的造詣，這是一般學者都知道的。今天研究退溪學的學者，大都是偏重理學的範疇。其實，退溪在文學方面，也有很深的造詣。只是因爲退溪在理學方面的成就太大，聲名太高，所以文學爲理學所掩。而事實上，退溪的理學，並不是與文學一無關係的。退溪曾說：「文學豈可忽哉？學文所以正心也。」（註二）「學文所以正心」，這句話可視爲退溪的文學觀。退溪弟子李宏仲欲讀朱書，退溪告訴他說：「願公姑且停之，須先讀詩，至佳至佳。孔子以不爲二南爲墻面，韓公以不學詩書爲腹空，假使公專意此學，自古安有不學詩書底理學耶？願公思之，前日面勸讀詩，今問讀何書，是公意以讀詩爲不切於心學，而不欲讀之，此大誤也。」（註三）退溪答李宏仲這一段話，可爲「學文所以正心」的註脚。同時，由這一段話，也可知退溪對於文學，特別注重學詩。在退溪文集中，共有詩九卷，達二千餘首之多，實佔相當重要的地位。

言行錄載：「先生喜爲詩，平生用功甚多。嘗言吾詩枯淡，人多不喜，然於詩用力頗深，故初看雖似冷淡，久看則不無意味。又曰：詩於學者最非緊切，然遇景値興，不可無詩矣。」（註四）退溪自言「於詩用力頗深」，可見他對詩的重視。但是他又說「詩於學者最非緊切」，這話似與答李宏仲書中所說的「須先讀詩」的話矛盾。其實不然。前答李宏仲書，是教其讀詩涵養性情，此言「詩於學者最非緊切」，恐人學詩玩物喪志、陷溺其心，所謂「詩不誤人人自誤」也。（註五）

言行錄載：辛亥六月，弟子趙穆謁先生，請訓誨詩，不許。且曰：「身不行而口徒言，實余之所愧也。」（註六）身不行而口徒言，學詩不體之於身心，則不免玩物喪志。退溪不教趙穆爲詩，是因病立方，其目的在醫治趙穆好高騖遠之病。在退溪的心目中，詩學，是理學的附庸。他曾說：「儒家意味自別，工文藝非儒也，取科第非儒也。」（註七）以工文藝爲非儒，這與朱子「今人不去講義理，只去學詩文，已落第二義」（註八）的話，在觀點上是一致的。

二、詩論

退溪的詩雖然做得不錯，然終不以詩人自居，以其所志者大，不欲以一藝成名也。退溪平生很少教人作詩，所以對於作詩的理論，也很少提及，他的「和子中閒居二十詠」，其中有「吟詩」一首：

詩不誤人人自誤，興來情適已難禁。
風雲動處有神助，葷血消時絕俗音。
栗里賦成眞樂志，草堂改罷自長吟。
緣他未著明明眼，不是吾緘耿耿心。

（文集卷三）

從這首詩中，很可以看出退溪對作詩所持的態度。這首詩起句所謂「詩不誤人人自誤」，言「詩不誤人」，便有可作的意思；言「人自誤」，便有不可多作的意思。退溪在「奉呈安孝思」的那首詩中曾說：「和詩十首公休索，累牘聯篇亦一塵」（文集卷五），可見退溪是不主張多作詩的。退溪這句詩，實以「詩不誤人」爲正意，以「人自誤」爲反意。正意則當相勉，反意則當相戒。退溪這種觀點，實受朱子的影響，朱子曾說：「作詩間以數句適懷亦不妨，但不用多作，蓋便是陷溺耳。當其不應事時，平淡自攝，豈不勝如思量詩句。至其眞味發溢，又却與尋常好吟者不同。」（註九）

此詩次句「興來情適已難禁」，與朱子「數句適懷亦不妨」的意思略同。但退溪言「已難禁」，便有不可不作之意，較朱子「亦不妨」的語氣要積極得多。退溪雖善於作詩，然無礙於學問，且有助於進德，這與「尋常好吟者不同」。

三句「風雲動處有神助」，指境遇與會而言，靈感之來，必非無因，有激而發，觸動天機，興會淋漓，振筆疾書，得心應手，如有神助。退溪曾有詩句說：「澆愁換酒禽相勸，得意題詩筆有神」（賞花，文集卷三），「邇來自覺溪山助，詩骨巉巉筆洒泉」（春川向楊口云云、別集卷一），都是這個意思。

四句「葷血消時絕俗音」，葷血，指胸中穢濁之氣，穢濁消除，氣質變化，心中無世俗言語，吐詞自然高雅。葷血之語，本之朱子（註一〇）。消除葷血的方法，要靠多讀書，「先識得古今體製，雅俗鄉背」。

五六兩句用陶潛及杜甫事，上句言作詩可以樂志，下句言作詩不厭多改。七八兩句似另有所指，大概有人對退溪論詩的意見，有不明白的地方，所以退溪說他「未著明明眼」。值得注意的是這首詩的中間兩聯，用了朱子、陶潛、杜甫三個人的典故，可知退溪對於作詩方面，受這三個人的影響是很大的。

又退溪在「喜林大樹見訪論詩」的五言古風中，對林大樹所說「吾詩尚豪宕，何用巧剞劂」的話，表示不同的意見。退溪反詰林大樹說：

自非聖於詩，法度安可輟？寧聞大賢人，不用規矩密？曷不少低頭，加工鍊與律？比如撞洪鐘，寸梃豈能發？

（別集卷一）

退溪主張作詩須講求規矩法度，更要虛心加工，錘鍊字句，以求合律。退溪曾說：「古之能詩者，千鍛百鍊，非至恰好，不輕以示人。故曰：語不驚人死不休。此間有無限語言。」（註一一）言行錄載：先生雖偶吟一絕一句一字，必精思更定，不輕示人。（註一二）可見其態度之嚴謹。

要而言之，退溪前詩所云「葦血消時絕俗音」，是重視內容美；此詩所說「加工鍊與律」，是重視形式美。退溪贈李叔獻詩有句云：

嘉穀莫容稊熟美，纖塵猶害鏡磨新。

過情詩語須刪去，努力工夫各日親。

（外集卷一）

退溪所重視的美，是嘉穀之美，不是稊熟之美。言行錄載：有作太眞送臨邛道士還報唐天子詩，欲課之。先生批曰：「太眞之事，白樂天始作倆，魚無迹極鋪張之。大丈夫口中豈可狀出淫醜之語也？」（註一三）像白居易的長恨歌之類，在退溪看來，即屬於稊熟美，那麼，什麼是嘉穀美，就可想而知了。

詩人常有矜負之氣，不免有過情之語，退溪教訓弟子趙穆說：「歸來十里江村路，宿鳥趨林只自知。此一句正是公所以自言其超然獨得於人不及知處，以詩人趣味論之，亦甚得意，然以學問意思看來，正恐病處在此句上。」（註一四）又贈趙穆詩說：「學絕今人豈有師，虛心看理庶明疑。因風寄謝趨林鳥，只自知時莫強知。」（續集卷二）前文曾論及退溪不肯教趙穆作詩，其理由在此。又退溪聞李珥太尙詞華，欲抑之不令作詩，（註一五）也是恐怕他言過其實，有妨於進德修業也。

三、詩　式

退溪之詩，現存者有文集五卷、別集一卷、外集一卷、續集二卷。共九卷，二千餘首，在數量上超過詩聖杜甫（註一六），不可謂不多。在形式上有四言、五言、六言、七言。又有回文詩、破宗詩，可以說各體皆備。而以五言、七言爲主。七言多於五言，近體多於古體。以古體而論，五古多於七古。以近體而論，七律多於五律。其所作七言絕句，多達一一一七首，占全詩總數二分之一以上，即此一端，可知其用力所在。

在押韻方面，七言絕句，往往用通押的變格：

雨晴漫興

雨罷閒雲矗遠空，碧溪青嶂遶重重。

我來獨坐溪邊石，默數平沙古篆蹤。

（別集卷一）

這首詩第一句所押的「空」字，是一東韻，第二句所押的「重」字，及第四句所押的「蹤」字，都是屬於二冬韻。這種首句押通韻，二、四句押本韻的情形，是絕句的變格，詩家叫它做「飛雁入羣」。因為首句押通韻，如同孤雁獨飛，次句起押本韻，好像孤雁飛回羣中，所以叫做「飛雁入羣」。但必須首句所押的是通韻才可以，否則，就是出韻。在退溪詩中，這種變格屢見不鮮。

還有一種押韻的變格，與上例恰好相反，那就是將前式第一句所押的通韻，用於第四句之末，如下列情形。

辛亥七月二十三日

連旬陰雨鎖秋山，溪漲洪波鬬石頑。
咫尺溪堂歸不得，滿床書怕蠹魚殘。

（別集卷一）

這首詩前二句所押的「山」字和「頑」字，都是屬於十五刪韻，而第四句所押的「殘」字是十四寒韻。前二句押本韻，如同飛雁在羣中，末句押通韻，有如一雁離羣飛去。像這種情形，詩家叫它做「飛雁出羣」。這種變格，在退溪集中極為少見。那是因為「飛雁出羣」是變格的特例，而「飛雁入羣」是變格的常例。以上這兩種變格，也見於東坡詩中。例如：

塔前古檜

當年雙檜是雙童，相對無言老更恭。
庭雪到腰埋不死，如今化作兩蒼龍。

（東坡集卷四）

過文覺顯公房

爛斑碎玉養菖蒲，一勺清泉滿石盂。

淨几明窗書小楷，便同爾雅注蟲魚。

（東坡續集卷二）

前一首第一句所押的「童」字，是一東韻，二、四兩句所押的「恭」字和「龍」字，都屬於二冬韻。這是「飛雁入羣」格。後一首前兩句所押的「蒲」字和「盂」字，都屬於七虞韻，而末句所押的「魚」字，是六魚虞。這是「飛雁出羣」格。在東坡詩中，這種變格極為少見。而前一種「飛雁入羣」格，則較為多見。在退溪詩中，這兩種變格出現的情形，和東坡極為相類。由此可以推知，退溪這種押韻的變格，極可能是受東坡的影響。

在平仄方面，七言絕句，往往用拗救的變格，如下列的情形：

三嘉雙明軒

滴殘簷雪暮凄凄，古屋烟生一半低。

自是南中有佳致，竹林多處翠禽啼。

（別集卷一）

次韻答李公幹仲樑

曾嘗世味覺餘辛，松鶴因緣遭色嗔。
留得青田好光景，助君詩思發清新。
（別集卷一）

這兩首詩的第三句，其式應爲「仄仄平平平仄仄」，而其第六字的「佳」字和「光」字，拗用平聲，所以在第五字拗用仄聲的「有」字和「好」字以救之，而成爲「仄仄平平仄平仄」的句式，這種句式骨格峻峭，讀起來音節美妙，在杜甫的近體詩中俯拾即是。如江南逢李龜年：

岐王宅裏尋常見，崔九堂前幾度聞。
正是江南好風景，落花時節又逢君。
（杜工部集卷十七）

退溪「留得青田好光景」的詩句，和杜甫「正是江南好風景」句，極爲相類。「好光景」與「好風景」，只有一字之異，其模杜之迹，至爲顯然。

退溪律詩，多達五百餘首，在數量上僅次於絕句。其中七言律詩，有三百八十餘首。退溪律詩宗法杜甫，其用韻較絕句要嚴格。但亦有例外者，如下列二詩：

和子中閒居釣魚

清時多病早投閒，萬事漁竿本不干。
小艇弄殘宜月宿，寒絲收罷任風餐。

荻花楓葉深秋岸，蒻笠蓑衣細雨灘。
可笑從前閒失脚，軟紅塵土沒高冠。
（文集卷三）

九月如京廿五日始出險抵惟新
一路迢迢接玉京，多山多水儘難行。
他鄉到處厭機巧，逆客逢時知物情。
霜氣曉侵喬嶽冷，雁行遙帶片雲橫。
向來丘壑風流事，回首無言倚驛亭。
（文集卷二）

前一首第一句所押的「閒」字，是十五刪韻，其餘二、四、六、八各句所押之「干」「餐」「灘」「冠」四字，都屬於十四寒韻。此種情形，和前文所論七絕的「飛雁入羣」相同。後一首一、二、四、六各句所押之「京」「行」「情」「橫」四字，都屬於八庚韻，而末句所押的「亭」字，是九青韻。和前文所論七絕的「飛雁出羣」式相同。而這種變格，也較前一種「飛雁入羣」的變格爲少。

退溪律詩宗法杜甫，杜甫七言律一百五十九首，拗句體凡十九出。退溪七言律的拗句也不少。如：

山巖情性鹿麋同，自分年來天放翁。
（冒雨入用安驛，文集卷二）

有客同心期不來，孤笻巡佇白雲堆。

（陶山訪梅、文集卷三）

「自分年來天放翁」和「有客同心期不來」，這兩句都應爲「仄仄平平仄仄平」的句式。其第五字應仄，而退溪用平聲的「天」字和「期」字，此種拗句，讀之並不戾口，杜甫詩中常用之，如「丞相祠堂何處尋」（蜀相）、「玉樹凋傷楓樹林」、「承露金莖霄漢間」（秋興）等句都是。

在退溪七言律中，也有一聯拗的。如：

移書稍稍舊龕盡，植竹看看新笋生。

（陶山言志、文集卷三）

這一聯應爲「平平仄仄平平仄，仄仄平平仄仄平」的句式。其上句第五字應平，而用仄聲的「舊」字，下句第五字應仄，而用平聲的「新」字，成爲「平平仄仄仄平仄，仄仄平平平仄平」的句式。上句末三字「仄平仄」，與下句末三字「平仄平」相對，聲調搖曳有致，比拗一句的更佳。杜甫的蜀相「映階碧草自春色，隔葉黃鸝空好音」，就是用這種拗法。兩相比照，便可以看出退溪模杜的痕迹。

四、詩教

退溪爲一理學家，其詩往往帶有神秘主義的色彩，其最高境界，即是「天人合一」的境界。要達到此種境界，非如佛氏的參禪所能坐致，亦非如莊子的齊物所能獲得，而是須由平日的涵養工夫，強恕求仁，以下學而上達。所以退溪曾說：「吾儕萬里須探極，天待人修方合一」。（和洪上舍應吉，外集卷一）窮萬理以明德，修人事以合天，其最切要的工夫，就是要從自己方寸之地做起。這就是心學，心學以義理爲主，所以亦稱理學。言爲心聲，詩又爲心聲之精美者。退溪之詩，因事緣情，遇景値興，有感而興，自不免帶有神秘主義的色彩，讀其詩，可想見其爲人。清沈德潛說：「杜詩江山如有待，花柳自無私。水深魚極樂，林茂鳥知歸。水流心不競，雲在意俱遲，俱入理趣。邵子則云：一陽初動處，萬物未生時。以理語成詩矣。」（說詩晬語）沈氏以杜詩爲理趣詩，以邵詩爲理語詩。理語詩多爲直說，使人明白易曉。理趣詩多用比興，不泛說理，而狀物態以明理，使人涵泳意會。在退溪詩集中，這兩類詩很多。在這兩類詩中，頗富教育的色彩，可以視爲退溪的詩教。茲分別舉例說明如下：

㈠理語詩

理語詩是一種修爲詩，從理語詩中，可以窺測退溪對於理學的修養工夫，亦可看出退溪對於詩教的苦心孤詣。

1.敬義夾持

同醉昏昏儻有醒，最難操守驗鐘聲。

直方工力皆由我，休遣微雲點日明。

（存心，文集卷三）

這首詩緊要處全在後二句，所謂直方工力，指「敬以直內，義以方外」的工夫而言。微雲以喻物欲，日明以喻本體。微雲點日明，是以喻物欲之私，蔽天理之明。欲去私欲而存天理，必須敬義夾持，內外俱透。爲學之要，無以易此。退溪弟子李剛而晚構龜巖精舍，有東西二齋，退溪名之曰居敬、明義，並且作詩以勉之：

一寸膠無千丈渾，玉淵秋月湛寒源。
端居日夕如臨履，箇是存存道義門。
（居敬齋，文集卷五）

義路如砥坦且明，一昏心燭故難行。
欲知大寐如醒處，唯在研精積久生。
（明義齋，文集卷五）

前一首詩以寸膠喻敬，以千丈渾喻物欲。一寸膠無千丈渾，是反用抱朴子「寸膠不足以理黃河之濁」的話。這句詩與「寸膠可救黃流濁」（註一八）的意思相同。玉淵言其淸，秋月言其明。玉淵秋月湛寒源，以喻心體的瑩徹光明。這是物欲消盡、天理昭然的境界。三句端居如臨履，是說主敬的工夫。端居是正其衣冠，尊其瞻視，偏於靜的工夫。臨履是戒愼恐懼，小心翼翼，偏於動的工夫。端居如臨履，則靜中有動，端居日夕，是要時時如此，不可須臾有間，這便是存道義的法門。

後一首是說明義之功，惟在積久研精，研精是格物致知的工夫，道理研究透徹，使心燭長明，見得眞切，則義路自然平坦易行。

要而言之，臨履是持敬之本，研精是明義之端。二者不可偏廢，惟退溪平居教人，於敬之一字，說得較多。

爲問主人何事業，寸膠功力自珍身。

（琴聞遠東溪惺惺齋，文集卷二）

此心操攝無餘法，念念時時著一欽。

（解夢，文集卷五）

2.動靜互用

主敬與集義，兩者工夫，一動一靜，交相爲用，退溪所作玩樂齋詩，嘗明示此義：

主敬還須集義功，非忘非助漸融通。

恰臻太極濂溪妙，始信千年此樂同。

（文集卷三）

退溪自註；「朱子名堂室記，以持敬明義動靜循環之功，爲合乎周子太極之論，足以玩樂而忘外慕，今以名齋，而日加警焉。」（註一九）敬義夾持，原是內外交修，動靜互用。不過，就動靜二者而言 退溪主張以靜爲本，以靜制動。他在「守靜」一詩中說：

守身貴無撓，養心從未發。苟非靜爲本，動若車無軏。（文集卷五）

天下之難持者莫如心，易染者莫如欲。多欲之人，好動無節，必須多下靜的工夫，退溪說：

人心叵耐似翻車，功要西山一部書。
箇裡不妨多著靜，莫嫌持敬始生疏。
（次韻寄李生宏仲，文集卷三）

3. 知行相資

雖當老境兼衰齒，只在眞知與力行。
伯子後時懲獵習，文公早歲驗鐘聲。
（十月四日遊月瀾庵，文集卷二）

眞知與力行，二者關係極爲密切。知以導行，行以驗知。退溪曾說：「窮理而驗於踐履，始爲眞知。」（註二〇）眞知與力行，二者相資，交養互進。伯子懲獵習，文公驗鐘聲，以見省察不可不密，克治不可不力。省察偏於靜，克治偏於動。省察偏重知，克治偏重行。時時省察克治，便是動靜互用，知行相資。於知行二者，退溪尤看重行，觀其「示諸友」詩可見：

臥雲庵裡存心法，觀善齋中日用功。
要識講明歸宿處，請將踐履驗吾躬。
（文集卷三）

所謂存心法、日用功，不免偏重於求知一邊，但求知是爲了踐履，不是爲求知而求知。退溪既以踐履躬行爲講明的歸宿處，可見其所重在力行。所以，退溪是朱子學的發揚者，也是朱子學的實踐者。由此詩已可獲得證明。

4. 明誠兩進

由明而誠，這是由致知工夫而益勵其行；由誠而明，這是由力行工夫而益致其知。前者是由道問學而尊德性，後者是由尊德性而道問學。前者是由外而內，後者是由內而外。內外合一，工夫原是一貫。愈明則愈誠，愈誠則愈明。有如滾雪球，愈滾愈大。退溪對於明誠工夫，用力甚深。看下面的詩便知。

日事明誠類數飛，重思複踐趁時時。
得深正在工夫熟，何啻珍烹悅口頤。
（時習齋，文集卷三）
明誠旨訣學兼庸，白鹿因輸兩進功。
萬理一原非頓悟，眞心實體在專攻。
（明誠齋，文集卷五）

日事明誠，工夫在熟。重思複踐，用力要深。重思在求知之眞，複踐才是行之力。大學是方法論，注重格物致知。中庸是本體論，注重愼獨存誠。明誠的旨訣全在大學中庸二書，其學問工夫，全在身體力行。由行以求知，因知以進行。所謂「眞心實體在專攻」，就是要一心一意的去力行。

5.博約交修

博約，指博文約禮而言。博文約禮是爲學的切要工夫。博文偏重於致知，約禮偏重於力行。博約與明誠的關係至爲密切。也可以說博約是達到明誠的方法。博文的工夫做得愈好，也就愈能明理；約禮的工夫做得愈好，也就愈能誠身。所以退溪說：

博約淵源寧有雜，明誠宗旨不容疎。

（次韻權生好文，文集卷二）

朱門博約兩工程，百聖淵源到此明。

（寄謝尹安東，續集卷二）

前兩句以博約與明誠相提並論，可見其關係密切，不可偏廢，不容疏忽。後兩句推崇朱門對博約工夫的造詣。朱子曾說：「博文所以驗諸事，約禮所以體諸身。」（註二一）驗諸事是致知，而知中有行，體諸身是力行，而行中有知。退溪自謂「欲博則聰明不及，欲約則精力已耗。」（註二二）所謂聰明不及、精力已耗，這雖是自謙的話，但也可反證退溪對於博約二者，所下的工夫很大。

㈡理趣詩

退溪對理趣詩極爲重視，他曾與南時甫書說：「來詩古雅，理趣俱到。其得於遊觀所養者如此，深可嘉尙。」（註二三）理趣得於遊觀所養，這話是不錯的。退溪自云「少小林泉有好懷」（東齋感事，文集卷三），所以他的理趣詩，是其來有自，養之有素的。

遊春詠野塘

露草夭夭繞水涯，小塘清活淨無沙。

雲飛鳥過元相管，只怕時時燕蹴波。

（年譜上）

這首詩是退溪十八歲時所作。第一句是寫景，第二句以小塘的清淨，比喻心體的清明。第三句比喻外物之來，而心之明無不照。第四句燕蹴波，喻物欲干擾心體。退溪弟子金富倫認爲這首詩「謂天理流行，而欲人欲間之」，這話是不錯的。退溪以十八歲之年，就能留意性理之學，以冰淵自懍的心情，做出這樣意義深長的詩，亦可見其慧根夙具，器識非凡。

詠懷詩

獨愛林廬萬卷書，一般心事十年餘。

邇來似與源頭會，都把吾心看太虛。

（年譜上）

這首詩作於十九歲，第一句「獨愛林廬萬卷書」，是退溪的素志，這一素志終身未改。此詩緊要處在第三句，退溪自言「十九歲時，初得性理大全首尾二卷，試讀之，不覺心悅而眼開。熟讀既久，漸見意味，似得其門路。」（註二四）所謂「似得其門路」，與「似與源頭會」之語，不無關係。源頭，以喻本然之心體。「似與源頭會」，亦非從前的感觸，而是「邇來」的自覺。大概這詩是退溪讀了性理大全，有契於心，有得而作。末句「都把吾心看太虛」，便有不滯於物之意。

步自溪上踰山至書堂

花發巖崖春寂寂，鳥鳴澗樹水潺潺。
偶從山後攜童冠，閒到山前問考槃。

（文集卷三）

這首詩第一句言靜，次句言動，二句都是寫景。春寂寂而花發，則靜中自有盎然的生意。水潺潺而鳥鳴，則動中便有活躍的機境。必有瀟灑活潑的襟懷，怡然自得的情致，才能體會出這樣美妙的意境。這與王維的「人閒桂花落，夜靜春山空，月出驚山鳥，時鳴春澗中」的意境，有異曲同工之妙，後兩句「攜童冠」出於「偶從」、「看考槃」亦是「閒到」。偶從山後，閒到山前，純任自然，全不著意，一片天機，一片化機。妙就妙在這裡。李德弘說「此詩有上下同流，各得其所之妙」（年譜中）能有此會心，亦可以與言詩矣。

山居四時吟（錄二）

朝

霧捲春山錦繡明，珍禽相和百般鳴。
山居近日無來客，碧草中庭滿意生。

（右春，文集卷四）

暮

夕陽佳色動溪山，風定雲閒鳥自還。
獨坐幽懷誰與語，巖阿寂寂水潺潺。
（右夏，文集卷四）

前一首霧捲春山，珍禽相和，寫朝景的美妙。山居無客，心情閒適，看中庭碧草，生意盎然，便有目擊道存之意。後一首寫夕陽佳色，照映溪山，夕陽本靜，用一「動」字，出人意表，頗富機趣。風定雲閒，飛鳥自還，寫景而景中有情。雲閒鳥還，靜中有動。有此幽境，可適幽懷，而謂「幽懷誰與語」，似有人不及知的境界。坐看巖阿寂寂，聽水聲潺潺，此境幽寂，寂中有動，可以體道。只要自得於中，似不必與人共語。

豐基館答趙上舍士敬

有鳥辭林被網羅，林中一鳥笑呵呵。
那知更有持羅者，就搿渠巢不奈何。
（文集卷四）

這首詩題下的小序說：「時士敬寄詩來，頗譏余行，適聞其有恭陵參奉之命，故詩中戲云。」從這首詩很可看出退溪的幽默。以「被網羅」喻赴召之不得已，這對於熱中仕宦者來說，實在是一帖清涼劑。

五、結語

退溪是理學大家，詩學是其餘事。但是，退溪對於作詩，確實下了不少工夫。綜觀退溪的詩，有兩大特色：一是愛自然，一是愛眞理。愛自然是發乎情，愛眞理是本乎性。表現於前者，是藝術境界的追求。表現於後者，是聖賢境界的追求。藝術的境界在求美，聖賢的境界在求善。這兩種境界，是相輔相成的。退溪以藝術的修養，陶冶其情；以聖賢的修爲，涵泳其心。退溪晚年卜築陶山，嘯傲林泉，以義理爲膏粱，以梅鶴爲友伴，楊龜山所謂「莫把疎英輕鬭雪，好藏清艷月明中」（註二五）這正是退溪心情的寫照。退溪宗法朱子，其詩受朱子的影響很大，這從本文所述的詩教中可以看得出來。至於詩教的內容，在退溪詩集中可以說俯拾即是。本文所述，不過略舉梗概而已。

至於藝術境界與聖賢境界，雖說相輔相成。但在退溪看來，聖賢境界自可涵蓋藝術境界。退溪曾說過「自古安有不學詩書的理學耶」的話，則已微露其中消息。所以就詩學和理學而言，詩學不過是理學的附庸而已。這種觀念，是理學家們共同一致的觀念。

【附註】

註一：語見「文廟從祀時中外頒教文」，增補退溪全書第四册、退溪言行錄卷六附錄。成均館大學校發行。增補退溪全書，以下簡稱全書。

註　二：全書第四册、退陶先生言行通錄卷二、類編「月川日記」。

註　三：全書第二册、卷三十六、答李宏仲。

註　四：全書第四册、退陶先生言行通錄卷五、類編「閒中筆錄」。

註　五：退溪詩句，全集第一册、卷三「和子中閒居二十詠」吟詩。

註　六：全書第四册、退陶先生言行錄卷二、類編引「月川日記」。

註　七：全書第四册、退溪先生言行錄卷五、論科擧之弊、鄭士誠錄。

註　八：見性理大全卷五十六、論詩。

註　九：同上。

註一〇：見朱子大全卷六十四答鞏仲至書，亦見朱子書節要十八卷。朱子曰：「來喩所云潄六藝之芳潤，以求眞澹，此誠極至之論，然恐亦須先識得古今體製，雅俗鄕背，仍更洗滌得盡腸胃間夙生葷血脂膏，然後此語方有所措。如其未然，竊恐穢濁爲主，芳潤入不得也。」

註一一：李退溪書抄卷九、與鄭子精書。

註一二：全書第四册、退陶先生言行錄卷五、類編「溪山記善錄」。

註一三：全書第四册、退陶先生言行錄卷五、類編「陶山言行錄」。

註一四：全書第一册、卷二十三、與趙士敬書。

註一五：見李退溪書鈔卷六、與趙士敬書。

註一六：案退溪詩共有二千零十三首（參見拙著「退溪詩學」退溪詩集統計簡表），杜工部詩共一千四百零五篇（據王洙說）。

註一七：馮友蘭曾說：神秘主義一名，有種種不同的意義，此所謂神秘主義，乃專指一種哲學承認有所謂「萬物一體」之境界，在此境界中，個人與全（宇宙之全）合而爲一。所謂人我內外之分，俱已不存。佛教所說之證眞如，宋儒所說「人欲淨盡，天理流行」皆指此境界也。見中國哲學史第一篇第六章。

註一八：退溪次金惇敍讀書有感詩云：「寸膠可救黃流濁，參倚尋常在座隅」（見文集卷二）。

註一九：全書第四册、退溪文集考證，卷二詩。

註二〇：全書第一册、卷十四、答李叔獻書。

註二一：見朱子語類。四書朱子異同條辨、論語卷六、葉七十八，近譬堂本。

註二二：全書第一册、卷十六、與奇明彥書。

註二三：全書第一册卷十四、答南時甫書。

註二四：全書第四册、退陶先生言行錄卷二、學問第一「溪山記善錄」。

註二五：全書第一册、卷十七、答奇明彥書引楊龜山詩。

退溪早年的幾首七絕

一、石　蟹

退溪的詩今存者有內集五卷，別集一卷，外集一卷，續集二卷，共九卷二千餘首，其中七言絕句達一一一七首之多，占全詩總數二分之一以上，即此一端，便可見其用功所在。

退溪早年所作的詩，共有三首，都是七言絕句，最早的一首「石蟹」，作於十五歲時，詩云：

負石穿沙自有家，前行卻走足偏多。生涯一掬山泉裏，不問江湖水幾何。（註一）

此詩寓意全在後兩句，所謂「生涯一掬山泉裏」，便隱然有「棲遲丘壑」之意，退溪有句云「平生丘壑期」，（註二）又有句云「少小林泉有好懷」，（註三）皆可爲「生涯一掬山泉裏」之註脚。末句「不問江湖水幾何」便有「與人無爭，自得其樂」之意。

再就此詩之用韻而言，首句之「家」字爲下平聲六麻韻，而次句之「多」字，及末句之「何」字，同屬下平聲五歌韻，歌麻二韻，古體詩中可以通押。在近體詩中，首句押通韻，次句及末句押本韻，此爲絕句之變格，此種變格，詩家名之曰「飛雁入群」。這種變格，在退溪詩集中不乏其例，如「寄贈李仲久」詩云：

靜存贈我一丸朱，我正昏眸欲廢書。結習未除時點染，山窗非是注蟲魚。（註四）

此詩首句之「朱」字爲上平聲七虞韻，次句之「書」字及末句之「魚」字，同屬上平聲六魚韻，魚、虞二韻亦爲通韻。就其形式而論，此亦屬於「飛雁入群」之變格。此種變格，宋人詩中常用之，如東坡下列二詩：

塔前古檜

當年雙檜是雙童，相對無言老更恭。庭雪到腰埋不死，如今化作兩蒼龍。（註五）

次韻關令送魚

舉網驚呼得巨魚，饞涎不易忍流酥。更須赤脚長須老，來趁西風十幅蒲。（註六）

前一首第一句所押之「童」字，爲上平聲一東韻，二四兩句所押之「恭」字及「龍」字，同屬上平聲二冬韻。後一首第一句所押之「魚」字，爲上平聲六魚韻，二、四兩句所押之「酥」字及「蒲」字，同屬上平聲七虞韻。東與冬，魚與虞，皆爲通韻。退溪所作之「石蟹」與東坡此詩，機軸相同。以十五歲之年，能作此變格之詩，可知其詩學之素養，發軔甚早，其來有自。

二、遊春詠野塘

露草夭夭繞水涯，小塘清活淨無沙。雲飛鳥過元相管，只怕時時燕蹴波。（註七）

退溪文集外集載此詩，題曰「野池」，與年譜題「野塘」者不同。又外集首句「水涯」作「碧波」，末句「只怕」作「只恐」，按「野池」與「野塘」同意。此詩第二句云「小塘」則上句當以作「水涯」爲佳。「恐」「怕」二字同意，然「怕」字語直，「恐」字意婉，蓋外集乃先生原文，年譜所載乃改定之稿。

退溪先生言行錄云：「先生少時偶遊燕谷，谷有小池，水甚清淨，先生作詩曰：露草夭夭繞水涯，小塘清活淨無沙，雲飛鳥過元相管，只怕時時燕蹴波。謂天理流行，而恐人欲間之。」又退陶先生言行通錄云：「十六七時已志於學，嘗題池上草亭云云，其意深長，與觀書有感之詩同其意云。」所謂「觀書有感之詩」乃朱子所作，共二首，此當指其前一首，原詩云：

半畝方塘一鑑開，天光雲影共徘徊。問渠那得清如許，爲有源頭活水來。

退溪詩首句「露草夭夭繞水涯」，是寫景，次句「小塘清活淨無沙」，即朱詩「半畝方塘一鑑開」之意，然既云「清活」，則其水必「淨」，故「淨無沙」三字，不過以足「清」字之意，於「活」字則無所發明，而朱詩「方塘一鑑開」，則知其水清而且明，意較顯豁，且爲次句「天光雲影」之張本。三句「雲飛鳥過元相管」，與朱詩「天光雲影共徘徊」之句相類，然「雲飛鳥過」，只是喻「動」，不若「天光雲影」之該動靜。且云「元相管」，則未免有著，似不若「共徘徊」之自然渾成也。末句「只怕時時燕蹴波」，喻人欲之萌，干擾心體。「只怕時時」語嫌直率，憂從中來，未若朱詩「爲有源頭活水來」之警切雋永，耐人尋味也。

退溪晚年對於所詠野塘詩，亦有不滿之感。李德弘云：

> 辛酉夏，德弘問此（指詠野塘詩）何時所作邪？先生曰：吾十八歲時作也。當時以爲有得，到今思之，則極可笑，此後若更進一步，則必如今日之笑前日矣。（註八）

辛酉年退溪已六十一歲，上距野塘詩之作，已歷四十四年之久，此時退溪學問之造詣，已達相當醇粹之境，其不滿早年所作之詩，乃理所當然之事。平心而論，此詩在內容與意境方面，均較其十五歲所作之「石蟹」詩爲進步。退溪弟子金富倫以爲野塘詩「謂天理流行，而恐人欲間之」，其說甚是。退溪以十八歲之青年，能留意性理之學，以冰淵自懍之情，爲意義深長之詩，亦可見其慧根夙具，識趣非凡。

三、詠懷詩

> 獨愛林廬萬卷書，一般心事十年餘。邇來似與源頭會，都把吾心看太虛。（註九）

據年譜，此詩作於十九歲，首句「獨愛林廬萬卷書」，此語爲退溪之素志，此素志終身未改，退溪於詩集中，亦時常流露其幽懷。如下列詩句：「人日無人叩我廬，閉門宜讀古人書。羸形豈合嬰塵累，褊性從來愛靜居。」（註一〇）「滿壁圖書常獨樂，一庭煙草爲誰憐。」（註一一）此類詩句，集中甚多。次句「一般心事十年餘」，此承上句而言，謂此愛好林廬書卷，乃與生俱來之心事。三句「邇來似與源頭會」，此「源頭」乃指本然之心體，意謂其思想似有契於心體。故末句云「都把吾心看太虛」，言「太虛」，便有灑脫出塵，不滯於物之意，退溪自謂「十九歲時，初得性理大全首尾二卷，試讀之，不覺心悅而眼開，熟玩蓋久，漸見意味，似得其門路，自此始知性理之學體段自別也。」（註一二）退溪所謂「似得其門路」，與「似與源頭會」之句，不無關聯之處。「似與源頭會」，並非夙具之感懷，而是「邇來」之心得。此心得非由頓悟而生，實由力學而致。意者退溪此詩，殆爲熟讀性理大全，漸見意味，有契於心，有得而作。此詩較詠野塘詩，體段又自不同。蓋詠野塘詩語質而意顯，此詩語淡而意遠。此亦可見退溪向學之篤實，體道之眞切，故能不斷進步，日新其德。

【附註】

註　一：增補退溪全書（以下簡稱全書）第三册，退溪先生續集卷一，葉十五。

註　二：全書第三册，退溪先生續集卷一，葉二十二，癸卯三月病中言志。

註　三：全書第一册，退溪先生文集卷三，葉九八，東齋感事十絕。

註　四：全書第一册，退溪文集卷三，葉一〇八。

註　五：東坡集卷四。

註　六：東坡集卷十。

註　七：全書第三册，葉五七六，退溪先生年譜，亦見全書第二册，葉五四五，外集卷一，全書第四册，葉一一四，退陶先生言行通錄，實記；退溪先生言行錄，類編，學問，葉一六九。

註　八：全書第四册，葉二三，退陶先生言行通錄卷二。

註　九：全書第二册，退溪先生文集外集，葉五四五，亦見全書第四册，葉一一四，退陶先生言行通錄，卷六，年譜上。

註一〇：全書第三册，退溪先生文集續集卷一，葉三十，丁未人日詩。

註一一：全書第一册，退陶先生文集卷二，葉八九，丙辰立秋日溪堂書事。

註一二：全書第一册，退陶先生言行通錄卷二，學問第一，葉二三。

退溪的詠梅詩

壹、前　言

退溪李滉，字景浩，韓國眞城人，覃精宋明理學，尤篤好朱子書，嘗刪其書爲節要二十卷。其學以朱子爲宗，私淑其教，無異耳提面命。晚年卜居退溪，學者稱退溪先生。（註一）退溪賦性恬淡，操守堅貞，以林泉爲樂，以幽居爲志。自謂「夙昔抱沖素」，「平生丘壑期」（註二）。尤酷愛梅花，以其高雅脫俗，歲寒特妍，隱於幽谷，孤芳獨秀。格高韻勝，骨癯神清，風虐雪饕，貞心不改。退溪之性，有契於梅花，梅花之性，亦有類退溪之爲人。梅花之素而不夭，似退溪之淡而不厭；梅花之香遠益清，似退溪之闇而日章；梅花之遠濁世，遯幽谷，似退溪之絕紛華，棲林壑。而梅花韻度清越，情操堅貞，又與退溪相同。是則退溪之愛梅友梅，自屬情理中事。退溪稱梅爲兄（註三），以梅爲知己。將其情懷融入詩中，以心靈之慧眼，透視梅花之特性，以淡雅之筆鋒，寫照梅花之神態，而賦予象徵性之意義，形成人格化之意象，以表現純眞之美，與純粹之善，而期達於

「潔潔淨淨地」理想境界。（註四）此一境界，有如「提神太虛」（註五），超脫現實。又如「蟬蛻於濁穢之中，鴻冥於萬物之表」。（註六）到此境界，精神上絕對自由，雖從心所欲，而不逾矩。（註七）

退溪詠梅詩之象徵意義，所形成的人格化之意象，或爲美人，或爲仙人，或爲隱士，或爲貞士。有時一首詩中，同時出現兩種以上之意象，兼具純眞之美與純粹之善，寫照傳神，相得益彰。梅花之意象更加豐富，梅花之精神更爲凸顯。同時亦可想見作者意境之高，人格之美，後人讀其詩，想見其爲人，自有一番受益。

貳、退溪詠梅的象徵

(一)、美人的姿態

把梅花寫成美人的化身，這是基於某種經驗的類比，及某些意象之融合。在中國古典詠梅詩中，此種修辭技巧屢見不鮮。如羅隱的「天賜胭脂一抹腮」，王安石的「漢宮嬌額半塗黃」，蘇軾的「玉人頩頰更多姿」，所謂「胭脂一抹腮」、「嬌額半塗黃」、「頩頰更多姿」，皆是詩人從梅花的形貌，而聯想到美人的姿態，以增加文學的美感。這種修辭技巧，在退溪梅花詩中，並非多見。茲舉數則爲例：

「湖堂梅花暮春始開，用東坡韻」

芳心寂寞殿殘春，玉貌綽約迎初暾。（文集卷一）

「紅梅韻」

玉骨丹砂略試裝，群芳甘與讓韶光。（外集卷一）

「題畫梅」

一樹橫斜雪作團，香肌瘦盡玉生寒。（續集卷二）

所云「芳心寂寞」、「玉貌綽約」、「玉骨試裝」、「香肌瘦盡」，皆以梅花比擬美人。惟此種比擬，只限於單句片語，有淡雅之美，無妖冶之態。與蘇軾的「怕愁貪睡獨開時，自恐冰容不入時」之句（註八），大異其趣。蘇詩輕吐綺語，不免爲妖冶之媒。退溪爲理學家，豈肯道此等語？觀退溪下列之詩，即可見其所持之態度。

「題金季珍所藏蔡居敬墨梅」：

瓊枝疎瘦雪英寒，縱被緇塵不改顏。

可惜詩翁眞跌宕，枉將調戲比端端。（文集卷二）

此詩首句言梅花之疎瘦耐寒，次句言梅花之緇塵不染。耐寒以見其節堅，不染以見其貞潔。梅花之可愛可貴，不止在瓊枝疏英之玉貌，而尤在高潔不染之玉質。內在美重於外在美，此爲退溪審美所持之態度。此詩末二句用唐朝詩人崔涯、張祜調戲端端之故事。（註九）「跌宕」有放逸之意，詩人枉加「調戲」，擬於不倫，退溪對此深表不滿，用「可惜」二字，尤可見其深以爲憾。

(二)、仙人的風韻

仙界不同於凡塵，仙人不同於美女。將梅花比擬爲仙人，是由於梅花冰肌玉骨的形貌，綽約嬋娟的風韻，高雅脫俗的氣質，修潔灑落的清標，所喚起的聯想。而中國古代的神話，也提供了聯想的素材。退溪將梅花比擬爲美人，前文已略述及，經由象徵性的聯想，將梅花的美人姿態加以美化，就自然構成仙人的意象。賞析退溪以下的詩，即可略窺其中梗概。

「湖堂梅花暮春始開用東坡韻」

藐姑山人臘雪村，鍊形化作寒梅魂。風吹雪洗見本眞，玉色天然超世昏。高情不入衆芳騷，千載一笑孤山園。世人不識嘆類沈，今我獨得欣逢溫。神清骨凜物自悟，至道不假餐霞暾。昨夜夢見縞衣仙，同跨白鳳飛天門，蟾宮要授玉杵藥，織女前導姮娥言。覺來異香滿懷袖，月下攀條傾一樽（文集卷一）。

藐姑山人，見於莊子逍遙遊。其言云：「藐姑射之山，有神人居焉，肌膚若冰雪，綽約若處子。不食五穀，吸風飲露。」姑射山是海外仙山。此仙山之上，有「肌膚若冰雪，綽約若處子」的仙人。仙人的冷凝、孤潔、清眞、秀雅，與梅花的氣質風韻，極爲相似。因而梅花成爲仙人的化身。風吹雪洗，顯其本眞，玉色天然，迥出塵表，高情遠韻，不與衆芳爲伍。千載一笑，惟有孤山逋仙。可歎世人不識，今我獨得欣逢，如見溫伯雪子。（註一〇）「神清骨凜」，自悟至道，不待言語，不假餐霞。（註一一）退溪此詩作於甲辰，時年四十四歲，身在朝廷，心繫丘園。（註一二）而事與願違，精神不無受拘之感，惟有託飛仙以遨遊，追求精神上之自由。詩中「昨夜夢見縞衣仙，同跨白鳳飛天門」云云，即是「由拘束而超脫」之思想的自然流露。而「縞衣仙」即是「寒梅魂」所化。如謂「寒梅魂」代表現實，則「縞衣仙」即象徵理想。從「寒梅魂」化身爲「縞衣仙」，無異是現實與理想的統一。此種統一，解脫了現實的枷鎖，而達「精神上絕對的自由境地。」（註一三）詩中「蟾宮」、「玉杵」、「織女」、「姮娥」、（嫦娥），皆爲中國古代神話。退溪引此，可以美化詩境，豐富情境，提高意境，使其臻於至善。末二句「覺來異香滿懷袖，月下攀條傾一樽」，則由理想回到現實。「香」是梅香，「條」是梅條。攀條傾樽，香滿懷，月滿身，此情其景，其樂自不待言。

退溪晚年卜居陶山，一意退隱，雖屢被召還，常不久於朝。陶山有林壑之美，春秋佳日，花朝月夕，登岡臨水，尋幽探勝，心遊目賞，怡然自得。遇景値興，發而爲詩。此時由於身在山林，環境幽靜，精神自由，安居樂道。故其詠梅作品，雖有涉及神仙之處，然其風格則與在朝時迥異，茲引下列二首，試加賞析，便知其旨趣所在。

「奉酬金愼中詠梅三絕句（錄一）

但知姑射出塵姿，莫把芳辰較早遲。

萬紫千紅渾失色，小園驚動兩三枝。（文集卷五）

「溪齋夜起對月詠梅」

群玉山頭第一仙，冰肌雪色夢娟娟。

起來月下相逢處，宛帶仙風一粲然。（文集卷五）

前一首寫晚梅壓倒群芳。首句言梅花之美，如姑射山之仙人，玉立風塵之表，將仙人與梅花綰合，令人想到冰肌雪膚，綽約嬋娟的仙人，秀外瑩中，高雅脫俗，仙風道骨，氣韻非凡。次句言花開早遲，不足計較。末兩句寫其格高韻勝，群芳大驚失色。「萬紫千紅」與「兩三枝」，在數量上形成強烈的對比。「驚動」與「渾失色」，在時間上顯示影響之嚴重。由「驚動」而「渾失色」，於一霎那之時間，呈現一面倒之震憾。極寫群芳之傾首卑俗，以反襯梅花之高雅出塵。

後一首雖亦寫梅花之美，在情境上則不相同。首句「群玉山」是仙山，見於穆天子傳，相傳爲西王母所居，（註一四）云「第一仙」，則其美之絕倫可知。次句「冰肌雪色」，極言其清眞潔白，以回應首句「第一仙」。此夢中之「娟娟」仙子，美麗動人，乃是梅花的化身。退溪於溪齋夢回，夜起獨步，「月下相逢」，梅花似已化爲仙子，仙風道骨，粲然一笑，此時梅花與仙人俱化，作者亦與梅花俱化。梅花與仙人同清，與仙人同馨，作者亦與梅花同清，與梅花同馨。昔蘇軾題文與可畫竹，有「其身與竹化，無窮出清新」之句（註一五）。退溪之詠梅花，亦有「其身與梅化，無窮出清新」之高致。由絢爛歸於平淡，由拘束超脫歸於自由任眞。不復當年在朝「飛仙遨遊，夢幻遐思」的憧憬，此爲退溪晚期詠梅詩風的特色。

㈢、隱士的清標

梅花開於歲寒，不與桃李爭艷，栖迹幽谷，不喜塵俗紛華。玉潔冰清，冷寂自處。梅花的特性，正是隱士的象徵。退溪晚年構築陶山書堂，（註一六）以梅竹松菊蓮爲五節友。於此五節友之中，退溪尤酷愛梅，有「我友五節君，交情不厭淡，梅君特好我，邀社不待三」（註一七）之句，退溪所以酷愛梅花，有其主觀和客觀的因素，主觀的因素是自己的素懷，客觀的因素是梅花的特性，此特性與其素懷相契，就自然產生了「同氣相求」、「同病相憐」的情愫。退溪有「用大成早春見梅韻」詩，就透露了此中消息，原詩中云：

> 我生多癖酷愛梅，人道癯仙著山澤。舊遊南國識玉面，故人遠惠連根得。自期相伴老巖壑，胡奈風塵去飄泊。豈無京洛或相逢，素衣化緇嗟非昔。寧辭白髮赴佳招，瞥眼榮華過虻雀。丙歲自比遼東鶴，歸來及見花未落。丁年病起始尋芳，絕喜瓊枝攢雪萼。……汾翁好事誇我說，早梅先得天工力。豈知陶梅知我病畏寒，爲我佳期晚發猶不惜。君不見范石湖，種梅譜梅爲天職。又不見張約齋，玉照風流匪索寞，嗟我與君追二子，苦節清修更勵刻。（文集卷五）

退溪所酷愛之梅，是冷寂幽居的山澤梅，而非「素衣化緇」的京洛梅。退溪之愛梅，期在與梅相伴，終老巖壑。所云「陶梅知我病畏寒，爲我佳期晚發猶不惜」，此則由相伴而相知，由相知而相憐。進而效法范石湖、張約齋之故事，以相親相愛，而「苦節清修」，益勵高格。

然范石湖、張約齋雖以種梅愛梅，傳爲佳話，但其爲人，究與隱士有異。眞能遯迹林泉，將梅花與隱士結爲一體者，首推北宋林逋，史稱林逋「恬淡好古，弗趨榮利，結廬西湖之孤山，二十年足不及城市，不娶無子」。（註一八）植梅蓄鶴自伴，有「梅妻鶴子」之稱。梅花成爲林逋精神之寄託，亦成爲隱逸精神之象徵。退溪志在丘壑，心儀林逋，以隱逸之本性，發愛梅之至情，其事與林逋相同。是以詩中常用孤山梅隱的辭句，以喚起林逋的影像，象徵隱逸的精神。

①「湖堂梅花暮春始開用東坡韻」：

伴鶴高人不出山。

千載一笑孤山園。（文集卷一）

②「梅塢清香，歧亭十詠」之一：

孤山微吟占風情。（文集卷三）

③「得鄭子中書，吟問庭梅」：

梅花孤絕稱孤山。

④「再訪陶山梅十絕」之一：

千載孤山有宿緣。（以上文集卷四）

⑤「節友壇梅花暮春始開，示同舍諸友」：

臨風宛若西湖畔。（文集卷三）

⑥「陶山月夜詠梅六首」之一：

如今忍把西湖勝。（文集卷五）

⑦「代梅花答」：

我是逋仙換骨仙。

⑧「再訪陶山梅十絕」之一：

不道逋仙粉蝶知。（以上文集卷四）。

上述「伴鶴高人」、「孤山」、「西湖」皆用林逋隱居故事，而「逋仙」之稱，尤可見退溪對林逋的推尊，而退溪隱居的情懷，亦由此表露無遺。

以上所舉都是單句用事，亦有整首詩都是暗寓林逋隱居故事的，如下列兩首題畫詩：

「孤山梅隱，鄭子中求題屏畫」八絕之一

返棹歸來鶴趁人，梅邊閒坐自清眞。

門前想亦非凡客，底事逡巡尚隱身？

「西湖伴鶴，題金上舍愼中畫幅」八絕之一

湖上精廬絕俗緣，胎仙棲託爲癯仙。

不須剪翮如鸚鵡，來伴吟梅去入天。（以上文集卷三）。

前一首「返棹歸來」，便無餘事。「鶴趁人」，則人與鶴之界限未泯。次句「梅邊閒坐」，著一

「閒」字，自得之情可見，梅清眞，人亦清眞。鶴梅人構成一幅閒適自得的世外桃源。末二句用想像設問之辭，以襯托「孤山梅隱」圖的清眞絕俗。

後一首「湖上精廬」言隱居的環境，能絕俗緣，是眞隱士。次句「胎仙」、「癯仙」言隱士之伴。胎仙指鶴，癯仙指梅。用一「仙」字，梅與鶴即已超脫凡塵，由無知無情，提升爲有知有情，而又善體人意的靈性世界。三句反承首句，末句回應次句。「來伴吟梅」，則隱士自在其中。「去入天」，則迥出塵表，逍遙物外。

四、貞士的志節

雪得梅越增寒潔，梅得雪愈顯堅貞。梅花的冷寂自處，象徵隱士的精神；梅花的堅忍耐寒，象徵貞士的精神。退溪具有隱士的素懷，而又兼具貞士的志節。退溪有詩評魏野云：「始知魏隱非眞隱，賭得幽居帝畫看。」（註一九）宋魏野不求聞達，屢召不起，眞宗遣使圖其所居觀之，故魏野有「幽居帝畫看」之句，不無「竊吹草堂」之情，（註二〇）退溪之意，以爲魏野既非眞隱，其於貞士之情操，亦必不能無疑。故眞隱士亦當爲眞貞士。

退溪襟懷灑落，操守純固。「愛君憂國，出於至誠。出處進退之義，尤著於晚節，隱然大勇，壁立萬仞。」（註二一）其詠梅之詩，常寄託其貞士的情操。

「奉酬金愼仲詠梅絕句」云：

綽約天葩玉雪姿，何妨春晚景遲遲。

細看冷艷彌貞厲，不必清霜凍樹枝。（文集卷五）

首句言梅花綽約多姿，天生麗質，美如玉雪。次句言「春晚景遲」，無礙其貞美。末二句爲主旨所在，三句「細看」二字，拉近賞梅的距離，「冷艷」二字，遙應首句之「玉雪姿」。由「冷艷」之形貌，而彌顯其「貞厲」之情操。疾風知勁草，歲寒知貞梅，此爲常人所共知。退溪謂「不必清霜凍樹枝」，始顯寒梅貞厲，此乃深知梅者。以堅貞爲梅之本性，本性始終如一，不必計較早晚。退溪另有句云：「莫把芳辰較早遲」（註二二），「莫與國香論早晚」（註二三），皆與此「不必清霜凍樹枝」之意相同。

雪虐風饕戰許條，摧傷烈氣更貞孤。

君厨俊及雖凋謝，樹屋烟爐詎盡無？

詩前有小序云：

余贈彥遇詩，謂雖負尋梅於彼，亦有陶山梅足以自慰。已而彥遇來訪溪上，歷陶社云：梅被寒損特甚，著花未可必。余聞之，將信將疑，用彥遇韻以自遣，且以示彥遇二首。（文集卷五）

此詩爲後一首，首句言梅條勇敢作戰，不畏「雪虐風饕」，次句言梅雖被「摧傷烈氣」更顯其堅貞不屈的精神。此詩與陸放翁詠梅詩「凌厲冰霜節愈堅」之句，有異曲同工之妙。梅花不畏風雪的貞烈性格，象徵貞士威武不屈的堅貞情操。末二句言「八梅凋謝，一梅獨存」。「君厨俊及」比喻八梅，

（註二四）「樹屋烟爐」比擬一梅，（註二五）退溪另有詩云：「八梅風烟但空枝，一梅數萼猶未開。」（註二六）即爲此詩末二句的最佳註脚。

此詩在退溪詠梅詩中最爲特殊。詩中的君、厨、俊、及」，本是指三君、八厨、八俊、八及，爲後漢黨錮諸名士的稱號。而「樹屋」與「烟爐」，也都是指後漢的賢士（同註二五）。這可見退溪梅花詩的貞士意象，已由抽象的情操，轉化爲具體的典範。當貞士的意象具體的存在於心靈時，便有「得魚忘荃、得意忘言」的境界。（註二七）

退溪的詠梅詩，其象徵的意義，不出以上所論四者。在四者之中，美人與仙人爲一類，隱士與貞士爲一類。前者在表現純貞之美，後者在表現純粹之善。此純貞之美與純粹之善，無異是退溪心靈世界的寫照。

叁、退溪詠梅的技巧

㈠、寫實性

人聲之精者爲言，人言之精者爲詩。所謂「文如其人」，不如說「詩如其人」更爲確切。邵堯夫云：「既用言成章，遂道心中事。」（註二八）「言成章」是詩之形式，「心中事」是詩之內容。退溪的詠梅詩，就內容而言，其象徵性的意義，常與美人、仙子、隱者、貞士，結下不解之緣，以表現其純眞之美與純粹之善，追求精神上的絕對自由，透顯天人合一的崇高人格。此外，退溪的詠梅詩，尙具有寫實性、體物性、感悟性、輔仁性、靈動性的意境，就這些意境的內涵，來剖視退溪詠梅詩的風格，應該是較爲中肯而可信的。其實，作品的風格，與作者的人格，是息息相關的。從剖析風格來了解人格，雖不中，亦不遠矣，玆先論退溪詠梅詩的寫實性。所謂寫實性，是注重景物的素描，一片自然的美景，往往能代表一種意境。這種自然美景，是詩人經過主觀的選擇材料，加以巧妙的組合，表現出對生活最具代表性的內涵，使它可以引出自己所要表現的美感。也就是將自然景物，予以剪裁綜合，使其情緒化，藝術化。如退溪下列的「梅花」詩：

溪邊粲粲立雙條，香度前林色映橋。
未怕惹風霜易凍，只愁迎暖玉成消。（文集卷三、葉九八）

此詩前二句寫景，後二句言情。粲粲雙條，玉立溪邊，先寫視覺之美。「香度前林」，則由視覺而接觸嗅覺，「色映橋」，則又回歸視覺。此時粲粲梅花，疎疎雙條，與前林、溪橋，構成一幅圖畫，有色有香，色香俱美。色悅目而香悅心，寫景而景中有情。未怕風霜易凍，可見其凌寒之傲骨；只愁迎暖玉消，可見其惜春之柔腸。又如下列「再訪陶山梅十絕」中的二首：

手種寒梅今幾年？風烟蕭灑小窗前。昨來香雪初驚動，回首群芳盡索然。
一花纔背尙堪猜，胡奈垂垂盡倒開。賴是我從花下看，昂頭一一見心來。
（文集卷五、葉一三八、一三九）

後一首退溪自註：

一花云云，誠齋梅花詩「一花無賴背人開」，余得此重葉梅於南州親舊，其著花一皆倒垂向地，從旁看望，不見花心，必從樹下仰面而看，乃得一一見心，團團可愛。杜詩所謂「江邊一樹垂垂發」者，疑指此一種梅花。

前一首起句用疑問語氣，「手種寒梅」，於今幾年？退溪豈能不知？今用疑問語氣，似有「難得糊塗」之意。蓋此等處，「有心」不免泥跡。種梅至今，不知不覺，小窗之前，風烟蕭灑，一種朦朧之美，別有韻致。「香雪」是美景，「驚動」是眞情。見此「香雪」之美景，而生「驚動」之眞情。因「香雪」而「驚動」，由靜而動，情景交融，蕭灑在目，怡悅在心。「昨來」與「幾年」，在時間上形成強烈的對比。由「手種幾年」之因，而生「昨來香雪」之果，亦見此「果」之得來不易。「驚動」之喜，何可言喻？「驚動」之餘，猛然回首，「群芳索然」，此「索然」與「驚動」，亦形成強烈之對照。「索然」是黯然失色，寂寞之至。「驚動」則粲然悅目，幽香觸鼻。

後一首據退溪自註，此梅爲「重葉梅」，葉重數層，乃梅中之奇品，（註二九）其花皆倒垂向地，側視不見花心，退溪從樹下仰視，乃得一一見心。此詩可見退溪觀物入微的細心，和欣賞自然的態度。退溪此詩作於穆宗隆慶丁卯，時年已六十七歲，猶有此閒情逸致，可謂難得。藝術是情趣的活動，情趣是生命的活水，也是作詩的「動原」（註三〇）。孟子云：「大人者，不失其赤子之心者也。」（註三一）退溪詠梅詩的寫實性，是情趣活動的表現，也是「赤子之心」的自然流露。

㈡、體物性

所謂體物，體如中庸體群臣之體，有體察、體恤之意。體察是了解，體恤是同情。退溪之愛梅，設身處地，視梅如己，疾痛相關，憐愛備至。如退溪見陶山梅爲冬寒所傷，作詩「歎贈金彥遇，兼示愼仲、惇叙」云：

昨日梅社共君來，梅與索漠令人哀，八梅風烟但空枝，一梅數萼猶未開。杖藜吟梅遶百匝，冥頑胡爲我梅厄。不比君家梅得暖，梅社風多寒更虐。我欲戕天籲梅冤，我欲作辭招梅魂。梅冤悄結天所憐，梅魂歸來我所溫。（文集卷五、葉一六一）

此詩每句用「梅」字，退溪自註謂「效陶淵明止酒詩體」，而其情則不同。陶之「止酒」詩是出之以詼諧之情，退溪此詩，是出之以憫恤之情。所謂「梅與索漠令人哀」，此一「哀」字實爲全詩綱領，哀八梅空枝，哀數萼未開，「杖藜吟梅」，亦是哀吟；遶梅百匝，更見哀情。哀而至欲「戕天籲梅冤」，「作辭招梅魂」，一種無可奈何的疾痛，惆悵惻怛的悲情，如泣如訴，溢於言表。

退溪有「折梅插置架上」的絕句，也是體物深至的佳構。詩云：

梅萼迎春帶小寒，折來相對玉窗間。
故人長憶千山外，不耐天香瘦損看。（文集卷四、葉一三二）

愛梅不當折梅，但偶一爲之，似亦無傷大雅。此詩前二句言迎春折梅，插置架上，相對玉窗，覩物相思，以起下句之意。長憶故人，遠在千山之外，然折梅案頭，天香瘦損，不耐久看，結句頗有憐惜之情。良以折梅賞花，違天戕性，損害自然之美。仁者之心，與萬物同體，見草木之摧折，不能無憐恤之情，何況退溪所酷愛之梅，豈宜無端摧折。觀退溪下列「和金彥遇詩」，尤可見其深意所在。

奪性移天斷折餘，猶供佳玩待人蘇。

何如拓地栽成百，香滿乾坤不淡枯。（文集卷五、葉一五一）

折斷梅條，以供佳玩，「奪性移天」，斲傷生機，欲枯待蘇，狀至可憫，此前二句之意；如能將此梅條，拓地移植，栽成百株，他日梅林雪海，「香滿乾坤」，而不淡枯。此是順天之理，盡物之性，梅遂其生，人受其惠，後二句之意，是仁者藹然生物之心。

㈢、感悟性

所謂感悟性，指其詩句的發人深省之處而言。孔子所說的興、觀、群、怨（註三二），其中都帶有感悟性的成分。尤以興觀二者為多。興偏於情，觀偏於理。然感發於情，不能離理，靜觀於理，不能無情，其實，情理是相通的，情景是相感的。如退溪「陶山月夜詠梅六首」中的二首：

獨倚山窗夜色寒，梅梢月上正團圓，不須更喚微風至，自有清香滿院間。

步屧中庭月趁人，梅邊行遶幾回巡。夜深坐久渾忘起，香滿衣巾影滿身。

（文集卷五、葉一五一）

梅花與明月，二者相得益彰。退溪詠梅詩，多借月相襯。夜涼如水，月上梅梢，清輝疏影，相映成趣。或山窗獨倚，觀梅賞月；或梅邊閒步，對月懷人。此時萬籟俱寂，心與境適，清香盈袖，疏影滿身，坐久忘起，不覺陶然欲醉。此種純眞無邪、寵辱俱忘的境界，對於恬淡寡欲的退溪，自有難以言喩的樂趣。對於熱衷名利的俗子，無異是一帖清涼散。又如退溪「次魚灌圃東州道院十六絕」，其中一首云：

心煩野事爲塵事，機靜官家即道家。
目擊可能無妙處，爲令官閣種梅花。（別集卷一、葉五〇〇）

此詩前兩句對仗，在退溪七絕中極爲少見。「野事」簡樸，而「塵事」繁瑣；「官家」煩擾，而「道家」清靜。機指機心，機心二字，見於莊子（註三三），此二句言境由心造，頗有楞嚴經「心迷法華轉」、陶淵明「心遠地自偏」之意。心悟可以改造環境，境幽亦可爲養心之助。三句「目擊可能無妙處」，這是用跌宕的筆觸，以爲結句的發端，「目擊無妙處」，是由於「官閣無梅花」。梅花之清眞絕俗，能令人目爽神怡，而妙處自在其中。結句如「畫龍點睛」，寓意深長。其實，梅花的「妙處」，待其人而有。其人淡泊自甘，謙卑自牧，自能愛好自然，將其深情逸趣，移注於梅花。梅花得此知己，才能呈現孤懷高潔、凌雪傲霜的形象。如其人心繫名利，雖多種梅花何益。

㈣、輔仁性

所謂輔仁性，取曾子「以友輔仁」（註三四）之意。退溪以梅爲友，呼梅爲兄，亦宜有取資於梅之處，惟曾子「以友輔仁」之友，指時人而言，而退溪之詠梅詩，則兼含尙友古人。如退溪「寓感五絕」之末首云：

絕豔風流玉雪眞，開時休怪混芳春。

太平當日濂溪老，光霽襟懷映俗塵，（文集卷五、葉一二八）

此詩言梅花晚發，雖與衆芳相混，然其玉雪清眞，絕豔風流，自與衆芳不同。有如北宋的周子濂溪，雖處太平之世，而其襟懷灑落，如光風霽月，照映俗塵，不爲所染。退溪言外之意，隱然以濂溪之光霽襟懷自擬。又如「陶山月夜詠梅六首」之末一首云：

老艮歸來感晦翁，託梅三復嘆羞同。

一杯勸汝今何得？千載相思淚點胸。（文集卷五、葉一五一）

老艮，指朱子弟子魏元履，字艮齋。朱子曾「與諸人用東坡韻共賦梅花，適得元履書，有懷其人，因復賦此，以寄意焉。」（註三五）詩中有「羞同桃李媚春色」、「一杯勸汝吾不淺」之句（同註三五）。退溪此詩前二句用朱子與諸人賦梅花故事，而其寓意則有不同。退溪蓋以老艮自擬，「老艮歸來」，喻已致仕還家，次句之意，隱指當日在朝，羞與小人爲伍。三句則反用朱子詩意。「今何得？」歎已不得爲朱子之徒。結句思念晦翁，淚霑胸臆，「千載相思」，極言其久。以實考之，退溪之生，上距朱子之卒，其間只有三百年（註三六）。而退溪「和陶詩」有「我思千載人，廬峯建陽鏡」之句（註三七），與此詩末句同一機杼。此詩與杜甫「悵望千秋一灑淚，蕭條異代不同時」之句（註三八），實有同慨。下列「二十一日偶題」，亦有尚友古人之意。

梅花初發郡舍東，客子臥病愁思中。

冷雨淒風殊未已，天香國艷無與同。

襄陽自古稱樂國，李白狂歌詑山翁。

只今耆舊無多存，誰是鹿門龐德公？（文集卷四、葉一三三）

此詩首句寫景，次句言情，三句承二句，四句承首句。「客子臥病」，愁思未已。「冷雨淒風」，更增愁思。然梅花之「天香國艷」，自與衆芳不同，而「冷雨淒風」，亦未能減損其香艷。五、六兩句用李白襄陽歌中事（註三九），襄陽歌中的「山翁」，即是指龐德公。退溪志在丘壑，心儀龐公隱逸之高風（註四〇），末二句以慨歎、疑問作結，餘波蕩漾，不無以龐德公自擬之意。

就尚友時人而言，如下列「贈金彥遇」詩：

後凋主人堅素節，除書到門心不悅。

坐待梅花冰雪香，目擊道存吟不輟。（文集卷五、葉一五一）

金富弼，字彥遇，號後凋堂，退溪弟子，因以「後凋主人」相稱。「堅素節」，是「後凋主人」應有的情操。次句緊承首句，「除書」猶今之任官令，「心不悅」，言其不樂仕宦，正見其素節之堅。三句「冰雪香」，冰清、雪白、味香，三字道盡梅花的特質。然「坐待」其「冰雪香」，不過欣賞其形相之美，結句「目擊道存」，用莊子田子方篇，孔子見溫伯雪子的故事，見此梅花，如見溫伯雪子，神會心契，妙處盡在不言之中。退溪另有句云「撚鬚終日孤吟賞，妙處如逢雪子然」（註四一），即此詩末二句之意。而其好學、樂學之心，亦由此表露無遺。

(五)、靈動性

所謂靈動性，就是將客觀的物相，經過主觀的想像，賦以生命，寄以靈性，化無情爲有情，化呆滯爲生動，造成情景交融、物我交感的境界。如下列二詩：

其一

喚取山家酒一壺，適然相値更吾徒。

梅邊細酌梅相勸，不用麻姑急掃除。（梅下贈李宏仲、文集卷五、葉一四八）

其二

晚發梅兄更識眞，故應知我怯寒辰。

可憐此夜宜蘇病，能作終宵對月人。（陶山月夜詠梅六首之四、文集卷五、葉一五一）

前一首言梅下飲酒之樂，山家之酒，別有風味，攜酒一壺，適然相値吾徒，「梅邊細酌」，便有親梅之意，而「細酌」二字，尤可想見其閒情逸興。我欲親梅，梅亦欲親我，而來相勸。此時梅與我融爲一體，相親相勸，相愛相得，不用掃除而待麻姑仙子，則其樂何如？不言可知。

後一首直以「梅兄」相稱，尤見其愛梅之至情。此時梅已人格化，梅兄晚發，「知我怯寒」，此則由相知而相憐。夜之可愛，病之宜蘇，以有梅花明月作伴，如此寫法，不止豐富了詩的意蘊，也加深了詩的情趣。

有時設身處地，用問答方式，使物我交感，更顯得文情靈動，意深味永。如「漢城寓舍盆梅贈答」詩，即爲一例。

贈盆梅

頓荷梅仙伴我凉，客窗蕭灑夢魂香。
東歸恨未攜君去，京洛城中好艷藏。

盆梅答

聞說陶仙我輩凉，待公歸去發天香。
願公相對相思處，玉雪清眞共善藏。（文集卷五、葉一四八）

據年譜，退溪於明穆宗隆慶三年己巳三月，由漢城東歸故里，次年庚午，病卒於家。退溪於臨行之際，猶念念不忘漢城寓舍盆梅，而寫下此贈答之詩。

前一首贈盆梅，言客窗寂寞，有梅相伴，清凉蕭灑，夢魂亦香。東歸之日，恨未攜去，京洛塵中，好自艷藏。依依離情，娓娓絮語，叮嚀深至，如對故人。

後一首代盆梅答，陶仙，指陶山之梅；我輩，則兼指盆梅。陶梅「待公歸去」，而發天香，迎公愛公之情，溢於言表。「相對相思」，謂相對陶梅，相思盆梅，相對相思，勿忘故舊。「玉雪清眞」，共勉善藏。此處「善藏」二字，與前一首末句的「艷藏」遙應。精神相照，互道珍重。此時因移情與聯想的作用，退溪與梅花，在精神上已凝爲一體。梅花的「玉雪清眞」，象徵退溪高潔的人格，而隱逸的清標，貞士的志節，都活現於梅花的精神之中。而梅花的特殊價值及其象徵意義，亦由此而彰顯無遺。

肆、結論

謝榛云：「景乃詩之媒，情乃詩之胚。」（註四二）觸景可以生情，因情可以生景。情景交融，妙合無間，其作品自能感人。退溪本隱逸之情，寫梅花之景；以梅花之景，達隱逸之情，創造物我爲一的藝術境界，形成清新靈動的高華風格。下列「次韻金惇叙梅花」詩，可爲代表。

我友五節君，交情不厭淡，梅君特好我，邀社不待三。使我思不禁，晨夕幾來探。帶烟寒漠漠，傍湖清澹澹。粲然百花開，益見眞與濫。自臨吸月杯，肯上賞春擔？吟詩託密契，夜光非投暗。精神炯相照，俗物難窺瞰。（文集卷五、葉一四四）

在「五節君」（松竹梅菊蓮）中，退溪特好梅，「使我思不禁，晨夕幾來探」，眞可謂「不可一日無此君」，「帶烟」、「傍湖」是寫景，然「漠漠」、「澹澹」，則喚起精神，景中有情。「百花開」二句，情景分寫，眞濫自別。「吸月杯」二句，情景交融，高格自見。「吟詩託密契」、「精神炯相照」，言「密契」、言「相照」，則已心心相印，目擊道存，此似帶有神秘主義的色彩。其實，並無神秘可言，只是能超然物外，以赤子之心，透過道德的實踐，從美感的經驗中，藉移情的作用，美化自然的形象，提升精神的修養，以追求心靈潔淨純眞的境界。

總之，退溪的詠梅詩，其所追求的意境，不外純眞之美與純粹之善，前已言之。而其寫作的技巧，或體物以見其眞，或靈動以顯其美，或感悟以啓其智，或尚友以輔其仁。眞美屬於藝術，仁智屬於道德。就狹義言之，道德的價值是實用的，藝術的價值是超實用的。就廣義言之，道德也是一種美，美不止在其形相，尤在其實質。孟子謂「充實之謂美」（註四三）即指其實質而言，退溪的詠梅詩，其意境之美，顯然占有較大的比重。就情景而言，情發於中，景見於外；情動於心，景接於目。「景乃詩之媒，情乃詩之胚」之句，已可評定情景二者在詩中所扮演的角色，然須二者配合無間，始有相得益彰之美。苟無其景，情亦何所寓寄？是以仁智之樂山水，亦有其自然之情理需求。蓋環境可以影響人生，人生亦可改造環境。然而「玉以礫貞」（註四四），梅以寒馥，朱顏變盡，丹心難滅（註四五），吾人今日讀退溪梅花詩，盱衡當前局勢，宜加深憂患意識，以梅花堅貞不屈的精神，芳香不染的情操，養成高潔的人格。更要以國花喚醒國魂，光復河山，再造中華。

【附註】

註　一：參見淡江學報十六期拙著「李退溪的詩學」。

註　二：「夙昔抱沖素」，見退溪全書第一册、文學卷二、葉八〇「溪堂前方塘微雨後作」。「平生丘壑期」，見退溪全書第三册、續集卷一、葉二三「三月病中言志」。

註　三：退溪全書第一册、卷五、葉一五一有「晚發梅兄更識眞」之句。同書卷十、葉二九六「答李仲久」有「爲梅兄解嘲」之語。又全書第四册、退溪先生言行錄卷五、考終記，葉二四一有「於梅兄不潔」之語。

註　四：退溪全書第一册、卷十六、葉四二四「答奇明彥別紙」，解釋「理」字有云：「至虛而至實，至無而至有，動而無動，靜而無靜，潔潔淨淨地，一毫添不得，一毫減不得。」

註　五：史震林「西青散記自序」云：「自提其神於太虛而俯之。」

註　六：退溪全書第一册、卷一、葉五三「過淸平山有感序」。

註　七：論語爲政篇：子曰：「七十而從心所欲，不踰矩」。

註　八：蘇軾「紅梅詩」云：「怕愁貪睡獨開遲，自恐冰容不入時，故作小紅桃杏色，尙餘孤瘦雪霜枝。寒心未肯隨春態，酒暈無端上玉肌，詩老不知梅格在，更看綠葉與靑枝。」蘇東坡全集、前集卷十二，葉一八〇。

註　九：唐朝詩人崔涯，嘗嘲楊州名妓李端端，有「鼻似烟囪耳似鐺」之句。端端得詩，憂心如病，哀求改作。乃重贈一絕句云：「覓得黃騮被繡鞍，善和坊裏取端端，楊州近日渾成差，一朵能行白牡丹。」或戲之曰：「李家娘子才出墨池，便登雪嶺。」事見「雲溪友議」葉六、廣文書局。

註一〇：莊子田子方篇云：「溫伯雪子適齊，舍於魯，仲尼見之而不言。子路曰：「吾子欲見溫伯雪子久矣，見之而不言，何邪？」仲尼曰：「若夫人者，目擊而道存矣，亦不可以容聲矣。」

註一一：餐霞，道家修煉之術。退溪文集考證卷一、葉一八引仙經云：「九霞眞妃有餐霞照日之法。」

註一二：據年譜，退溪於甲辰二月，「以弘文館校理召還，有讀書堂梅花暮春始開，用東坡韻二詩」。中有句云「清夢夜夜飛丘園」，見文集卷一、葉五六。

註一三：「近世儒學與退溪國際會議論文集」（第四屆）葉一三三、李東歡教授「退溪詩中的另一世界」。

註一四：穆天子傳卷二：「天子北征東還，乃循黑水，至於羣玉之山。」注：「卽山海經云玉山，西王母所居者。」又李白清平調：「若非羣玉山頭見，會相瑤臺月下逢。」

註一五：蘇東坡文集、前集卷一六「書晁補之所藏文與可畫竹」詩，葉二二九。

註一六：據年譜：庚申，先生六十歲，十一月，陶山書堂成，自是又號陶翁堂。

註一七：退溪全書第一册、卷五、葉一四四「次韻金惇叙梅花」。

註一八：宋史卷四五七、隱逸傳上。

註一九：退溪全書第一册、卷二、葉九二「孤山詠梅」。

註二〇：「竊吹草堂」，見昭明文選卷四三孔稚圭「北山移文」。謂其沽名釣譽也。

註二一：退溪全書第四册、葉二五二、「退溪先生言行錄」卷六、朴淳「行略」。

註二二：退溪全書第一册、卷五、葉一四二「奉酬金愼中詠梅絕句」。

註二三：退溪全書第二册、外集卷一、葉五四九、「前日靜存書末有嶺梅吐芬時寄一枝」云云。

註二四：後漢書卷六七黨錮列傳：「指天下名士爲之稱號：上曰三君，次曰八俊，次曰八及，次曰八厨，猶古之八元八凱也。」

註二五：後漢書卷五三申屠蟠傳，蟠「乃絕迹於梁碭之間，因樹爲屋，自同傭人。」又後漢書卷六七夏馥傳：馥乃「自剪須變形，入林慮山中，隱匿姓名，爲治家傭，親突烟炭，形貌毀瘁。」

註二六：退溪全集第一册、卷五、葉一六一「陶山梅爲多寒所傷，歎贈金彥遇，兼示愼仲、惇叙。」

註二七：莊子外物：「荃者所以在魚，得魚而忘荃；……言者所以在意，得意而忘言。」

註二八：邵雍「伊川擊壤集」卷十一「論詩吟」。

註二九：范成大「梅譜」云：「重葉梅花，頭甚豐，葉重數層，盛開如小白蓮，梅中之奇品。」

註三〇：「動原」，即動力之原。見牟宗三先生「中國文化大動脈中的終極關心問題」，刊載於七十二年九月二十八日聯合報。

註三一：孟子離婁篇下。

註三二：論語陽貨篇：「子曰：小子何莫學夫詩？詩可以興，可以觀，可以羣，可以怨。」

註三三：莊子天地篇：「有機事者，必有機心。」

註三四：論語顏淵篇。

註三五：朱子大全卷二、葉六。

註三六：朱子卒於宋寧宗慶元六年庚申（西元一二〇〇年），退溪生於明孝宗弘治十四年辛酉（西元一五〇一年），相距三

○一年。

註三七：退溪全書第一册、文集卷一、葉七二。

註三八：杜詩鏡銓卷十三、葉六五一「詠懷古跡」，華正書局。

註三九：李白襄陽歌中有「旁人借問笑何事？笑殺山翁醉如泥。千金駿馬換小妾，笑坐雕鞍歌落梅」之句。

註四〇：龐德公，卽後漢書逸民傳之龐公，南郡襄陽人，居峴山之南，未嘗入城府，夫妻相敬如賓。荊州刺史劉表數延請，不能屈。後攜其妻子登鹿門山，因采藥不返。

註四一：退溪全書第一册、文集卷五、葉一三八「再訪陶山梅十絕」之三。

註四二：謝榛四溟詩話卷三，見續歷代詩話下册、葉一四〇〇、藝文印書館。

註四三：孟子盡心篇下。

註四四：見後漢書黨錮列傳贊。李賢注：「玉居礫石乃見其貞。」

註四五：文天祥和東坡酹江月：「鏡裏朱顏都變盡，只有丹心難滅。」

退溪的醉夢詩

壹、前　言

謝宣城云：「鑒之積也無厚，而納窮神之照；心之徑也有域，而懷重淵之深。」（註一）王陽明云：「人心是天淵，心之本體，無所不該，原是一箇天。心之理無窮盡，原是一箇淵。」（註二）

陽明所云之「天淵」，是指如明鏡而具衆理之心體。如明鏡則能「納窮神之照」，具衆理則能「懷重淵之深」。而其神思之作用，誠如劉彥和所云：「寂然凝慮，思接千載；悄焉動容，視通萬里。」（註三）故騷人墨客，觸物興感，吟咏之間，吐納珠玉之聲，以寄比興之意。而其心靈世界，亦因此而表現無遺。

儒者依仁遊藝，其藝術之情思，常形諸吟咏，提其神於太虛而俯之，以玄覽萬象，窮神遐思，逍遙於精神自由之心靈世界。藉著豐富之想像，發爲燦溢之美感，以詩人之性靈，譜出妙合自然之中聲，以哲人之慧識，開拓精神自由之天地。而充分表現其遊心物外，一塵不染之心靈世界。

方東美先生云：「人類胸臆，靜攝萬象，動合乾坤，於是乎思理有致，思理勝而性靈之華爛然矣。抒情則出之以美趣，賦物則披之以幽香，言事則造之以奇境，寄意則宅之以妙機。」（註四）

方氏所論之意境，可謂美矣、至矣。然此非常人所可企及，惟哲人而兼詩人者能優爲之。歌德云：「想像愈和理性結合，就愈高貴。」（註五）哲人主理，詩人主情。理本於理性，情富於想像，然偏於主理，易流於枯淡；偏於主情，易流於浪漫。全憑想像之狂熱，如脫繮之馬，不知所歸；全憑思維之推理，如無鹽之肴，淡乎寡味。故想像要有一定之範圍，才不會亂序；思維要有適當之調濟，才不致枯澀。故哲人能詩，有助於性情之陶冶，增加人生之情趣。詩人達理，有助於作品之深度，厚植風骨之靈根。陸士衡云：「理扶質以立幹，文垂條而結繁。」（註六）先理質而後辭采，先器識而後文藝，此是儒者一貫之見解。

懷德海教授云：「哲學與詩境相接。」（註七）

哲學與詩，在精神內涵上原是一脈相通，詩之理趣亦多富有哲學之意境，退溪有詩云：

月映寒潭玉宇清，幽人一室湛虛明。
箇中自有眞消息，不是禪空與道冥。
（內集卷四、葉一三〇）

「月映寒潭玉宇清」，此景人人能見之，未必人人能言之，幽人獨處一室，此心湛然虛明。潭水清澈，反映月光，月明而潭清，空寂中生氣流行，潭與月息息相關，幽人之藝術心靈，與潭月之宇宙意象，相互攝映，悠然自得，此時景中全是情，情具象而爲景，情景交融而不可分。一首小詩如一小宇宙，所云「箇中自有眞消息」，此「眞消息」即小宇宙之眞理，亦即作者之心靈世界。方東美先生云：「託心身於宇宙，寓美感於人生」（同註四）詩人以心靈映射宇宙萬象，觸景生情，因心造境。「以追光躡景之筆，寫通天盡人之懷」（註八）發揮高度之藝術精神，「化實景而爲虛境，創形象以爲象徵」（註九）以成就一個鳶飛魚躍、活活潑潑，迴絕塵寰、潔潔淨淨之靈境，此一靈境，即其心靈世界之寫照。

尼采認爲藝術世界之構成由於兩種精神，一是夢，夢之境界是無數之形象；一是醉，醉之境界是無比之豪情。（註一〇）夢能使人超越現實，醉能使人忘却現實，就藝術生命言，詩爲藝術之作品，亦即美之化身。故詩人之夢，乃美之形象，詩人之醉，乃美之豪情。

晏幾道「臨江仙」首二句云：

夢後樓臺高鎖，酒醒簾幕低垂。（註一一）

康有爲云：「起二句純是華麗境界。」（註一二）康氏所云「華麗境界」，即指美之形象而言。不僅此也，華麗之中，「是有眞宰，與之浮沈」（註一三）「眞宰」即是藝術心靈，「華麗境界」，即此藝術心靈之映射。

又辛棄疾「破陣子」首二句云：

醉裡挑燈看劍，夢回吹角連營。（註一四）

辛詞起二句亦以「醉」「夢」並敍，表現豪情壯采，顯得氣韻生動，「行神如空，行氣如虹」（註一五）有「眞力彌滿，萬象在旁」（註一六）之勢。袁枚有言：「醒語不如夢語」（註一七）蓋以後者出自天籟也。

退溪以哲人而兼詩人，有詩二千餘首，跡其內容，暉麗萬有，拙著「退溪詩學」，已有概要之說明。本文特就退溪詩之「醉」與「夢」二者，以探討其藝術之情思，進窺其心靈之世界。

貳、醉的豪情

詩人與酒，常結不解之緣。陶潛有飲酒二十首，成爲千古絕唱。飲酒可自壯自恃、自遣自慰，所謂「不覺知有我，安知物爲貴？」（註一八）此種物我兩忘之境界，是藝術精神之高度表現，亦爲藝術人格之空靈境界，下逮李白、杜甫亦莫不嗜酒。李白斗酒詩百篇，以詩仙而兼酒仙，可以想見其豪情。杜甫有「飮中八仙歌」（註一九），各極生平醉趣，寫得仙風道骨，豪氣干雲。詩不離酒，酒不離醉。白居易自號醉吟先生，歐陽修自號醉翁。蓋托醉以寓情，托醉以遠世，托醉以寄意。所謂「醉翁之意不在酒」，一語道破文人之心事。

邵康節詩云：

斟有淺深存燮理，飮無多少寄經綸。（註二〇）

以酒滌蕩襟懷，助興怡情，此理人皆知之，此事人皆能之。然飮酒之道，能「存燮理」、「寄經綸」，此則惟儒者有此本色。退溪有「和陶集飲酒二十首」（註二一）觀其內容，頗多言外遠致，其詩第十一、十三、十四各首，充滿心儀朱子之幽情微意，其他各首有述及飲酒者，亦皆意別有在，例如：

其一

無酒苦無悰，有酒斯飲之。
物與我同樂，貧病復何疑？

此言飲酒當思物我同樂。不憂貧病，不慕虛名。

其二

我欲挾天風，遨遊崑崙山。
醉中見天眞。那憂醒者傳。

此言酒醉可見眞情，醒者未能免俗。

其八

酒無獨飲理，偶興聊自爲。
陶然形迹忘，況復嬰塵羈。

此言飲酒可忘形迹，陶然自得，心遊物外。

其十

人生如朝露，羲馭不停驅。
獨有杯中物，時時慰索居。

此言飲酒可慰索居，感嘆人生苦短。

其十八

酒中有妙理，未必人人得。
當其乍醺醺，浩氣兩間塞。

此言飲酒之道，不在酣叫取樂。酒中妙理，難以言傳。此乃屬於藝術境界，未必人人能知。「乍醺醺」乃微醉之象。用一「乍」字，有適可而止之意。邵子所云「美酒飲教微醉後，好花看到半開時」（註二二），若飲至酩酊大醉，則不免樂極生悲、大煞風景矣。「浩氣兩間塞」，是寫微醉時之氣象，雖語涉誇張，而其豪情萬丈，不可方物矣。杜甫「張旭三杯草聖傳，揮毫落紙如雲烟」之句（註二三），庶幾近之。

其十二

安得金蘭友，趣舍不復疑。
片言釋千誣，一誠消百欺。
此時忘憂物，吾亦可已之。

此詩與其他各首言及酒者迥然不同，他首雖亦有爲而言，然皆肯定飲酒之價値。此詩以「金蘭友」

與「忘憂物」相提並論，有「忘憂物」不如「金蘭友」之意。蓋酒之忘憂，不過一時之陶醉，李白之「但願長醉不願醒」（註二四），不過一時之激情。而金蘭之友，相契不疑，志同道合，明誠兩進，能釋千誣而消百歎，此乃心學之實功，修身之極詣。到此境界，天理流行、人欲淨盡，「此時忘憂物，吾亦可已之」，此可見退溪之「和陶集飲酒」，其意固不在酒也。

又退溪有「和子中閒居飲酒」云：

逃入昏冥我不求，但師陶令爲忘憂。

（內集卷三、葉一一〇）

陶令生不逢時，借酒自遠，以醉自飾。退溪不樂仕宦，有契於陶之韜晦遠世，明哲保身。故有句云：

卓哉柴桑翁，百世朝暮親。

湯湯洪流中，惟子不迷津。

（和陶集飲酒之二十、內集卷一、葉七三）

「湯湯洪流中，惟子不迷津」，醉酒而「不迷津」，其非眞醉可知。石林詩話云：「晉人多言飲酒有至沈醉者，此未必意眞在於酒。蓋時方艱難，人各懼禍，惟託於醉，可以疏遠世故。」（註二五）此言得之。而退溪之心儀陶令，固不止爲「忘憂」而已。

此外，退溪他詩述及飲酒者，或以助興，如「十一月陪聾巖先生月下飲酒杏花下用東坡韻」云：

臨流對酒高興發，萬斛閒愁如沃雪。（內集卷二、葉七十七）

或以寄傲，如「幽居示李仁仲、金愼仲」云：

置酒東軒如對聖，得梅南國似逢仙。（內集卷二、葉八〇）

或以示曠達，如「遇宋台叟於途，朝夕回見過，旣至小酌花下」云：

人間萬事酒杯中，得喪毁譽俱成空。（內集卷二、葉八二）

或以暢幽懷，如「三月三日雨中寓感」云：

呼兒且進杯中物，澆我平生壘積胸。（內集卷一、葉七〇）

或以抒感慨，如「陶山月夜詠梅」云：

一杯勸汝今何得？千載相思淚點胸。（內集卷五、葉一五一）

或以隆友情，如「次韻謝金彥遇惠石假山種菊」云：

一杯笑領慇懃意，翠靄清芬淡有無？

（內集卷五、葉一五二）

或以寄希望，如「岐州翫月」云：

何時亭中對罇酒，水面同看湧銀闕。（內集卷三、葉一一二）

酒之豪情，於醉時最易表現。蓋醉能使人忘却現實，亦能使人流露眞情。退溪「題士敬幽居」云：

毋多酌我我能狂，若不狂時怕近鄉。

可可難追成左左，休休眞覺勝遑遑。（外集卷一、葉五五三）

退溪此處之「狂」，指眞情之自然流露，由次句之「怕近鄉」觀之，是其「狂」亦有不得已之處。「鄉」恐係鄉愿之「鄉」，退溪心存丘壑，志在幽居，豈宜怕近家鄉。「可可」指邵子「可可吟」、「可可難追」句，以喩道之難行，事與願違，末句言「休休」醉態，勝於「遑遑」奔勞，以寄慨焉。

觀退溪「題龍壽寺」詩，可見其醉後之心境：

晚過龍門醉似泥，頹然僧榻我爲誰？

覺來神骨清如許，政是東山月上時。（外集卷一、葉五四五）

此詩起二句寫「忘我」之情懷，似有莊周夢蝶之幽境。後兩句「化實景而爲虛境，創形象以爲象徵」(同註九)「東山月上」之形象，象徵退溪光明灑落之襟懷，其神清骨爽，亦如東山之霽月。心境由此而瑩澈，人格由此而昇華。邵子所謂「虛室清冷都是白，靈臺瑩靜別生光」(註二六)此種空靈而瑩潔之境界，乃藝術神思所表現之心靈世界。

觀退溪「甲子六月望日陪郭明府與諸人避暑月川亭，因泛風月潭」詩，尤能流露其藝術神思，表現其豪情壯采。詩云：

宿雨朝清洗旱塵，青山邀我出溪濱。
水鄉先已雙鳧颺，江檻何辭累爵巡，
松籟滿襟人爽韻，火雲歸岫月生輪。
更教扶醉湖船上，萬頃涵空玉鏡新。

自註：是日明府先至，故用東坡「水雲先已颺雙鳧」之語。酒器之爵，即雀字，故韓詩以數爵對雙魚。

此詩起二句充滿體物之情。「宿雨洗塵」、「青山邀我」，雨有情，山有意，情景交融，物我一體。山之旱塵洗去，世之俗塵亦捐。「出溪濱」三字以起下文，頷聯「水鄉」、「江檻」緊承「溪濱」，雙鳧先颺，累爵何辭？情深意摯，瀟灑出塵。前四句頗有「萬物靜觀皆自得，四時佳興與人同」之幽趣。仁者之心，固當如是。腹聯「松籟」即是天籟，月輪亦如心輪。「人爽韻」而神益清、「月生輪」而心益明。松籟句切「風」字，火雲句切「月」字、「扶醉船上」切「泛」字，「萬頃涵空」切「潭」

字。後四句切「泛風月潭」之題，可見運思之妙。月夜泛舟，碧天映水，萬頃涵空，「玉鏡新」象徵其心鏡之新，此畫龍點睛之法，以「扶醉」喻其趣，以「萬頃」喻其大，以「涵空」喻其高，以「玉鏡」喻其圓而明，以「玉鏡新」喻其明而無已、潔而不滓。象徵生生之德，光輝日新。而退溪之心靈，通透灑落，如光風霽月，會通宇宙萬物，泯除物我分際，「眞力彌滿，萬象在旁」，如將白雲，超脫自在。此種境界，藝術與哲理合而爲一，融合無間。使人於超脫中體會到宇宙之深境，體會到心靈之幽韻。

綜上所論，可見退溪以藝術之幽思，酒醉之情懷，發爲美妙之詩篇，成功地表現出「眞力彌滿」、「鳶飛魚躍」之心靈世界。

參、夢的意境

神遇爲夢，形接爲事。日有所思，夜有所夢。夢爲思想之反射，亦爲理想之投影。夢境雖虛，而其心靈世界則實。列子有一則記載：周之尹氏大治產，有老役夫筋力竭矣，而使之彌勤，晝則呻呼而即事，夜則昏憊而熟寐，夕夕夢爲國君，居人民之上，總一國之事，遊燕宮觀，恣意所欲，其樂無比。尹氏心營世事，慮鍾家業，心形俱疲，夜亦昏憊而寐，夕夕夢爲人僕，趨走作役，無不爲也；數罵杖撻，無不至也。眠中呻呼，徹旦息焉。尹氏病之。（註二七）

役夫夢爲國君而樂，尹氏夢爲人僕而苦。是人生之苦樂，在心而不在境。欲其夢之樂，當先求心之安。孟子養心之學，實爲人生首要之事。退溪爲理學醇儒，亦爲心學宗師。然其所處之時代，朝政不綱，權奸用事，現實惡劣，河清難期。退溪本少宦情，又見道之不行。毅然急流勇退，息影林泉，潛心求其所未至，以收桑榆之景。無奈當時君王，對退溪優禮有加，雖屢次告病乞退，均未獲允。（註二八）其內心之矛盾苦悶，不難想見。其「十八日風雨感懷」有句云：

不覺吾心兩用難，情懸北闕與南山。
客中謾恨風和雨，病裡深憂熱共寒。（內集卷四、葉一三二）

退溪屢次乞退，心在南山，而君王恩眷，情懸北闕，心情矛盾，溢於言表，苦悶之餘，不覺訴諸夢想，形諸夢寐，藉以獲得心理之補償，精神之安慰。蓋夢之境界，能使人超脫現實，進入綺麗而理想之境界。此種境界，最眞摯，亦最浪漫，富於想像，而有藝術精神。且最能表現其心靈之世界。夢爲美之形象，故美夢恒具藝術精神。退溪詩中論及「夢」者至多。其層次亦有深淺之不同。有言「人生如夢」者，如「與諸君同登狎鷗亭後岡」云：

萬世經營槐穴夢。（內集卷一、葉五二）

「踏青登霞山」云：

舊遊京國渾如夢。（內集卷一、葉六一）

「謝鄭直哉庚長見訪縱筆戲奉博粲」云：

須識浮生夢寐中。（續集卷一、葉四二）

「夢遊清涼山」云：

暮年身誤入槐安。（內集卷五、葉一四五）

退溪此種「浮生若夢」之思想，有富貴浮雲，塵垢軒冕之意，是曠達而非消極。有夢山水者，如「送金厚之修撰乞假歸覲，仍請外補養親，恩許之行」有句：

秋風蕭蕭吹漢水，我夢夜夜白石青雲間。（內集卷一、葉六五）

「湖堂梅花暮春始開，用東坡韻」云：

清夢夜夜飛丘園，那知此境是西湖。（註同前）

「病中有客談關東山水慨然遠想」云：

邇來夢想仙遊地，何日投簪獨征！（內集卷二、葉八五）

「次韻黃仲舉」云：

夢想廬山河水落，風塵三復紫陽詞。（內集卷二、葉八一）

樂山水爲退溪之素懷，亦爲儒者頤養心性之一助。「故孔孟之於山水，未嘗不亟稱而深喩之」。（註二九）觀退溪「陶山雜詠」，即可知其樂趣之所在。

有夢遊仙者，如「湖堂梅花暮春始開，用東坡韻」云：

昨夜夢見縞衣仙，同跨白鳳飛天門。（內集卷一、葉五六）

「伏蒙天恩許遂退閒，且感且慶，自述八絕」有句云：

美人何許隔天涯，夢裡相逢玉帝家。（續集卷二、葉四七）

「寄李而盛」云：

我曾爲吏隱丹丘，幾挾飛仙夢裡遊。

「月夜登天淵臺，贈金士純」云：（內集卷二、葉八九）

半夜游仙夢自回，起呼幽伴上江臺。

（續集卷二、葉四四）

其遊仙之思，係對現實之超脫，對未來之憧憬，以追求精神之自由，心靈之淨化。其五十歲以前遊仙詩，因現實與理想之間，存在著難以調和之矛盾，故略帶浪漫主義色彩。六十歲以後，陶山書堂落成，有棲遲優遊之所，有山水怡情之樂，其遊仙詩由絢爛歸於平淡，較富閒適疎野之趣。此外，尚有夢歸鄉者，此乃人之常情，茲不具論。

以上所述，雖著墨不多，聊以寄意。然其幽懷素抱，自不可掩。其最眞摯而深刻者，則爲記夢詩。此類詩篇，情眞語摯，多爲興會淋漓之筆。退溪之記夢詩，亦可分爲前後兩期，前期爲五十歲以前居官時所作，後期爲六十歲以後歸隱時所作。前期因「妄出世路，風埃顚倒」，事與願違，精神苦悶。故其詩帶有遊仙色彩，以求超脫現實，遊心物外。後期得以「脫身樊籠，投分農畝」，歸隱陶山，心情閒適。故其詩多遊觀之趣，山林之樂。充分表現其怡然自得之境界。

㈠前期之記夢詩

虛窗寂寂夜如水，一枕夢中千萬里。

流觀楚越窮岷峨，掣帆江海連天河。

清都館闕空中起，玉皇高居五雲裡。

飛仙縹緲顏綽約，邀我共勸流霞酌。

下界塵緣一念餘，忽然下墮形蘧蘧。

朝來市聲鼜耳側，更憶清都那易得。

（記夢，別集卷二、葉五一三）

此詩作於四十七歲，爲退溪秋赴召之後，退溪以「記夢」爲題之詩，此爲最早。虛窗句言「寂」，一枕句言「感」，「寂然不動，感而遂通」（註三〇）此本周易繫辭之說，屬於境界形上學之重要觀念。退溪作此詩時，是否受此觀念之影響，不得而知。然由寂而感，由感而夢，亦爲理所當然之事。而退溪此時身居北闕，心繫南山，心中矛盾難以調和，其寂感而夢者必深。所云「流觀楚越」二句，窮高山大海而連天河，異想天開，由人間而登仙界。置身「清都館闕」，成爲玉皇嘉賓，綽約仙子相邀，共飲流霞仙酒。此景此情，此境此樂，無與倫比，不可言宣。然退溪儒者，何可樂此虛幻？故「塵緣一念」，蘧然夢覺，下墜人寰，「市聲鼜耳」，回憶「清都」，杳不可得。

值得注意者，在此詩之前，有「宿清心樓」詩，題下有「秋赴召」三字。其詩末四句云：

使君置酒慰客愁，笛聲憤怨霜飛秋。

酒闌人散江月出，夢騎白鶴遊蓬丘。

此詩與「記夢詩」爲同一時期作品。「笛聲憤怨」寫「客愁」之情，「霜飛秋」寫「客愁」之景。

以酒澆愁愁更多，「酒闌人散」，酒闌而興亦闌，人散而影亦孤。孤影對此江月，江水悠悠，客愁縷縷。此愁如何排遣？只有「夢騎白鶴遊蓬丘」，暫時超脫現實，遊於絕對自由之心靈世界。此詩可視爲「記夢」詩之前奏。

退溪於秋赴召後，又有「玉堂宣醞後出書堂馬上作」（註三一）一絕云：

出城延望海中山，一色山川玉界寒。
箇裡羣仙多一念，清尊終夕待吾還。

（內集卷一、葉六四）

此詩起二句寫延望仙山之景，後二句寫嚮往仙山之情，其緊要處全在後二句。「羣仙多一念，清尊待吾還」，「終夕」相待，可見其情之切，其意之厚，退溪非迷信仙佛，何以有此思想。蓋以「玉堂」之不足留，自由之不可得，故賦此以寄出塵之意，而遊心於逍遙之境。前云「宿清心樓」詩爲「記夢」之前奏，則此詩則爲「記夢」之餘響。前者之「夢騎白鶴遊蓬丘」，在氣象上勝，流連光景，似隔一層。後者之「清尊終夕待吾還」，在情致上勝，顯得風流蘊藉，妙合天人。其後退溪有「二樂樓次東坡黃樓詩韻」（內集卷一、葉六六）、及郡齋有懷小白之遊，用昌黎衡岳詩韻（內集卷一、葉六八），皆承「記夢」詩之意，而有脈絡可尋。（註三二）而其「懷小白之遊」詩中，有「聖登賢游象道巍，名與天地相爲終；斯人斯世我若及，何用遠慕飛昇功？」可謂一語道破心事，「飛昇功」既不足「遠慕」，此可見退溪之遊仙思想，其意固別有在也。

㈡後期之記夢詩

退溪後期之記夢詩，皆作於六十歲之後，其詩之篇幅多爲絶句，與前期之古風不同。在風格上由絢爛歸於平淡。在內容上可分懷君恩、樂山水二者，玆各擧二絶如下：

「至月初八日夜記夢二絶」

夢入天門近耿光，血誠容許露衷腸。
團辭未半驚蝴蝶，月落參横夜正長。
未竟危辭感慨多，不知能竟又如何？
起來依舊身痾絆，其奈洪恩若海波。（內集卷四、葉一三七）

前一首起句天門、指君門，耿光，指君王。首句言夢見君王，次句言君王許其吐露衷腸，此衷腸之吐露，乃出自忠君愛國之「血誠」。其衷腸血誠所言何事，雖未明言，要當與匡濟時政有關。可惜「團辭未半」，忽然夢醒。參爲星名，月落而參星横天，夢醒之時，「月落參横」，時爲「至月初八日夜」，故結句云然。

後一首緊承前詩「團辭未半」句而來，「危辭」，即孔子之「危言」（註三三），有「正言」之意。退溪之「危辭」，本於血誠，吐露衷腸，然政非其人，難以有爲，是以「感慨多」也。次句緊承首句，語帶疑問，似對朝政尙乏信心。三句言宿疾依舊，有力不從心之感。而君恩浩蕩，只有徒喚奈何。結句愛君之心，溢於言表。

以上兩絕記夢詩，作於六十六歲。此外，退溪於六十歲時，亦有記夢二絕（註三四），詩中流露忠君愛國之誠，與此二首內容相類，然後者尤爲感人。

「夢遊清涼山二首」

泉石烟霞事未寒，暮年身誤入槐安。
那知更藉遊仙枕，去上清涼福地山。

身御泠然禦寇風，千巖行盡一宵中。
老僧贈我田家笠，勸早歸來作野翁。

（內集卷五、葉一四五）

此二詩作於六十八歲，清涼山位於陶山東北，山有十二峰，壁立萬仞，危臨絕壑，雲蒸霞蔚，風景秀麗。退溪於十五歲時，曾隨侍其叔父松齋遊清涼山，寓居上清涼庵，讀書其中。及長，每有餘暇，常遊清涼，流連忘返，形諸吟詠，留下五十一首詩篇（註三五），其愛好清涼，由此可見。其後以年老多病，艱於登陟，故形諸夢寐，寫成此詩。前一首起句道出愛好山水之心事，次句言不樂仕宦，榮華富貴，有如南柯一夢，後兩句言「夢遊清涼山」，「遊仙枕」點出「夢」字。

後一首言夢中之事，前兩句極言遊山之速，用列子「御風」之事，帶有遊仙之色彩。三句言老僧贈笠，有閒雲野鶴之致。「田家笠」與結句「作野翁」呼應。「勸早歸來」，寫出迫切之情，此情非老僧之情，實乃退溪之情。此外，退溪於六十六歲時，有七言古體「記夢」詩一首，文末有「同來二子顧且嘆，結棲永擬遺塵絆」之句（註三六）亦有瀟灑出塵之想。

肆、結　論

昔宗炳論作畫云：「聖人以神法道，而賢者通；山水以形媚道，而仁者樂」。（註三七）此處所謂「道」，即是自然。「以神法道」，則天人合一，「以形媚道」，則物天合一。宗炳又云：「峰岫嶢嶷，雲林森渺，聖賢映於絕代，萬趣融其神思」（同註三七），蓋應月會心，心會感神，神超理得，得心應手，揮灑自如，神之所賜，妙造自然，所謂「萬趣融其神思」，此爲作者藝術心靈之寫照。作畫如此，作詩亦然。

醉是豪情之流露，夢是思想之反射。陶情美酒微醉後，夢扶飛仙未醒時，此際塵緣割斷，世慮潛消，別是洞天，別有眞趣。詩人精力瀰滿，賦情獨深，默會意象之表，燦然形諸詩篇，將藝術之美、情感之眞、理智之善，冶於一爐，而充分表現之。以有限之材料，發揮無限之精神。以醉夢之情懷，寄託高遠之理想。誠如門德爾松（Mendelssohn）所云「藝術之目的即是道德之完全」（註三八）此乃美與善之合一，亦是藝與道之合一。錢賓四先生謂：「藝術從人生中流出。」（註三九）此言極是。此處之「人生」實帶有哲學之意味。故宗白華謂：「藝術最鄰近於哲學。」（註四〇）蓋藝術所以表現人生，亦所以美化人生。故含有豐富哲理之藝術作品，始有偉大之價值。始有不朽之生命。詩爲藝術之結晶，一首好詩，有如一個小宇宙。張璪云：「外師造化，中得心源」（註四一），此雖就作畫言，亦可移用作詩。造化即是自然，「外師造化」，不是妙肖自然。而是藉客觀之自然景象，以表現主觀之意象。而「中得心源」，即是使外物與內心，融合爲一。此董其昌所謂「詩以山川爲境，山川亦以詩爲境」（註四二）。詩人藉山川之形與神，以作我主觀情思之象徵。胸中有眞宰者，其所作必不凡，郭若虛所謂「得自天機，出於靈府」（註四三）天機即是靈感，靈府即是心源。「竟日覓不得，有時還自來」，天機不可強覓，然不覓則天機未必自來。

醉與夢之富有藝術精神，以其能暫離世俗，超脫凡近。醉夢之語有醒時道不出者。醉夢之境有醒時不能到者，良以藝術之境界，和吾人所處之現實界常有相當距離，且醉夢之迷離惝恍，構成獨立自足、高遠脫俗之美之意象。詩人於此融其神思，騁其奇想，創造美妙之形象，以象徵其心靈世界。退溪爲理學醇儒，其所作有關醉與夢之詩，皆從哲學人生中流出，而充分表現其天人合一、心物合一、藝術合一之境界。

退溪有「月夜登天淵臺贈金士純」詩云：

半夜游仙夢自回，起呼幽伴上江臺。
清風有意迎懷袖，明月多情送酒杯。（續集卷二、葉四四）

游仙夢回，起呼幽伴，同登江臺，萬籟俱寂。此時佳興，我與人同。美景在目，造化在心。心凝形釋，怡然自得，「清風有意」、「明月多情」，此情此意，在人亦在物，在我亦在天。物各自得，是一物一宇宙，一物一太極。天與人同，是天人同一體，萬物一太極。此即莊子所謂「天地與我並生，而萬物與我爲一」（註四四）之境界。到此境界，妙造自然，旣使心靈與宇宙淨化，又使心靈與宇宙深化。其意境高超瑩潔，其精神自由自在。孟子所謂「上下與天地同流」（註四五），此是天人合一，神而化之，是藝術境界與道德境界之綜合表現。

【附註】

註一：謝宣城「思歸賦序」，見漢魏六朝百三家集册三、總葉二三七〇。

註二：「王陽明全書」册一、語錄卷三、「傳習錄」下、葉八〇、黃直錄。

註三：「文心雕龍」神思第二十六。

註四：「生生之德」生命情調與美感、葉一一四。

註五：歌德「致瑪麗亞，包洛芙娜公爵夫人書」，引見「文學理論資料匯編」下册、葉八九三。

註六：陸機文賦，見「昭明文選」卷十七。

註七：懷德海「思想之諸模式」，一九七三年版、葉十一。

註八：王夫之語，見「古詩評選」卷四、阮籍「詠懷」。

註　九：宗白華語見「美從何處尋」、葉六五。
註一〇：參見宗白華「美從何處尋」、葉五七。
註一一：「全宋詞」葉二三三。
註一二：語見「藝術館詞選」。
註一三：司空圖「二十四詩品」含蓄。
註一四：「全宋詞」葉一九四二。
註一五：司空圖「二十四詩品」勁健。
註一六：同前書「豪放」。
註一七：「隨園詩話補遺」卷七、葉一〇三。
註一八：語見陶潛「飲酒」之十四，楊勇「陶淵明集校箋」、葉一五九。
註一九：詳見「杜詩詳註」卷二、葉八一至八五。
註二〇：邵康節「安樂窩中酒一樽」，引見錢穆「理學家詩鈔」、葉二一。
註二一：見退溪詩內集、卷一、葉七〇至七三。
註二二：邵康節「安樂窩中吟」，引見「理學家詩鈔」、葉二三。
註二三：語見「飲中八仙歌」、「杜詩詳註」卷二、葉八二。
註二四：「全唐詩」卷一六二、葉一六八〇、「將進酒」。

註二五：見「詩話叢刊」上册、葉七九二。

註二六：邵康節「安樂窩中一炷香」，引見「理學家詩鈔」、葉二一。

註二七：詳見「列子」卷三、「周穆王篇」。

註二八：據年譜下，退溪於乙巳乞退辭歸，時已六十九歲，名士傾朝出餞，各賦詩敍別。退溪有詩云：「許退寧同賜玦環，羣賢相送指鄉關。自慚四朝垂恩眷，空作區區七往還。」（見內集卷五、葉一五四）又年譜下：庚午，先生七十歲，正月上箋乞致仕，並上狀辭免職名，不許。

註二九：語見退溪「陶山雜詠記」，文集卷三、葉一〇三。

註三〇：易經繫辭上：「寂然不動，感而遂通天下之故。」周子「通書」釋之云：「寂然不動者誠也，感而遂通者神也。」（聖第四）。

註三一：玉堂，指弘文館，爲管理宮中經書文書之機構，並爲君王之顧問官府。

註三二：如「二樂樓」詩云：「夜臥郡齋冷，夢作遊山詩」，「懷小白之遊」詩云：「烟霞結習尙未除，幽夢夜夜精靈通」，皆夢遊山而帶遊仙思想。

註三三：論語憲問：子曰：「邦有道，危言危行。邦無道，危行言孫。」

註三四：記夢二絕：①蟣蝨微臣病置閒，耿光圭竇不違顏。太平愧乏河汾策，芹曝懸誠一夢寒。②寤寐天門幾許深，遽遽下墮只驚心；箇中憂國無餘事，長願年豐普得霖。見內集卷三、葉一〇〇。

註三五：見鄭飛石「李退溪小傳」葉一八八「淸涼山略志」之記載。

註三六：七言古體記夢詩，據退溪言行錄，其詩作於丙寅十月，退溪年六十六，而退溪文集卷五、誤厠於戊辰。

註三七：宗炳「畫山水序」，嚴可均「全宋文」卷二十、葉九。

註三八：引見托爾斯泰「藝術論」第三章。

註三九：見「理學與藝術」，刊于「中國學術思想史」（六）葉二一二。

註四〇：見宗白華「美從何處尋」、葉二六四。

註四一：引見張彥遠「歷代名畫記」卷十。

註四二：引見「中國美學史」葉一六六。

註四三：引見「中國美學史」葉二四。

註四四：語見「莊子」齊物論。

註四五：「孟子」盡心上。

退溪的詠月詩

壹

自然界之美，在天爲月，在地爲水，在空爲風，在時爲春，在物爲花。詩人感物吟志，莫非自然。五者之中，以月爲最。詠月之詩，最早見於詩經陳風「月出」，其後代有作者，古詩十九首，屢見「明月」之句（註一）。降及六朝，漸趨綺麗，謝莊「月賦」，鮑照「翫月詩」（註二），皆一時之選，然謝賦稍嫌繁密，鮑詩微患纖巧，縟采寡情，比興寒窘，文勝其質，有損眞美。

下逮李杜，佳作益夥。李之「月下獨酌」（註三）烘雲托月，寄興深遠。逸氣縱橫，如天馬行空。杜之「四更山吐月，殘夜水明樓」（註四），寫景精切，語秀意遠，東坡歎爲「古今絕唱」（註五）。而張若虛之「春江花月夜」（註六）共用十五個「月」字，廻環往復，一唱三歎，於詠月詩中，獨標一格。春水花月，四美並具，月照花林，江遶芳甸，春江水暖，風送花香，吟風弄月，傍柳隨花，此情此景，其樂何極！

明人張大復在「梅花草堂筆談」中云：

邵茂齊有言，天上月色能移世界，果然。故夫山石泉澗，梵刹園亭，屋廬竹樹，種種常見之物，月照之則深，蒙之則淨。金碧之彩，披之則醇；慘悴之容，承之則奇。淺深濃淡之色，按之望之，則屢易而不可了。以至河山大地，邈若皇古，犬吠松濤，遠於岩谷。草生木長，閒如坐臥，人在月下，亦當忘我之爲我也。

在詩人心目中，月亮即是美的化身。司空圖所謂「明月前身」（註七），即有此意。月亮亦是大藝術家，能在轉瞬之間，美化心靈，移易情感，移易世界。所謂「照之則深，蒙之則淨，披之則醇，承之則奇。」一種種美的形象，湧現眼前，奔湊筆端。此時「人在月下」，不覺「忘我之爲我」。邵雍清夜吟云：

月到天心處，風來水面時。

一般清意味，料得少人知？（註八）

「月到天心」，萬里無雲，瑩澈無比；「風來水面」，波濤不興，平靜無聲。象徵「人慾淨盡，天理流行」之境界。此種境界，可爲智者道，難爲俗人言。故曰「一般清意味，料得少人知」也。

貳

明莊定山云：

夫月也，有詩人之月，有文人之月，有詩顚酒狂之月，有自得性天之月。韓昌黎「盛山十二詩序」，謂「追逐雲月」，文人之月也。杜子美謂「思家步月清宵立」，詩人之月也。李太白捉月采石，而其詩又謂「醉起步溪月」，詩顛酒狂之月也。黃山谷謂「周茂叔人品甚高，其人如光風霽月」，自得於性天者之月也。夫詩文人之月，無所眞得，無所眞見，口耳之月也。詩顛酒狂之月，醉生夢死之月也。惟周茂叔之月，寂乎其月之體，感乎其月之用，得夫性天之妙，而見夫性天之眞，自有不知其我之爲月而月之爲我也。所謂曾點之浴沂，孔子之老安少懷，二程子之吟風弄月，傍柳隨花，朱紫陽之千葩萬蕊爭紅紫者是已。蓋與天地萬物爲一體者也，上下與天地同流者也，所謂聖賢之月也。（註九）

定山爲理學家，與陳白沙、羅一峰爲友，其論學主靜，開姚江之先河，其詩祖擊壤集，有濂洛之遺響，而風格不逮。此處定山獨標聖賢之月，而謂其他皆無足取，未免抑揚過當。文人之追雲逐月，馳心夸飾，鬻聲釣譽，眞宰弗存，固不足論。詩人步月思家，情見乎辭，直抒胸臆，有同風雅，不可謂無眞得眞見，而概以「口耳之月」目之。李白詠月佳作甚多，其「牀前明月光」之篇，即景思鄉，意眞情摯，論者推爲絕句神品。（註一〇）其「出時山眼白，高後海心明」（註一一）之句，對仗工穩，風骨甚高，「醉起步溪月」，未足爲病。「詩顛酒狂」則有之，「醉生夢死」則未必。然定山分月之四等，自有其用意所在。就此四者言之，聖賢之月最上，詩人之月次之，文人之月又次之。平實論之，聖賢之月，必兼攝詩人之月；而詩人之月，未必能兼攝聖人之月。退溪以哲人而兼詩人，是知退溪之月，自得於性天者多，且其學祖孔孟，師法程朱。晚年篤好朱子詩，沈潛玩索，優游涵泳。不惟驗之於身心，又能見之於吟詠。雖謂退溪之學，即朱子之學，退溪之月，即朱子之月，亦無不可。故欲知退溪之心，當先觀退溪之詩；欲知退溪之詩，當先觀朱子之詩。而詠月之詩，雖假寫景之貌，實蘊性天之心。知朱子之月，以觀退溪之月，不難窺其脈絡相通之處。惟朱子詠月之詩甚多，限於篇幅，不容詳論，茲舉下列二首，以與退溪詩並觀。

其一

翫　月

風起雲氣昏，風定天宇肅。遙遙萬里暉，炯炯穿我屋。良友共徘徊，山中詎幽獨？（註一二）

其二

月　臺

臺上無人伴苦吟，歸鴉過境日西沉。須臾玉匣開塵鏡，卻有孤光共此心。（註一三）

前一首「翫月」，選自朱子「雲谷雜詩」。雲谷雜詩共十二首，皆五言六句，翫月爲第三首。其首二句以風起、風定爲言，以喻動靜之意。風起則雲氣昏暗，風定則天宇肅靜，雲氣昏暗，則月不可見；天宇肅靜，則雲散月明。此雖指天象，而人之心體，亦同此理。心體如明月，物慾如雲氣，私意如風。「風起雲氣昏」，如物慾障蔽心體；「風定天宇肅」，如物慾去而天理自存。三句「遙遙萬里暉」，即緊承上句而來。由「天宇肅」而生「萬里暉」，此爲因果關係。四句「炯炯穿我屋」，此由「萬里暉」而突然集中於「我屋」之一點，照穿於「我屋」之一線。此一點一線，非僅照穿於「我屋」，亦當照亮於「我心」。月光「炯炯」，我心亦當「炯炯」。月心與我心，心心相印。逢此良夜，有此良友，相與徘徊，處此山中，何「幽獨」之有？此末二句之意也。定山所謂「見夫性天之眞，自有不知其我之爲月而月之爲我也。」朱子此詩，似亦有此意。

後一首「月臺」詩，爲七言絕句，起句「臺上」點境，「無人伴苦吟」點情。「無人伴」，其「吟」便「苦」，暗寓待月之意，待月作伴，聊慰苦吟，此情可待，此意誰知？次句「歸鴉過境」，境愈淒清，「日西沉」，時已晚。待月之情愈切，三句緊承次句，「玉匣開塵境」，暗寓月字，「玉匣」言其美，「開塵境」言其明，鏡之有塵，猶心之有慾，勤加拂拭，塵去鏡明。末句「孤光」回應「塵境」，「塵境」既開，「孤光」便照。「孤光共此心」，用一「共」字，則「孤光」不孤，「此心」不寂。心光與月光共照，上下與天地同流。由朱子此詩，可知朱子之月，是詩人之月，亦是哲人之月。

退溪學宗朱子，詩亦受其影響，其遊山書事十二首，即用雲谷雜詩之韻，中有「翫月」一首如下：

千巖雪嵯峨，月出愈清肅。幽人坐不寐，寒境低梵屋。

夜久香寂寂，眞成娟幽獨。（文集卷二）

退溪此詩，首二句寫景，千巖嵯峨，高峯積雪，月出照雪，雪光返照，月雪輝映，山愈壯麗，月愈清肅。三四句寫情，而情中有景。「幽人」退溪自謂（註一四），「幽人」對此雪景，對此月色，幽賞未已，興致正濃，坐而不寂，樂而忘歸。四句「寒鏡」以喻冷月，「寒鏡低梵屋」，此月將落之時，月將落而興未央，此情何可言喻。五句「夜久香寂寂」，此「香」從何而來？蓋梵屋僧徒禮佛之香也。此「香寂寂」，人亦寂寂。而幽人獨坐，夜久不寐，靜觀萬物，無不自得。寂然感通。樂在其中。李白詩云：「靜坐觀衆妙，浩然媚幽獨」（註一五），即退溪此詩結句之所本。退溪與李白，其「媚幽獨」雖同，其所以「媚幽獨」則異。而退溪此詩，與朱子「山中詎幽獨」之句，雖取徑有別，其實是貌異心同。

朱子有「月臺」七絕，前已言之，退溪亦有「月影臺」七絕，茲誌如下：

老樹奇巖碧海堧，孤雲遊跡總成烟。

只今唯有高臺月，留得精神向我傳。（文集卷一）

此詩題爲「月影臺」，臺在韓國西海岸（註一六），而朱子所詠之「月臺」，地在福建邵武縣（註一七），兩地相去甚遠，是月影臺之得名，與月臺無涉。且此詩爲退溪早年所作，詩中「孤雲遊跡」，指新羅人崔致遠之故事（註一八）。此詩前二句即景生情，懷念先賢。後二句見月有感，「留得精神向我傳」，可見其襟懷灑落，抱負不凡。此句與朱子「卻有孤光共此心」之句，相似而有不同。朱詩心月相印，有天人合一之意。李詩精神相傳，則月我似未能無間。考退溪此詩作於癸巳年，時僅三十三歲，能有此襟抱，亦屬難能可貴。下列一首，顯示退溪心學與朱子之關係。

東齋月夜

暑雨初收夜氣清，天心孤月滿窗欞。

幽人隱几寂無語，念在先生尊性銘。（文集卷三）

此詩前二句寫景，而景中有情。暑雨初收，暑氣全消，雲氣盡散，夜氣清新。天心孤月，光滿窗欞。吾之性天，亦有孤月。而孤月之明，須待夜氣之清。此中工夫，正未易言。後二句由情生理，由體起用。幽人隱几，寂然無語，「隱几」非坐忘，「無語」非空寂。所謂「隱几工夫大，揮戈事業卑」（註一九），克念作聖，爲仁由己。言念及此，惟在實踐朱子「尊德性齋銘」（註二〇）。此詩末句作理語，乃詩家之所忌。然就儒者之立場言，「學文所以正心」，固爲理所當然。此詩作於庚申，退溪時年六十，於東齋月夜，惕然有懷，念及朱子尊德性齋銘，其「欽斯承斯」之意，不言而喻。

叁

月爲詩人常用之素材，退溪亦不例外。在退溪詩中，常見詠月之句，有一句言一事者，有一句言二事者。有兩句一意相貫者，有兩句對仗分詠者。

一句言一事者如：

1. 拓窗看月月未斜。（夜起有感，文集卷一）
2. 中秋月色正如霜。（丹山贈金季應，文集卷五）
3. 一江明月亦君恩。（東齋感事，文集卷三）

首句是寫景，然既云「拓窗看月」，則景中有情。月是「夜月」，「月未斜」則夜未央，句中緊扣「夜起」二字。次句亦是寫景，然謂「月色如霜」，是詩人審美感興之語，由情景之相契，而構成審美意象，形諸文字，自能予人美感。三句由江月想到君恩。即景生情，則景非虛景。以上所舉，雖一句言一事，但其言外之意，則具有多義性，要在覽者自得之。

一句二事者如：

1. 雞鳴水村月掛簷。（湖堂曉起用東坡定惠院月夜偶出韻，文集卷一）
2. 月滿花樹風生蘋。（十一夜陪聾巖先生月下飲酒杏花下用東坡韻，文集卷二）
3. 飽滿歸來月下宿。（平蕪散牧，文集卷三）

首句「雞鳴水村月掛簷」，「雞鳴水村」是一事，「月掛簷」是一事，上半句是動態，下半句是靜態，整句一意，只是言天將曉之時。次句「月滿花樹」是靜態，「風生蘋」是動態，上四字是寫高處之景，下三字是寫低處之景。雖動靜不同，高下有別，仍只是一意，不過寫風月花蘋之景。若細析之，「月滿花樹」是靜態，而實靜中有動，「風生蘋」是動態，而實動中有靜。因風與月俱來，「月滿花樹」，未嘗無風；「風生蘋」，未嘗無月。上言月而下言風，乃互文以見義，此句見退溪措詞之妙。三句「飽滿歸來月下宿」，其上有「髫童忘機但鞭後」句，知歸來者爲「髫童」，下云「但鞭後」，則不言牛而牛與俱歸。「歸來」與「宿」，上動下靜，二事一意，牧童之樂，盡在不言中矣。

兩句一意相貫者如：

1.何時石室雲巖裏，共對清宵月滿軒。（兜觀院溪上奉懷家兄話別於東郊，文集卷一）

2.小軒獨坐看新月，不照塵編照客愁。（初秋有感，續集卷一）

3.更憐明月中秋夜，虛檻方池分外清。（題慶流亭，續集卷二）

4.可憐明月如相識，猶向山間盡意圓。（偶題，文集卷三）

1.條表面是寫景，實際是寫情。「石室雲巖」，本當作「雲巖石室」，是退溪兄家之小齋（註二一），此因協律而倒裝。退溪思兄情切，希望在兄家小齋，對滿軒明月，敍濶別之情，然此心願，何時得償？此上「何時」句與下「共對」句，一意相貫，不可割裂。但可簡化成「何時石室共對月」，爲求協律，可改爲「何時共對雲巖月」？由此可見此二句關係之密切。

2.條是寫客愁之月，由小軒獨坐，看新月初升，新月升而客愁亦生，塵編可照而不照，客愁不可照而云照。不照塵編，偏照客愁。新月有圓時，客愁何日消？行見新月日益圓，只怕客愁日益多。上句「看新月」，實寫而虛，下句「照客愁」虛寫而實。蓋詩貴意象透瑩，妙合無垠，若事實粘著，則情直致而寡餘味矣。

此條與前條雖皆一意相貫，情景相生。但前條是由思兄之情，而生出對月之景；此條是由對月之景，而生出客愁之情。王夫之云：「情景名爲二，而實不可離。神於詩者，妙合無垠。巧者則有情中景，景中情。」（註二二），退溪前條「共對清宵月滿軒」，即是「情中景」，此條「不照塵編照客愁」，即是「景中情」。

3.條寫中秋月景，上句用「更憐」以凸顯景中之情，與下句之「分外清」緊密契合。顯得「虛檻方池」之「分外清」，不僅因中秋明月之相照，亦因「更憐」之深情相感。由「更憐」而「月」更明，而「池」更清。此明此清，此心此情，相値相映，益增其美。所謂「日暮天無雲，春風扇微和」（註二三），可想見陶令當時胸次。「更待月印心，眞成灑落境」（註二四），可想見退溪當時胸次。

4.條寫山中月景，上句言「明月如相識」，一「如」字有情。我憐明月，明月亦當憐我。由相憐而相識，或由相識而相憐，均屬情理中事。「猶向山間盡意圓」，言「山間」，不言「人間」，此點頗堪玩味。「向山間」是親親之愛，「向人間」是泛泛之愛。旣言「盡意圓」，其情厚可知。然而明月爲誰「盡意圓」？爲山間之林泉乎，爲山間之幽人乎？此則不待辨而可明。此山間幽人，非退溪而誰？若說破便淡乎寡味，不說破便有含蓄蘊藉之妙，使人默會於意象之表。退溪與明月，相識相憐，意投神契，有物我一體之意。

兩句對仗分詠者如：

1.檻外長江橫似練，空中明月近堪梯。（平壤練光亭陪監司尙公震夜讌。文集卷一）

2.天爲宵歡收積雨，月因離恨照芳罇。（吾鄉李參判先生假歸，將因以乞身。鄉人在朝者會餞於先生寓舍，奉呈近體。文集卷一）

3.白月滿空餘素抱，晴嵐無跡遺浮榮。（過淸平山有感。文集卷一）

4.淸風有意迎懷袖，明月多情送酒杯。（月夜登天淵台贈金士純。續集卷二）

1.條以「檻外」對「空中」，此爲虛實相對，以「長江」對「明月」，月爲天文，江爲地理。「橫似練」喻其白而美，「近堪梯」言其明而亮。以其明亮，故看似甚近而堪梯。「堪梯」是夸飾以喻其「近」。實則此三句寓亭名「練光」二字，上句點「練」字是實寫，下句寓「光」字是虛寫。

2.條寫餞別之景，寓聚散之情。「天收積雨」、「月照芳罇」是景，然「爲宵歡」而「收積雨」，「因離恨」而「照芳罇」，則情景交融，而不可分。

3.條懷念隱逸，即景抒情。面對「白月滿空」、「晴嵐無跡」之景，緬懷山中隱逸之士，不見「浮榮」，但餘「素抱」而已。「浮榮」本屬虛無，「素抱」亦非實有。而退溪以「餘素抱」對「遺浮榮」，此是「無中生有」之法。上述三條，皆退溪四十二歲以前所作，雖藻思綺合，對偶工整，然不無文勝其質之處。鄭惟一稱退溪之詩，晚年「剪去華靡」（註二六），良有以也。

4.條爲絕句之末二句，雖爲對偶，然與前三條之爲律詩之對聯有別。據鄭士誠云：「壬戌秋，先生在陶山，月夜招士誠登天淵台，命誦武夷九曲詩，乃口號一絕以贈」云云（註二七），即此詩也。此詩即景即情，平淡自然，有如口語，雖是對仗，不見針線之跡。以其寓目生感，因景會心。不用思而句順，不措意而物親。「清風有意」，「明月多情」，風「迎懷袖」，月「送酒杯」。此風月，此情意，目寓神遇，會心不遠，人皆有此經驗，未必人皆能道出。李白雖知「舉杯邀月」，然而「月不解飲」，是亦徒邀。月我之距離，未見拉近，反而相遠。退溪之「月送酒杯」，固由月之「多情」，亦示月之「解飲」。泯月我之距離，合萬物爲一體，則其襟懷之灑落，盡在不言中矣。退溪作此詩時，其年六十有二，以視前述三條早年之句，其風格與意境，迥不相侔矣。

肆

退溪詠月之詩，以詩題而言，有「翫月」，如「歧州翫月」、「天淵翫月」等（註二八）；有「對月」，如「上元夜溪堂對月」、「八月十五夜西軒對月」（註二九），有「泛月」，如「濯纓潭泛月」、「庚戌閏六月望陪相公泛舟賞月」（註三〇），有「待月」，如「金愼仲挹清亭十二詠」之一「松亭待月」（註三一），有「月夜」，如「東齋月夜」、「蓮臺月夜」、「山寺月夜」、「雙清堂月夜」（註三二），有「夜月」，如「七月十三夜月」（註三三），及「懸崖邀月」、「鶴峰秋月」、「齋中夜起看月」、「憑家飮歸詠溪月」諸題（註三四）。他如「七月旣望」、「山居四時吟」之「夜」（註三五），雖其題無關詠月，而其實皆詠月之詩。此外，以退溪酷愛梅花，而梅最宜與月相襯，故其詠梅，多於月夜，而有「月夜詠梅」、「梅梢明月」諸詩（註三六），以文有主從，意別有在，本文所論，自宜從略。

前述退溪詠月之詩，其形式不外五言、七言兩種，其中近體多於古體，七言多於五言。以近體而論，三分之二爲絕句，三分之一爲律詩。古體最少，僅及絕句六分之一。且古體泰半爲五十一歲至五十二歲時所作。律詩多爲六十歲前後之作，絕句多爲晚年作品。蓋古體如散兵游騎，其失也放，律詩如節制之師，其失也拘，絕句則介乎二者之間。退溪之作，七絕最多。以其聲調諧順，音節流暢，雖眼前景、口頭語皆可入詩，便於直抒胸臆，吟哦滋味。觀其詠月詩題，雖有「翫月」、「對月」、「泛月」、「待月」、「邀月」、「看月」之異，審其內容，除「泛月」外，並無「翫月」、「對月」、「待月」、「邀月」、「看月」之別。所以有此區分，意在避免重複，如「和子中閒居」之「翫月」，與「岐亭十詠」之「翫月」，二者迥然不同，只於心目相取處觸景生情，因情造景，以抒其興會，寄其微旨，使人思而味之，感而契之。茲誌二詩於下，以觀其會心。

翫月（和子中閒居）

十分圓未一分偏，況復沈痾近少痊。
把酒李生吟且問，傷時杜老坐無眠。
斫來桂樹應多白，棲得姮娥底用妍。
珍重至人心地妙，一般灑落又誰傳。（文集卷三）

岐州翫月

岐亭主人去超越，洲上尚懸當時月。
嗣世銜恩擁朱旛，得暇來看情不歇。
嗟我聞風激衰懦，況乃形勝眞仙窟。
何時亭中對罇酒，水面同看湧銀闕。（文集卷三）

前一首「翫月」，僅有首句寫景，次句寫情。中間兩聯用李白、杜甫詩意（註三七），末二句暗寓濂溪襟懷灑落如光風霽月，然此種心境又誰傳乎？此乃全詩之緊要結穴處，翫月而想見至人心地，隱然有「舍我其誰」傳之意，帶有濃厚之理學色彩。

後一首「歧亭翫月」，全就「歧亭主人」設想。歧亭在咸昌，屬韓國慶尙右道，歧亭爲韓人權敏所建（註三八）。如今主人雖去，當時明月，尙懸洲上。首句「超越」二字著力（註三九），見得主人不凡，故後世銜恩，得擁朱旛，有暇來看，隆情不歇，是其感人深矣。我聞其風，振衰激懦，臨此形勝之地，不啻置身仙窟。何時亭中對飲，同看水面銀闕。而懷古之情，翫月之樂，盡在不言中矣。

再就兩詩之形式而論，前者爲七律，用下平一先韻，節奏輕快，聲調悠美，想見至人光霽之襟懷，有吾與點也之意。後者爲七古，用入聲月韻，音多拗句，音節迫促，氣氛清肅。末二句想望未來，繪出詩情畫意，賞心美景。何時亭中對酒，同看水面銀闕。此水面之銀闕，即當時洲上之明月，歧亭主人之精神，能如明月之照我乎？二詩風格、意境、體式、用韻，皆不相同。蓋前者乃哲人之月，後者則詩人之月也。

「泛月」之所以有別於「翫月」諸題，以「泛月」必有舟，而他題不必有。退溪「濯纓潭泛月」有兩首，皆爲七言律詩，茲誌如下：

濯纓潭泛月

臺上初看月色多，臺前呼酒泛金波。
疑乘夜雪尋溪興，似傍銀河接海查。

桂棹歌殘懷渺渺，羽衣夢見笑呵呵。
年年七月風流事，莫恨新秋有障魔。（文集卷三）

此詩題下有「十月十六日同大成、大用、文卿」十二字。詩末自註：「夏秋之交，予例屏溪上」，知前云「十月」，「十」乃「七」之譌字。首句寫見月，次句言泛舟。中間兩聯用事，頷聯上句用王徽之夜訪戴逵事（註四〇），下句用「博物志」中事（註四一）。言「疑乘」、「似傍」，則二句皆虛，似用事似非用事。此即葉燮所謂「想像以爲事，惝恍以爲情」者（註四二）。腹聯用東坡前、後赤壁賦中事（註四三），據年譜載：四月既望，泛月濯纓潭，詠前後赤壁賦，夜深乃還（註四四）。此可想見退溪作此詩時，其思古之幽情，已心儀神契，而非泛泛者流附庸風雅可比。末句自我解嘲，意在言外。「障魔」有礙修爲，固賢者所必去。白居易詩「障要智燈燒，魔須慧刃戮」，退溪此詩結句，不涉理路，未宜從正面索解。

四月既望濯纓泛月令裔、安道、德弘以明月清風分韻得明字。

水月蒼蒼夜氣清，風吹一葉泝空明。
匏尊白酒飜銀酌，桂棹流光掣玉橫。
采石顚狂非得意，落星占弄最關情。
不知百歲通泉後，更有何人續正聲。（文集卷三）

前一首作於庚申七月，此首作於辛酉四月，退溪年六十一，二詩之作，相去九閱月。前詩首二句點明「泛月」二字。而此詩則以首句明點「月」字，次句暗寓「泛」字，頷聯寫景，而景中有情。上句言飲酒，下句言泛月。「匏尊」、「白酒」、「銀酌」，著一「飜」字，大有飛觴醉月之豪情。「桂棹」、「流光」、「玉横」（註四五），著一「掣」字，顯出天搖星動之奇景。二句多用實字，意足而語健，辭美而文潔。腹聯用李白、朱子故事（註四六），以「非得意」對「最關情」，隱然有貶李褒朱之意。末二句以感慨作結，補足腹聯之意，於此亦可略窺退溪心事。（註四七）

退溪兩首濯纓潭泛月詩，前者略帶浪漫色彩，有別於哲人之詩；後者不無說理意味，有異於詩人之詩。

伍

上述退溪「翫月」及「泛月」之詩，皆爲七言八句，其中律詩三首，古體一首。在退溪詠月詩中，古體最少。其中古風七言長篇，僅有一首，爲退溪五十一歲時所作，是年不仕家居，較多暇日，對月興懷，即景會心，見諸吟詠，不無寓寄，錄之於下，以爲一臠之嘗。

七月十三夜月

初秋夕霽天無雲，月色萬里纖毫分。天風湛湛吹玉波，銀河掩彩星韜文。眼中忽失世湫隘，坐我瑤臺與瓊閣。海山仙人如可招，月裏姮娥相唯諾。彼美桂樹生蟾宮，宜與天地無終窮。婆娑本不礙月明，吳質妄欲饕天功。我勸姮娥一杯酒，願乞玄霜玉杵臼。凌風倏忽游八表，萬丈紅

塵不回首，赤壁見翅如車輪，武夷臥聽金鷄晨。下笑顛狂李謫仙，區區對影成三人。（文集卷二）

此詩題爲「夜月」，全詩共二十句，只有首四句寫景，餘均爲游仙詩。內容敍己遠離「湫隘」之塵世，置身瑤臺瓊閣，與「姮娥相唯諾」。欣賞桂樹婆娑，不滿吳剛伐桂，斥其妄貪天功。願乞玄霜，搗以玉杵，藉仙藥之力，凌風遊八表，紅塵不回首。見赤壁羽衣仙，聽武夷金鷄鳴。此種游仙之樂，以視顛狂李白，月下獨酌，對影成三，豈不可笑。細味退溪此種游仙思想之產生，顯然是基於對現實世界之失望，而又無可奈何。精神苦悶之餘，乃藉游仙以求超脫。前此庚戌年正月，退溪以「擅棄任所，奪告身二等」（註四八），以見先生之「不仕家居」，其來有由。遠離「湫隘」，游仙八表，意在追求心靈之世界。

在聲律方面，全詩二十句，每四句一轉韻。首用平聲「文」韻，次用入聲「藥」韻，換爲平聲「東」韻，下轉上聲「有」韻，末又複用平聲「眞」韻。而「眞」韻與起首所用「文」韻，古體原可通押，此可見其變化之妙，雖間用入聲上聲，而首尾極輕清之致，在變化之中，有其不變者在。

陸

退溪詠月之詩，以七絕最多，亦以七絕最擅長，茲選錄五首，分別討論如下：

其一

雙清堂月夜

楊柳梧桐院落深，夜窗唯有月窺臨。
何當淨澈萍池水，看取冰輪印鏡心。（別集卷一）

此詩爲退溪移守豐基郡時所作，時年四十九，起句以「楊柳梧桐」寫「雙清堂」之境。次句點明「月夜」，空間由「院落」寫到「夜窗」，畫面由大而小，由「夜窗」而見月窺臨。其實，月非僅窺臨夜窗，實乃窺臨夜窗內之人。用「唯有月窺臨」，見得「人」之孤寂，見此「月」之有情。後二句就月照池水生意，「冰輪」喻月，「鏡心」喻水，「冰輪印鏡心」，則水月交輝，心月相印。然此時此地，此池尚未「淨澈」，此心不無「塵垢」，結句「看取冰輪印鏡心」，此中儘有許多工夫，須要一一講求。

其二

憑家飮歸詠溪月

帶醉歸來信馬行，一鉤新月照溪明。
縈迴屢渡溪中月，溪月相隨曲曲清。（文集卷二）

此詩首句言「飮歸」，次句言「溪月」，二句緊切題面。然既云「帶醉歸」，則何以識歸路？其下「信馬行」三字不可少，蓋此「馬」必是「識途老馬」也。三句之「縈迴」，見溪之彎，「屢渡」，見路之遠。「溪中月」緊承上句「照溪明」。見得「水中月即天上月」，天光水光，相映相輝。末句

「溪月相隨」，由景生情，景中人呼之欲出。「曲曲清」遙應「照溪明」，「曲曲」二字應上「縈迴」。水得月而益清，月映水而益明。

「飲歸詠溪月」有二首，此其前一首。時退溪年五十七，後一首有「箇中別有醒心處，水樂鏘鏘太古絃」之句（註四九），二詩合看，韻味自見。

其三

七月既望

溪堂月白川堂白，今夜風清昨夜清。

別有一般光霽處，吾儕安得驗明誠。（文集卷三）

此詩有序云：

溪上齋居連夜，月色清甚，令人無寐。今日偶出霞山，士敬尋到，言其月川夜景，適與意會，欣然也。然古人所謂光霽者，殆不謂此。爲之感歎，既歸得一絕，擬寄士敬云。

士敬，趙穆字，穆號月川，其所居精舍，號月川書堂，此詩首句「溪堂」，指退溪之齋，「川堂」即「月川書堂」，「溪堂月白」謂今夜，「川堂白」謂昨夜。次句「今夜風清」指「溪堂」，「昨夜清」指「川堂」，二句互文以見義，言溪堂與川堂之景。三句由景生情，「光霽處」，喻襟懷之灑落，末句「明誠」，謂明善誠身，此乃心學之工夫。「吾霽安得驗明誠」，此以理語入詩，以勉弟子趙士敬。退溪「明誠齋」詩，有「明誠旨訣學兼庸，白鹿因輸兩進功」之句（註五〇），別有「時習齋」

詩，「日事明誠類數飛，重思復踐趁時時」之句，可爲此詩之註脚。退溪此詩作於甲子，時年六十四歲，向學之意，老而彌篤。

其四

山寺月夜

聞道花開不見花，一春風雨病中過。
今宵陡覺山家景，滿地清光月似波。（續集卷二）

此詩作於丙寅春，退溪年六十六，時先生力疾赴召，出宿山寺，以便靜養，屢以疾辭，皆不獲允。此詩首二句謂聞道花開，而不見花，一春風雨，病中渡過。雖云風雨之殺風景，亦由疾病之減遊興。惜春憐病，意在言外，後二句謂今宵山景當前，陡覺月華如波，清光滿地。用「今宵陡覺」，喚起下文。「陡覺」正如「絕後更甦」，由體起用。未覺之前是「一春風雨病中過」，既覺之後是「滿地清光月似波」。此中消息，頗堪玩味。

其五

鶴峯秋月

鶴駕峯頭掛月輝，亭闌渾作水晶微。
夜深手把無絃弄，不恨如今聽者稀。（文集卷五）

此詩作於庚午秋，下距退溪之卒僅有數月。退溪有「次韻集勝亭十絕」（文集卷五），此即其一。

首句寫鶴峯掛月，以切詩題。次句寫亭闌浴月，恍如水晶。後二句謂夜深彈琴，自得其趣，聽者雖稀，亦無所恨。蓋曲高和寡，自古已然。手弄絃琴，以寫其心，以寄其意，不求人知，何恨之有？此種境界，惟成德者能之。退溪之「不恨」，即孔子之「不慍」，先聖後賢，其揆一也。

柒

綜觀退溪詠月之詩，雖由「興來情適」、「閒中陶寫」，然其寫景言情，頗多言外遠致，可以目擊道存。退溪弟子趙士敬撰「退陶先生言行總錄」，稱其「襟懷飄灑，韻度清越」，觀其詠月諸詩，想見先生胸次。鶴林玉露云：

大抵古人好詩，在人如何看，在人把做什麼用，如「水流心不競，雲在意俱遲。」「野色更無山隔斷，天光直與水相通」等句，只把做景物看，亦可把做道理看，其中亦儘可玩索處。（註五二）

蓋理之在詩，如鹽之在水，體匿性存，無痕有味（註五三），退溪之詠月詩，就大體而論，多所寓寄，非吟風弄月、偷閒玩景之比。「可把做道理看」，玩索涵泳，味其理趣，亦資養性情之一事。至其偶以理語入詩，不免淡乎寡味。以詩言未爲佳構，以學言何殊寶筏。原夫詩人之詩，境多於意；哲人之詩，意多於境，二者常相錯綜，各有偏重。讀者能玲瓏活絡，觀其會通，不嫌理語，不墮理障，孟子所謂「以意逆志，是爲得之」（註五四）。斯可謂善讀詩者。

【附註】

註　一：如：「明月皎夜光」、「三五明月滿」、「明月何皎皎」之句，見昭明文選卷二九。
註　二：謝莊月賦，見昭明文選卷十三，鮑照有「翫月城西門廨中」詩，見文選卷三十。
註　三：見全唐詩卷一八二，葉一八五二。
註　四：見杜詩詳註卷十七，總葉一四七六。
註　五：東坡江月五首序：杜子美云：「四更山吐月，殘夜水明樓」，此殆古今絕唱也，因其句，作五首，仍以「殘夜水明樓爲韻。」見蘇東坡全集，後集卷五。
註　六：見全唐詩卷一一七，葉一一八三。
註　七：見司空圖二十四詩品，洗煉。
註　八：見性理大全卷七十，葉十三。
註　九：見定山集卷七，月軒序，四庫全書册三四九。
註一〇：見黃永武中國詩學鑑賞篇「作品的詩境」葉六九。
註一一：李白「雲後望月」，見全唐詩卷一八五，葉一八八九。
註一二：雲谷雜詩十二首之三，見朱子大全卷六，葉一六。
註一三：次呂季克東堂九詠之六，見朱子大全卷八，葉五。
註一四：退溪詩中，屢以幽人自居，詳見拙著「退溪詩學」㈠言志，葉二二。

註一五：李白「尋陽紫極宮感秋作」，見全唐詩卷一八三，葉一八六五。

註一六：退溪文集考證卷一：月影臺在昌原府會原古縣西海邊有石刻。見退溪全書冊四，葉四三五。

註一七：朱子月臺詩，係次呂季克東堂九詠之一，清一統志冊一六〇，卷四三二，邵武府：東堂在邵武縣積善山，宋呂季克隱於此。

註一八：崔致遠，字孤雲，新羅人，入唐力學，中進士第。黃巢反，爲高駢從事，檄文皆出其手，名動天下。官至翰林學士、兵部侍郎。西遊東還，自放於山水間，月影臺乃其遊玩處，故退溪云然。詳見退溪文集考證卷一。

註一九：邵子天道吟詩句，引見性理大全卷七十。退溪答黃仲舉書云：「非不知隱几工夫大，揮戈事業卑，而特地衰慵不能致力於尊所聞、行所知，以是恒自愧懼。」（文集卷二十，退溪全書冊一，葉四九〇）。

註二〇：朱子爲程允夫而作「尊德性齋銘」，銘見朱子大全卷八五，葉三。

註二一：退溪自註：兄家在木覓山麓，扁小齋曰「雲巖石室」，見文集卷一，退溪全書冊四，葉五九。

註二二：見壼齋詩話卷二。

註二三：陶淵明擬古九首之七，見陶淵明集校箋卷四，葉一九五。

註二四：退溪「光影塘」詩末二句，見退溪全書，册二，別集，葉五一九。

註二五：謝朓「晚登三山還望京邑」之句，見文選卷二七。

註二六：見退陶先生「言行通述」，退溪全書冊四，葉二〇。

註二七：見退溪先生言行錄卷三，樂山水，退溪全書冊四，葉二〇二。全詩爲：「半夜游仙夢自回，起呼幽伴上江臺。清風有意迎懷袖，明月多情送酒杯。」

註二八：「歧州翫月」見文集卷三，葉一一二，「天淵翫月」見文集卷三，葉一二五，「翫月」見「遊山書事」十二首之三，文集卷二，葉八八，又見「和子中閑居」二十詠，文集卷三，葉一一〇。

註二九：「上元夜溪堂對月」，見文集卷二，葉七九，「八月十五夜西軒對月」，見同前書，葉八一。

註三〇：「濯纓潭泛月」，見文集卷三，葉一一一，別有「四月旣望濯纓潭泛月」，同前卷，葉一一二，「庚戌閏六月望，陪相公泛舟賞月」，見續集卷二，葉三五。

註三一：「金愼仲挹清亭十二詠」之待月，見文集卷五，葉一五八，「松亭待月」，同前卷，葉一五五。

註三二：「東齋月夜」，見文集卷三，葉一〇〇，「蓮臺月夜」，同前卷，葉一二四，「山寺月夜」，見續集卷二，葉四八，「雙清堂月夜」，見別集卷一，葉五一七。

註三三：退溪有「夜月」兩首，皆作於辛亥年七月十三日，一首七言古詩，題爲「七月十三夜月」，見文集卷二，葉七八，別一首題爲七言絕句，「十三日夜月」，見別集卷一，葉五二三。

註三四：「懸峯邀月」，見別集卷一，葉五二七，「鶴峯秋月」，見文集卷五，葉一六〇，「齋中夜起看月」，同前卷，葉一五九，「歸詠溪月」，見文集卷二，葉九四。

註三五：「七月旣望」，見文集卷五，葉一二五，「山居四時各四吟」，見文集卷四，葉一二九。

註三六：退溪有「陶山月夜詠梅」六首，見文集卷五，葉一五一，「梅梢明月」，見文集卷四，葉一一七。

註三七：李白「把酒問月」詩：「青天有月來幾時，我今停杯一問之。」見全唐詩卷一七九，葉一八二七，杜甫「宿江邊閣」詩：「不眠憂戰伐，無力正乾坤」，見杜詩詳註册二，卷十七，葉一四六九，又杜甫「一百五日夜對月」詩：「斫卻月中桂，清光應更多」。

註三八：見退溪文集考證卷二，退溪全書册四，葉四七四。

註三九：朱子「崇壽客舍夜聞子規」有「靜對琴書百慮淸，喚得形神兩超越」之句（朱子大全卷七），退溪此詩「超越」，謂「歧亭主人」形神相離，與朱詩原意有異。

註四〇：王徽之嘗居山陰，夜雪初霽，月色淸朗，忽憶戴逵，便乘小船詣之，經宿方至，造門不前而返。人問其故。徽之曰：本乘興而行，興盡而反，何必見安道耶？詳見晉書卷八十。

註四一：博物志雜說下：「天河與海通，近世有人居海渚者，年年八月，有浮槎去來不失期。」

註四二：見原詩內篇。

註四三：前、後赤壁賦並見蘇東坡全集，前集卷十九。

註四四：見退陶先生言行錄，年譜中，四十年辛酉條。退溪全書册四，葉一二九。

註四五：「玉橫」，「橫」爲「衡」之假借。「玉衡」爲星名。

註四六：「采石顚狂」，新唐書卷二百二：「白浮游四方，嘗乘舟自采石至金陵，著宮錦袍，坐舟中，旁若無人。」或言李白遊采石，因醉入江中，捉月而死。洪邁已辨其非。詳見容齋隨筆卷三，李太白條。「落星占弄」，指朱子「和彭蠡月夜泛舟落星湖」詩，見朱子大全卷七，葉十五。

註四七：退溪自註：「晦庵先生泛月落星湖詩，舉蘇後湖『長占烟波弄明月』之句，冠之詩首，而深歎後湖之遺烈。蓋後湖舊居在西郭門外，舟行所望也。又先生嘗與傳景仁、袁機仲、梁文叔、吳茂實泛舟九曲，相與唱酬。先生詩有『百歲誰復來通泉』之句，景仁終日吟此句。」

註四八：見退陶先生言行錄年譜上，退溪全書冊四，葉一二一。

註四九：此詩前二句爲：「踏雪歸時霜滿天，衣巾餘馥菊花筵」。見退溪全書冊一，葉九四。

註五〇：「明誠齋」詩，見文集卷五，退溪全書冊一，葉一六二。

註五一：見陶山雜詠「時習齋」詩，退溪全書冊一，葉一〇三。

註五二：鶴林玉露卷八，葉十一。

註五三：參見談藝錄，葉二七四。

註五四：孟子萬章上。

退溪詩的夢與願

一、前言

夢的境界往往就是美的境界。而藝術是以美爲生命的。所以，美夢的形象，便帶有藝術的精神。尼采認爲藝術世界的構成，由於兩種精神：一是「夢」；一是「醉」。夢是美的形象，醉是美的豪情。「醉」使人忘掉現實，「夢」使人超越現實。當理想與現實之間，存在著難以調和的矛盾時，夢的境界便應運而生，藉以獲得精神的超脫。

退溪所嚮往的是和諧純潔的理想世界，而退溪所面臨的卻是矛盾複雜的現實世界。理想世界是有情而自由的；現實世界是無情而拘束的。當退溪發現在現實世界中，動輒掣肘、不足以有爲時，只有急流勇退，明哲保身。所謂「蟬蛻於濁穢之中，鴻冥於萬物之表」，所謂「投於故山之中，益求其所未至」，然此種高尚而遠大的志願，並非一蹴可幾。俗謂「日有所思，夜有所夢。」古代孔子欲行周公之道，常常形諸夢寐。晚年知道不行，也就「不復夢見周公」。此可見「夢」與「願」之間，有著密切的關係。而夢的境界，往往就是作者理想的投影。而夢的形象，也就是作者理想的象徵。本文的主旨。在從退溪詩中的「夢」，來探討退溪的心願，應該是理所當然的事。

二、客枕多憂思，歸安分所宜

退溪恬淡寡欲，少鮮宦情，崇尚自然，雅好佳山麗水。十四歲愛讀陶淵明詩，而仰慕其爲人，三十四歲踏入仕途，才知道自己的性格，不適合在官場中周旋。而心中的矛盾衝突，自然日益加深。所謂「三年京洛春，局促駒在轅」。其苦悶幽懷，不難想見，只有空惆悵，難爲俗人言，而「悠悠竟何益，日夕愧國恩」，更增加心理上的壓力。回憶「我家清洛上，熙熙樂閒村」的情景，對比之下，苦樂相懸，矛盾日深，自然思歸之心，也就更加迫切了。下面的詩，就是退溪乞假回里省親途中所寫的

雨留新蕃縣

已見中秋月欲虧，南州行客尚逶遲。
紅雲北闕三千里，白髮高堂十二時。
醉別故人風挽袖，愁吟孤館雨催詩。
徒令倦僕知饑渴，屈指歸程倂日期。
（內集卷一，四八葉）

此詩作於三十六歲八月十八日，（註一）佳節思親，人之常情，月圓而人未歸，更增加思鄉之情，北闕指時君，高堂指老母，君恩雖重，母愛尤深。自古忠孝不能兩全，一心難以兩用。醉別、愁吟兩

句，是由矛盾心理所產生的情懷。結句道出「歸心似箭」的心情。

同年歲季，退溪有「得鄉書書懷」詩，其中有句說：

但知趁公務，不暇憂病骨。
馳光忽不淹，逼此歲除日，
客枕多憂思，魂夢輒飛越。
撫躬良自愧，報國亦云缺。
胡不早收愚？歸安在蓬蓽。
力耕給公上，甘旨奉怡悅。
茲誠分所宜，久矣不自決。
強顏名利藪，掩抑徒自失。

（內集卷一，四八葉）

這首詩充滿了矛盾的痛苦，「但知趁公務，不暇憂病骨」，這是「公」與「私」的矛盾，奉公就不暇憂病，憂病就無法奉公，如此力疾奉公，其病必然加速惡化。「客枕多憂思，魂夢輒飛越」，這是作「客」與居「家」的矛盾。客枕多憂思，居家多安樂。有家歸不得，魂夢繞鄉關。憂思難任，情何以堪？「撫躬良自愧，報國亦云缺」，這是良知的自責，「胡不早收愚，歸安在蓬蓽」，這是理智的自問，「力耕給公上，甘旨奉怡悅」，這是寤寐以求的心願。「強顏名利藪，掩抑徒自失」，這是矛盾自失的心情。此種矛盾衝突，有其忍耐的極限，到了難以忍受的程度，如果不能低首下心，適應環境；那就只有改塗易轍，急流勇退。退溪顯然選擇了後者，所以到了癸卯八月，退溪於「送金厚之修撰乞假歸覲」詩中，便強烈而明顯地表示自己棄官歸隱的意願，他說：

富貴於我等浮雲，偶然得之非吾求。
秋風蕭蕭吹漢水，我夢夜夜白石青雲間。
青雲白石我尚阻，海山千里君先去。
儻來軒冕如塵微，子眞巖耕名已振。

（內集卷一，五六葉）

「海山千里君先去」，既云「君先去」，則有「我後來」之意，此可見其引退的決心。「子眞巖耕名已振」，子眞不屈其志，耕於巖下。（註二）此可見其歸隱的心願。而「我夢夜夜白石青雲間」，更可見其遊心物外，迫切期待的情懷。古人所謂「泉石膏肓，烟霞痼疾」（註三）這話正是退溪的寫照，而退溪亦曾以此語自況。（註四）

三、夢想仙遊地，何日辦釣船

退溪詩中的「夢」，以夢山水者最多，夢歸鄉者次之。而其夢遊山水，又往往與遊仙有關。由此可見其微意所在。其夢山水者如：

①「湖堂梅花暮春始開用東坡韻二首」之一

清夢夜夜飛丘園，那知此境是西湖。

（內集卷一，葉五六）

②「病中有客談關東山水慨然遠想復和前韻」

邇來夢想仙遊地，何日投簪獨遠征。

（內集卷一，葉八五）

③「鄭子中同泛濯纓潭用九曲詩韻」

閩山九曲壺中天，夜夜魂夢飛雲烟。

（內集卷一，葉一二三）

④「病中李子發求藥」

青山入夢覺難尋，舊雨來人不到今。

（續集卷一，葉二五）

⑤「次諸君清遠臺高會韻」

絕巘遊蹤入夢來，雲山烟水繞含杯。

（續集卷二，葉四四）

⑥「代梅花答」

我從官圃憶孤山，君夢雲溪客枕間。

（內集卷四，葉一三三）

⑦「三月初八日獨遊新巖六絕」之五

搜勝誇傳自李君，幾年魂夢繞山雲。

（內集卷四，葉一三九）

⑧裴汝友、趙士敬諸君枉顧溪齋因往遊孤山二絕」之一

聞說山潭辦釣船，夢中乘弄覺猶仙。

（內集卷五，葉一四四）

⑨「題周景遊遊清涼山錄後」

夢魂時復凌清峭，形役今猶墮軟香。

（內集卷二，葉八一）

⑩「得盧山詩帖以爲喜幸二絕見寄次韻奉答」

夢想廬山河落水，風塵三復紫陽詞。

（同前）

⑪「次韻奉酬安孝思見寄」

病來歸臥幽貞社，夢裏尋游集勝春。

⑫「寄題仙夢臺」　（內集卷五，葉一六二）

吾今夜夜憑仙夢，莫恨前時趁賞疎。

自註：遇巖之勝，多魔不遇，至今夢想不已，聊以一絕寄意，因以名臺云。　（外集卷一，葉五五八）

以上所舉各條，正如「寄題仙夢臺」自註所云，只是「夢想」而已，夢想尋幽探勝，本屬人之常情，詩人形諸筆墨，聊寄閒情雅意，未必有宏旨孤懷，然在退溪，其夢想之趣，有以澡雪精神，頤養情性，固非「偷閒玩景，放意林泉之比」。

四、郡齋遊山夢，遠慕飛昇功

退溪所夢之遊山詩，其帶有遊仙色彩者，多富有象徵之意義。茲錄二首，以見梗概。

①「二樂樓次東坡黃樓詩韻」

夜臥郡齋清，夢作遊山詩。晨登溪樓敞，對山吟古詞。赤城山中仙，游天弄雲旗。貽我黃精草，約我勿差池。萬事一敝屣，胡爲學詭隨。已呼祁孔賓，莫訝朱桃椎。我非戀塵上，亦非媚俗姿。淹茲久不決，我車何時脂？吾聞名教中，心法謹毫釐。二樂如得樂，此外吾何知？

（內集卷一，葉六六、六七）

此詩作於丹陽郡守時，退溪年四十八。年譜云：「先生乞外有深意。求青松不得，授丹陽有詩云：「青松白鶴雖無分，碧水丹山信有緣。」碧水丹山有緣，有緣則有夢，夢見仙人「貽我黃精草，約我勿差池」，黃精草所以延年，勿差池所以寡過。「已呼祈孔賓，莫訝朱桃椎」（註五）此則蕭然有出塵之想。「吾聞名教中，心法謹毫釐」，具見儒者本色，而心法之工夫，即二樂之源泉。

②「郡齋有懷小白之遊追次景遊，用昌黎衡岳詩韻」

摶沙攫土愁神工，辦此巨嶽東海中。衆山培塿卑幼行，直與太白爭爲雄。南臨徐伐北濊貊，茫乎利澤施無窮。我叨郡紱守茲土，自慙無以興謠風。烟霞結習尙未除，幽夢夜夜精靈通。一朝振翮出雲外，似馭鶴背超虛空。國望峯頭望四海，蓬萊杳杳心神融。羣仙婥約官府足，朝遊崑崙暮天宮。下憫蒼生蟣蝨然，惟見塵埃千丈紅。丹臺尙掛我名姓，舉手相招懷我衷。欲往從之畏下墜，久食烟火悲吾躬。恭聞泰山天下大，亦有南嶽將無同。聖登賢游象道巍，名與天地相爲終。斯人斯世我若及，何用遠慕飛昇功。商山白髮好事翁，續韓正直羞瞳曨。嗟我非韓亦非周，狂吟擲筆歸牆東。

（內集卷一，葉六八）

題云「郡齋」指豐基郡，據年譜，退溪於己酉四月遊小白山，此詩即是時所作。所云「羣仙婥約官府足，朝遊崑崙暮天宮。下憫蒼生蟣蝨然，惟見塵埃千丈紅」。前兩句是遊仙，有超然物外之思；然後兩句便不忘塵世，有悲天憫人之懷。而「欲往從之畏下墜，久食烟火悲吾躬」。則又回歸現實世界，「欲往從之」，不過一時之激情，非眞欲往也。「久食烟火」，豈能卻粒餐霞。「念天地之悠悠，獨愴然而涕下」。此種孤寂與悲愴，是千古聖賢共有的感受，故知退溪的「悲吾躬」，並非自悲自憐。下文「恭聞泰山天下大，亦有南嶽將吾同。聖登賢遊象道巍，名與天地相爲終。」孔子曾登泰山，朱子曾遊南嶽。「聖登賢遊」二句，寫出退溪對孔子朱子的「高山仰止」之情。而退溪慕道希聖的心願，亦由此充分流露。所謂「斯人斯世我若及，何用遠慕飛昇功」？正因斯世不見斯人，故退溪「遠慕飛昇」以寄意。此可見其帶有遊仙思想之詩，不過是對現實束縛的暫時超脫，很少有浪漫主義的色彩，當然更無一點迷信的成分。退溪此類遊仙詩，皆爲五十歲以前在官時所作。五十歲時棄官而歸，卜居退溪之上，寄情山水，樂以忘憂，其詩風爲之一變。

五、芹曝一夢寒，巖棲遺塵絆

退溪以「記夢」爲題之詩，多在六十歲以後，其在壬寅年，有「足夢中作」一絕云：

霞明洞裏初無路，春晚山中別有花。
偶去眞成搜異境，餘齡還欲寄仙家。
（外集卷一，葉五〇三）

題下序云：「壬寅二月二十日夜，夢遊宣城山水間，過村而入，山回水轉，溪谷窈窕，洞府深邃。桃杏杜鵑花之屬，處處爛發。因吟一句曰：春晚山中別有花。夢中自覺了了。然方欲綴其下，忽欠身而寤，足成一絕。」

此詩本爲夢遊山水而作，然其結句有「欲寄仙家」之言，由此可略窺其寓意，壬寅年退溪四十二歲，後五年，退溪有「記夢」及「夢中樂」之詩，茲錄「記夢」如下：

虛窗寂寂夜如水，一枕夢中千萬里。流觀楚越窮岷峨，掣帆江海連天河。清都館闕空中起，玉皇高居五雲裏。飛仙縹緲顏綽約，邀我共勸流霞酌。下界塵緣一念餘，忽然下墮形蘧蘧。朝來市聲鬧耳側，更憶清都那易得。（外集卷一，葉五一三）

退溪以「記夢」爲題之詩，以此爲最早，其中「清都館闕」四句，遊仙色彩極爲濃厚。而末云「朝來市聲」二句，流露其苦於「市聲」，嚮往「清都」的心情。其後退溪於出守丹陽、豐基時，所作「二樂樓」「懷小白」之詩，皆承此詩之意，而有脈絡可尋。退溪於六十歲後，其記夢詩，則由絢爛歸於平淡，內容可歸納爲下列二者：

㈠忠君國

①「記夢二絕」

蟣蝨微臣病置閒，耿光圭竇不違顏。

太平愧乏河汾策，芹曝懸城一夢寒。

寤寐天門幾許深，蘧蘧下墮只驚心。

箇中憂國無餘事，長願年豐普得霖。（內集卷三，葉一〇〇）

前一首詩言忠君之誠，首二句言雖因病置閒，然君王之耿光，如在目前。圭竇，小戶，亦作閨竇，以喻己之居室。次句當云「圭竇耿光不違顏」，此以協律而倒裝。後二句言愧乏良策匡時，夢中猶不忘君，而盡野人獻芹之誠。（註六）

後一首言憂國之願。寤寐，即夢寐。天門，指君門。蘧蘧，有形貌，首句言夢入天門之重深，次句言從高下墮之驚心。此言夢中景況，寤寐天門，暗寓夢見君王。後二句言憂國之願，在於「年豐普得霖」，可能是年苦旱，故退溪云然。用一「普」字，尤見其「汎愛衆」之精神。

②「至月初八日夜記夢二絕」

夢入天門近耿光，血誠容許露衷腸。
團辭未半驚蝴蝶，月落參橫夜正長。
未竟危辭感慨多，不知能竟又如何？
起來依舊身痾絆，其奈洪恩若海波。（內集卷四，葉一三七）

此二首所詠爲一事。耿光，指君王，前一首起句言夢見君王，次句言君王容許血誠吐露衷腸，句作「血誠容許」，亦因協律而倒裝。三句言「團辭未半」而夢醒。時爲至月初八日，故結句云「月落參橫夜正長」。（註七）後一首承前詩「園辭未半」句而來，「危辭」，即論語孔子之「危言」，有據理直言之意，退溪之「危辭」，是出於忠君愛國之赤誠。然朝中大臣多無學術，退溪知難以有爲，故「感慨多」也。次句緊承首句，語帶疑問，是退溪對朝政尚乏信心。三句言舊疾纏身，欲振乏力。而君恩浩蕩，只有徒喚奈何。結句帶有無力感與無奈感。於是只有「乞退佇聞天賜允，夢魂長繞紫宸間」了（註八）。

㈡樂山水

①「記夢」

我夢尋幽入洞天，千巖萬壑凌雲烟，中有玉溪青如藍，泝洄一棹神飄然。仰看山腰道人居，行穿紫翠如登虛。迎人開戶一室清，躍仙出揖曳霞裾。髣髴何年吾所遊，壁上舊題留不留。屋邊刳木飛寒泉，團團桂樹枝相樛。同來二子顧且歎，結棲永擬遺塵絆。忽然欠伸形蘧蘧，鷄呼月在南窗半。

（內集卷五，葉一四六、一四七）

據退溪言行錄：「丙寅十月，先生在溪堂，作記夢詩，手書與德弘」云云（註九）則知退溪此詩，與前文「至月十八日夜記夢二絕」，爲同時期所作，時年六十六歲，而文集誤厠於戊辰。

此詩敍夢遊山水之樂，有置身世外桃源之想。首兩句如開門見山，「尋幽」以見其好，「洞天」以見其奇。「千巖萬壑」寫其氣勢，「凌雲烟」，言行錄作「開雲烟」，以文義審之，似以「開」字爲長。「玉溪」句寫靜態之美，「泝洄」句寫動態之樂。「神飄然」三字極有情致。「山腰道人」，「行穿紫翠」，此境如仙境，此人似仙人。「如登虛」，豈凡夫所能。「臞仙」，即癯仙，乃梅之化身。臞仙開戶迎人，曳霞裾而出揖。便有清高絕俗，不食人間烟火之氣。退溪酷愛梅花，形諸夢寐。臞仙爲梅之化身，梅則爲退溪之化身。髣髴重遊舊地，可知退溪此夢，由來已久，非一朝一夕之故。而刳木寒泉，桂枝相樛，益顯其境之幽清，其氣之芳香。言行錄云：「先生將歸，扶杖下洞，德弘輩隨之，上馬回顧曰：何必下來。蓋記夢之詩驗矣。」（同註九）此即「同來二子顧且歎，結棲永擬遺塵絆」之意。

②「夢遊清涼山」二首。

泉石烟霞事未寒，暮年身誤入槐安。
那知更藉遊仙枕，去上清涼福地山。
身御泠然禦寇風，千巖行盡一宵中。
老僧贈我田家笠，勸早歸來作野翁。

（內集卷五，葉一四五）

此詩前一首起句即已道出自己的心事。退溪作此詩時，年已六十八歲，新王宣祖詔退溪入朝，固辭不獲，退溪只有詣闕拜命。故次句云「暮年身誤入槐安」，其視榮華富貴，有如南柯一夢。所以有「萬世經營槐穴夢」、「須識浮生夢寐中」之句（註一〇），與此爲同一機軸。三四句緊扣題面，「

遊仙枕」之「枕」切「夢」字。云「遊仙」，則其樂溢於言外。云「那知」，又見其樂溢於意表，且兩句由一事融合，有自然渾成之妙。

後一首起句用列子「御風」之事，（註一一）次句承上句，極言其行之速。千巖與一宵，構成強烈的對比。三四句述夢中之願。「老僧」二字，頗有閒雲野鶴之致，以「田家笠」相贈，以「作野翁」相勉。而「勸作歸來」，寫出迫切之情。此情非老僧之情，實即退溪之情。

六、結　論

綜觀退溪以記夢爲題之詩，可分爲前後兩個時期。其前期爲五十歲以前居官時，其後期爲六十歲以後歸隱時。前期因「妄出世路，風埃顚倒」，案牘勞形，逆旅推遷，身心疲憊，精神苦悶，是以其詩多帶有遊仙色彩，以求超脫現實，尋求靜謐自由的世界。而其後期因「脫身樊籠，投分農畝」，兼以陶山書堂落成，有藏修之所，有林泉之勝，逍遙徜徉，心情閒適，是以其詩多遊觀之趣，山水之樂。然而退溪此樂，非欲高蹈避世，垢俗激清，而實欲資以頤養心性，扶持道義，其功化之及物，足以廉頑而立儒，厚風而化俗。孔子曰：「知者樂水，仁者樂山。」又曰：「隱居以求其志，行義以達其道。」（註一二）朱註云：「求其志，守其所達之道也；達其道，行其所求之志也。」可見求志與達道，不是兩件事。非求志爲小，亦非達道爲大。蓋體用一原，顯微無間。求志並非空抱此志，而是要在逐件事上做工夫，工夫熟後，自有豁然貫通處。退溪有「解夢」詩云：

千里巖棲豈易尋，夢中書札亦論心。
此心操攝無餘法，念念時時作一欽。

（內集卷五，葉一五五）

操心之法，時時念念，戒慎恐懼，持一敬字。夏東岩云：「孔門沂水春風景，不出虞廷敬畏情。」（註一三）是知仁智之樂，雖有資於山水，然非可求之於外。而須知退溪所云「反諸吾心而得其實」（註一四），此乃「敬以存心，精以讀書之事」（註一五），其間正有多少致知力行之實功。至於「行義」，朱子雖指出仕爲言。然孔子不曰「出仕」而必曰「行義」，蓋以出仕未必皆能行義，而行義亦不必以出仕爲限，所謂「施於有政，是亦爲政」（註一六），即是一例。蓋義之所在，隨人隨時，變動不居。故退溪亦有「在諸公則進爲義，在我則退爲義」之論（註一七），又有詩句云「願得病臣安義命」（註一八）然則退溪雖樂山水，其意固別有在也。而其忠君愛國之誠，仁民愛物之懷，原爲儒者性分所固有，亦即仁心之所不容已者。

【附註】

註一：別集有「八月十八日還自宜寧，雨留新蕃縣」題下註云：「一首見內集」即此詩。

註二：谷口鄭子眞，漢成帝時人，大將軍王鳳以禮聘之，子眞不就。事見漢書卷七十二。案揚子法言問神篇：「谷口鄭子眞，不屈其志，而耕乎巖石之下，名震于京師。」

註　三：舊唐書卷一九二田遊巖傳：高宗幸嵩山，遊巖山衣田冠出拜，帝謂曰：「先生養道山中，比得佳否？」遊巖曰：「臣泉石膏肓，烟霞痼疾。既逢聖代，幸得逍遙。」

註　四：退溪「鄭子中寄詩二首，次韻奉贈」，有「痼疾烟霞依舊在」之句，見退溪文集內集卷五，葉一五三。

註　五：祈嘉，字孔賓，少清貧好學，年二十餘，夜忽窗中有聲呼曰：祈孔賓，祈孔賓，隱去來，隱去來，修飾人世甚苦不可諧。見晉書卷九十四。朱桃椎，唐益州成都人，澹泊絕俗，被裘曳索，人莫能測其所爲。高士廉爲長史，備禮以請，與之語不答。見唐書卷一九六隱逸傳。

註　六：河汾策，乃王通故事，王通曾向隋文帝奏太平策十有二策。詳見杜淹「文中子世家」。芹曝以喩野人忠君之微忱。事詳列子楊朱篇。

註　七：月落參橫，謂月落而參星橫天也。

註　八：「十三日抵醴泉，再辭待命有感二絕」之二，其前二句爲：「淵魚不願試銜灡，老病何堪矍鑠鞍」，見退溪全書，冊一，內集卷四，葉一三二。

註　九：見退溪全書冊四，葉二三八「退溪先生言行錄」卷五。

註一〇：「萬世經營槐穴夢」，語見「與諸君同登狎鷗亭後岡」，內集卷一，葉五二。「須識浮生夢寐中」，語見「謝鄭直哉庚長見訪縱筆戲奉博粲」，續集卷二，葉四二。

註一一：莊子逍遙遊：「夫列子御風而行，冷然善也。」

註一二：「知者樂水」句，見論語雍也。「隱居求志」句，見論語季氏。

註一三：明儒學案上册，崇仁學案，葉四七。

註一四：語出「答權章仲」退溪全書册二，葉二五一。

註一五：同前書，册二，葉二五二。

註一六：子曰：「書云：孝乎惟孝，友于兄弟，施於有政，是亦爲政，奚其爲爲政？」見論語爲政。

註一七：退溪「答奇明彥」，見退溪全書册一，葉四四八。

註一八：「十六日病吟二首」之二，見退溪全書册一，卷四，葉一三二。

退溪的九曲櫂歌

壹、前言

九曲櫂歌亦稱武夷櫂歌。武夷山乃南嶺之主峯，在福建省崇安縣南，由片岩、沙岩、花岡岩等組合而成。全山周圍連亘一百二十華里，東抵崇溪，北爲黃柏溪，西至星村，南至藍原，四面皆深壑，不與外山相連。峯之大者三十有六，有溪繚繞其間，分爲九曲。水轉山廻，奇峯怪石，夾岸而列，每曲各有景致，極爲幽勝。登臨縱目，萬象蒼茫，丹崖峩峩，晴川歷歷，有如置身仙境。白玉蟾有句云：「三十六峯眞絕奇，一溪九曲碧漣漪。」（註一）道書所謂第十六洞天者，即指此山而言。

朱子於宋孝宗淳熙十一年（西元一一八四）甲辰仲春，閒居武夷精舍，作九曲櫂歌十首（註二），和之者南宋有韓元吉、方岳，元有林錫翁、張仲信，明有鄭紀、周孟中、林誠、蕭顯、張憲、劉信、楊士倧、黃仲昭、鄭善夫、顧應祥、馬豹蔚、張時徹、江以達等。此外，有陳普爲朱子九曲櫂歌作註，陳氏認爲朱子「九曲純是一條進道次序。」（註三）退溪對於諸人所和武夷櫂歌的意見，表示不同的看法，對於陳普的櫂歌詩註，也認爲不合朱子的本意。他在致奇明彥書中說：

滉閒中嘗讀武夷志，見當時諸人和武夷櫂歌甚多，似未有深得先生意者。又嘗見所刊行櫂歌詩註，以九曲詩首尾爲學問入道次第，竊恐先生本意不如是拘拘也。」（註四）

退溪有感於諸人的和詩，「似未有深得先生意者」，而陳普的註又「如是拘拘」不合「先生本意」，既然如此，退溪的和詩就甚有必要了。退溪和詩的原題是「閒讀武夷志次九曲櫂歌韻十首」（註五），由此可見退溪的「次九曲櫂歌韻」，是因爲「閒讀武夷志」有感而作。退溪之學，以朱子爲宗，平生對於朱子學，用功最深，受益最大，退溪無異是朱子學的嫡傳，職是之故，退溪所和的九曲櫂歌，較其他諸人的和詩自然更能深得朱子之意，也更具有重大的意義。

貳、時代背景

孟子說：「頌其詩，讀其書，不知其人可乎？是以論其世也，是尚友也。」（註六）頌其詩，須知其人；知其人，須論其世。吾人欲了解退溪的九曲櫂歌，必須知其作詩的時代背景。據退溪文集，此詩作於丁未（註七），時年四十七歲，是年三月，退溪寓居近山臨水之月瀾庵，有「雨晴述懷」及「戲作七臺三曲詩」，此九曲櫂歌詩即次於其後，當爲同一時期的作品。其「雨晴述懷」詩，有「孟夏恢臺一氣亨」之句。據年譜丁未，退溪於是年八月，拜弘文館應教，被召還朝。而「古意」一詩，即是赴召後作。退溪文集於「古意」詩之前，密接九曲櫂歌詩十首。由此排列次序，亦可得知九曲櫂歌詩必作於寓居月瀾庵之後，秋赴召之前，時間可能在夏季，或夏秋之交。

據年譜乙巳十月載：

> 時權奸用事，士禍大起，誅竄相繼，人皆重足以立。右相李芑尤凶險，知士論不與，欲盡去異己以拑制衆口，……於是先生與丁公熿等數人，同日削職，朝野駭憤。（註八）

朝中的正人君子，以莫須有的罪名被「同日削職」，可見權奸的排除異己，膽大妄爲，已到目無法紀的地步。而正義的不彰，政風的敗壞，也就不難想見。其後雖因李元祿的申救，命還職牒，（註九）使退溪官復原職，然其出爾反爾，別有用心，朝政紊亂，難望有爲。孔子說：「天下有道則見，無道則隱。」（註一〇）仕所以行道，非所以干祿，退溪的出處，一以義爲斷。退溪弟子鄭惟一說：

> 先生本少宦情，又見時事有大機關，自癸卯始決退休之志，是時先生年蓋四十三矣。自是以後，一意退歸，雖累被召還，常不久於朝。（註一一）

退溪所以要決志退休，是因爲無可爲之時，在另一方面，亦欲收桑榆之景，而望學有所成，退溪與曹楗仲書說：

> 乞身避位，抱負墳典而來，投於故山之中，將以益求其所未至，庶幾賴天之靈，萬一有得於銖累寸積之餘，蘄不至虛過一生，此滉十年以來之志願。（註一二）

道之不行，退溪有先見之明。既不能「行義以達其道」，只有「隱居以求其志」（註一三）儒家的修行過程，是無限的，也是銖累寸積，死而後已的。「益求其所未至」，這話也帶有「無限修行過程」的意味。（註一四）據年譜丙午載：

築養眞庵於退溪之東巖。先是，構小舍於溫溪之南，芝山之北，以人居稠密，頗未幽寂。是年始假寓于退溪之下數三里，於東巖之旁，作小庵名曰養眞，溪俗名兎溪，先生以退改兎，因自號焉。（註一五）

「築養眞庵於退溪之東巖」，是以其地「幽寂」，適合隱居。値得注意的是先生「以退改兎，因自號焉」的話。這是退溪「隱居以求其志」的實際行動；自號退溪，也是退溪心跡的最佳寫照。而丙午這一年，正是退溪作九曲櫂歌的前一年。溪山有助於詩興，這是不可否認的事實。退溪有詩說：「邇來自覺溪山助，詩骨巉巉筆灑泉」（註一六）。然則退溪九曲櫂歌詩的寫作，其動機雖與讀武夷志有關，但其時代的背景，環境的因素，也有相當的影響。

叁、九曲櫂歌析論

其一

不是仙山詫異靈，滄洲遊跡想餘清。
故能感激前宵夢，一櫂賡歌九曲聲。

此詩首句「仙山」指武夷山，相傳秦時有仙人下降，自號武夷君，武夷山因此得名。史記封禪書說：「武夷君用乾魚。」（註一七）仙山之靈，即武夷君之靈，此句應作「不是詫異仙山靈」，是肯定仙山靈的存在，因牽就平仄的聲調，而將「仙山」置於「詫異」之上。因九曲櫂歌是和朱子的武夷櫂歌，所以首句與朱子的「武夷山上有仙靈」，有異曲同工之妙。次句「滄洲」指朱子，朱子曾自號「滄洲病叟」（註一八）「餘清」，指朱子的流風餘韻，此句對朱子備致仰慕思念之情。三句承次句而來，夢由心作，感激入夢，可見其心儀朱子之眞誠。末句「一櫂賡歌」有次朱子櫂歌之意，同時起下文「九曲」之詩。

其二

我從一曲覓漁船，天柱依然瞰逝川。
一自眞儒吟賞後，同亭無復管風煙。

首句「覓漁船」，朱子原詩作「上釣船」漁船、釣船，異名而同實，這可見退溪有步武朱子遊蹤之意。同時，旣有「漁船」，而「櫂歌」也就順理成章的包含其中了。次句是寫景，天柱是峯名，一名大王峯，在幔亭峯右，朱子原句「幔亭峯影蘸晴川」，退溪易「幔亭」爲「天柱」，易「蘸晴川」爲「瞰逝川」，在形勢上似較朱子原句爲雄偉。且「逝川」二字，有「逝者如斯」，勉人「自強不息」之意。

三句「眞儒吟賞」，指朱子的天柱峯詩：

屹然天一柱，雄鎮幹維東。

祇說乾坤大，誰知立極功。（註一九）

天柱立地極，儒者亦當立人極。「眞儒吟賞」句，顯示退溪對朱子的仰止，以及對朱子天柱峯詩的體認深切。「同亭」，在天柱峯之下，沖佑觀之旁。相傳當年鄉人以幔亭之宴，得與仙眞同會，即於山之麓立祠，匾以同亭，取同宴幔亭之意。（註二〇）此詩末句肯定了朱子的吟賞價值，也否定了同亭的靈驗。

其三

二曲仙娥化碧峯，天姸絕世靚修容。

不應更顗傾城薦，閶闔雲深一萬重。

首句「仙娥」，指仙女，碧峯爲仙女的化身。則其美可知，朱子原句作「二曲亭亭玉女峯」，退溪則暗用其事，韓文公所謂「師其意不師其辭。」（註二一）退溪是深悉此中三昧，而又能巧妙運用的。以此句與朱子原文相比，不但毫無遜色，似有「青出於藍」之妙。良以「仙娥化碧峯」，語帶含蓄而有韻致，用一「化」字，更使全句顯得靈動而有生意。次句承上句而來，「靚修容」，謂靜淑而美之容。玉女峯之娟秀，冠於武夷諸峯，（註二二）所以退溪稱其「天姸絕世」。

三句「傾城薦」是「薦傾城」的倒裝句。漢武帝時，李延年以「傾城傾國」之歌，薦其妹於武帝，

（註二三）是爲李夫人。退溪此處反用其意，言其峯之美，天姸絕世，人莫不知，不應更望「傾城」之「薦」也。末句「閶闔」，即是天門，此蓋指仙娥所住之處。「雲深一萬重」，可望而不可及。賈島尋隱者不遇，有「只在此山中，雲深不知處」之句。（註二四）語雖淺近，而含意至深。退溪此詩末句，較賈詩尤有過之，予人以一片蒼茫之感。

其四

三曲懸崖插巨船，空飛須此恠當年。
濟川畢竟如何用？萬刼空煩鬼護憐。

首句「插巨船」，即朱子詩之「架壑船」。朱子武夷圖序：「兩崖絕壁，人迹所不到處，往往有枯查插石罅間，以庋舟船棺柩之屬。」（同註一七）當即退溪「懸崖插巨船」之所本。次句承上起下，「空飛」可見其險，險則可怪，「恠」是「怪」之俗字。「空飛」之船，如何「濟川」？此退溪三句之疑問。其實此船爲架屋時所用。蓋懸崖架屋，人無立足之地，必須先作架壑船，人在船中，方可用力。以船中或庋藏棺柩遺骸，而爲鬼神所憐護，此退溪結句「萬刼空煩鬼護憐」之意。「萬刼」，猶言萬世，極言時間之久遠。「空煩」二字，了無深意。蓋鬼神不測，理所難知。孔子說：「敬鬼神而遠之」，（註二五）觀退溪此詩結句，不無貶抑之意，既云「空煩」，即無異否定其存在之價值。此詩可略窺退溪之鬼神觀。

其五

四曲仙機靜夜巖，金雞唱曉羽毛毿。
此間更有風流在，披得羊裘釣月潭。

此詩首句「仙機靜夜巖」，當是「仙機巖靜夜」的倒裝。仙機巖在大藏峯西壁，壁間有石穴，內有物如機杼狀，因以得名。次句的「唱曉」與首句的「靜夜」相應。大藏峯東壁有金雞洞，昔人曾聞雞鳴於此。朱子的「金雞叫罷無人見」及退溪此詩的「金雞唱曉羽毛毿」，皆是用金雞洞的故事。此詩前二句寫景，靜夜而金雞唱曉，是「好意思鼎來」的象徵。

三句的「更有風流在」，用一「更」字加深層次，其緊要處全在結句，「披得羊裘釣月潭」，即是爲「風流」二字作註脚。此句本用後漢嚴光故事（註二六），退溪自註：

先生在武夷答劉靜春寄羊裘詩：狂奴今夜知何處，月冷風淒未肯歸。劉靜春，名清之，字子澄。（註二七）子澄嘗遠寄羊裘，朱子戲成兩絕以謝，狂奴句爲其後一絕。

全詩如下：

誰把羊裘與醉披？故人心事不相違。
狂奴今夜知何處？月冷風淒未肯歸。（註二八）

「狂奴」本是光武帝稱嚴光之語（同註二六）此處是指劉靜春。由退溪的自註，可見其對朱子「

風流」韻事的嚮往，而「披得羊裘釣月潭」之句，也顯示出退溪有契於隱逸生活的情懷。

其六

當年五曲入山深，大隱還須隱藪林。

擬把瑤琴彈夜月，山前荷簣肯知心？

首句指朱子入山隱居之事，朱子於宋孝宗淳熙癸卯（西元一一八三年）之春，在武夷九曲之五曲，構築武夷精舍，至其夏落成，始來居之。（註二九）次句緊承首句，「大隱隱藪林」，語本王康琚反招隱詩「小隱隱陵藪，大隱隱朝市」，（註三〇）此處退溪則反用其意，肯定朱子「大隱」的意義。且退溪愛好自然，心存丘壑。他對朱子「大隱」的肯定，亦無異是自己情懷的表白。而朱子的武夷精舍在大隱屏，則知此詩次句「大隱」二字，含有雙關語意，這可豐富詩的內容，增加詩的情趣，強化詩的美感。

後兩句本於朱子「讀李賓老玉澗詩偶成」（註三一），而其用意則不相同。荷簣，首見於論語憲問篇，（註三二）此處泛指知音的隱士。「擬把瑤琴彈夜月」，有超然物外的逸趣，有人不及知的心境。朱子「林間有客無人識」，見得此「客」不同凡俗。夜月彈琴，知音難遇，豈非朱子的「有客無人識」乎？結句的「山前荷簣肯知心」，有如畫龍點睛，透露出退溪「有心斯世，人莫己知」的慨歎。而其「大隱隱藪林」的情懷，於此也表露無遺。

其七

六曲回環碧玉灣，靈蹤何許但雲關。
落花流水來深處，始覺仙家日月閒。

首句寫景，「碧玉」言灣之美，「回環」言灣之曲，曲亦是美。次句則景中有情，「靈蹤」指神仙的蹤跡，「何許」義同何處，如此回環美麗之灣，宜有神仙居住，今仙蹤不可得見，惟有雲關深鎖而已。然雲關雖鎖，不與物接，而落花流水，來此深處。生意流行，隨處充滿，活潑自在，不似人間。故末句「始覺仙家日月閒」，一語道破退溪的心境。「始覺」是觸景生情的感受，仙人餐霞飲露，與世無爭。「仙家」回應次句的「靈蹤」。「雲關」與「落花流水」，均是「日月閒」的註脚。「雲關深鎖」，是靜態的「閒」，「落花流水」，是動態的「閒」，此詩有「不食人間煙火」的逸致，有「萬物與我爲一」的襟懷。能夠到此境界，便能恬然自安，怡然自得。其實，「閒」在心而不在境。吾儒云：「水流任急心常靜，花落雖頻意自閒。」（註三三）常持此意，何等自在。

其八

七曲撑篙又一灘，天壺奇勝最堪看。
何當喚取流霞酌，醉挾飛仙鶴背寒。

前二句寫景，五曲首句言山，六曲言灣，此曲言灘，蓋一曲一灣，一灣一灘，皆互文以見義。天壺，即天壺巖，亦有稱天壺峯者，武夷之最高處爲三仰峯，其下有陷石堂，堂門口有北廊巖，巖頂即天壺巖，峯巒環合，中有道院，爲七曲之名勝。明張時徹有詩說：「天壺日月幾廻看。」又江以達詩：「天壺巖下正宜看。」（註三四）「正宜看」、「幾廻看」，似不如退溪之「最堪看」。退溪此詩首句用「撐篙」，隱然有力爭上游之意。蓋非撐篙而上，無以見此天壺之「奇勝」，王之渙所謂「欲窮千里目，更上一層樓。」（註三五）欲睹「奇勝」，須至最高處，最高處也就是「最堪看」處。

後兩句言情，何當，猶言安得，流霞爲仙酒。李商隱詩：「只得流霞酒一杯。」（註三六）朱子詩：「恰有流霞酒一壺。」（註三七）蘇軾前赤壁賦：「挾飛仙以遨遊。」（註三八）此詩後兩句意態飛動，高情灑脫，皆懸想之辭，然此懸想，亦非子虛、烏有之比。就全詩而論，次句「天壺奇勝最堪看」，則武夷美景，至此已臻佳境，退溪設此奇想，欲醉流霞而挾飛仙，遨遊於太空之表，以追求精神上自由世界。與前兩句之寫實，大異其趣，且句絕而意不絕，在層次上後兩句出人意表，不同凡響。而「鶴背寒」三字，透露出脫塵之想，孤高之致。頗有莊子逍遙遊中藐姑山人之風韻。（註三九）然退溪此種思想，與神仙家無關，不過藉此紓解情感的鬱結，以求精神上的解放與超脫。

其九

八曲雲屏護水開，飄然一棹任旋洄。

樓巖可識天公意，鼓得遊人究竟來。

首句「雲屏」以見其高，「護水」以見其靈。雲屏乃無知之物，而能開以護水，似冥冥之中自有主宰者，此主宰當即第三句之「天公」。「護水開」似有所待，所待者即次句之「任洄洄。」其因果關係分明。「飄然一棹」何等灑脫輕快，「任洄洄」，則又極其自由自在。有蘇東坡「縱一葦之所如，凌萬頃之茫然」之概。（同註三八）惟此處之水高，而赤壁之水大，然其自得之意則無二致。

「樓巖」，即鼓樓巖，爲八曲之勝，在鼓子峯前，巖溜飛灑，下臨深潭，膽怯者罕有至者，朱子有「自是遊人不上來」之句，即指此處。

退溪以爲鼓樓巖地高而險，可識天公之意，乃在啓示遊人，當不畏艱難，鼓棹而上，來此以探其究竟，方爲不虛此行。陳普武夷櫂歌註說：「人患不知其力而已，一日用力，無不能至者也。」（註四〇）陳氏此語，亦可移註退溪此詩。

其十

九曲山開只曠然，人煙墟落俯長川。

勸君莫道斯遊極，妙處猶須別一天。

首二句寫景，「曠然」，即朱詩的「豁然」，九曲既盡，豁然開朗，一片平川，映入眼簾，「人煙墟落」，歷歷在目，俯視長川，心曠神怡。此「人煙墟落」，乃平凡之景，代表平淡無奇之現實境界，前此所經歷的奇景名勝，妙趣橫生，有如人間仙境，斯遊之樂，正在其中。然遊興所至，必有極處。興盡意闌，不免樂極生悲。故九曲既窮，遊事已了，如由絢爛而歸於平淡。人若安此平淡，心滿意足，久而久之，難免生厭。故當推開一層，不以斯遊爲學之極致，而當別尋妙處，以開闢新天地，發現新源頭，創造新境界。此即朱詩所說「漁郎更覓桃源路，除是人間別有天」之意。

退溪九曲櫂歌十首，其最後一首，曾作兩絕，其初一絕是：

九曲來時卻惘然，眞源何許只斯川。
寧須雨露桑麻外，更問山中一線天。（註四一）

退溪曾與金成甫書中，談到他寫作初一絕的立意說：「櫂歌九曲一絕四句意，滉當初所見亦與註意同，故初一絕云云，其後所以改作一絕如此者，非故欲鑿新而立異也。只因反覆詳味本詩之意，及「除是」、「別有」四字，而疑其當如此看也。」（註四二）

「初一絕」退溪受了陳註的影響，以爲「眞源」在九曲，不須向別處去尋求。後來退溪對於朱詩「反覆詳味」，才了悟朱詩後二句別有所指，於是另作一絕，其後二句所說「勸君莫道斯遊極，妙處猶須別一天」，就是本於朱詩之意，而加以發揮，勉人「百尺竿頭，更進一步」，關於此點，退溪在與奇明彥別紙中，有詳細的說明：

蓋九曲乃是尋遊極處，而別無奇勝，若因無勝，而遂謂遊事了訖，則興盡意闌，而向來所歷奇觀，都成虛矣。故末句云云，意若勸遊人須如漁人尋入桃源之境，則當得世外別乾坤之樂，至

是方爲究竟處，不但如今所見而止耳。乃既竭吾才後，如有所立卓爾處，亦百尺竿頭，更進一步處。（同註四）

退溪這段話，是解釋朱子九曲一絕的作意，也就是他所作九曲後一絕的深意所在。其實，退溪此意，在諸賢和詩中亦多有之，如：

方岳云：筍輿更問星村路，去看溪南一線天。

楊士㥇云：莫道眞遊來此止，更從此去覓壺天。

張憲云：摩挲老眼挐舟去，看盡蓬壺洞裏天。

顧應祥云：更將清興消斜日，風洞重尋一線天。（註四三）

張時徹云：齊雲亭外星村路，不識蓬壺幾洞天。（註四四）

觀方岳以下諸賢和詩，皆以九曲爲景致盡處，而欲更尋一境，以爲究竟處。讀者於諷誦之餘，味其言外遠致，亦可移作造道之哲理看。至於作者原詩的本意是不是如此，並不重要。羅大經說：

大抵古人好詩，在人如何看，在人把做甚麼用，如水流心不競，雲在意俱遲；野色更無山隔斷，天光直與水相通等句，只把做景物看，亦可把做道理看，其中亦儘有可玩索處。（註四五）

言情寫景，貴在有餘不盡，託物起興，不泛說理，而狀物態以明理，作者舉一隅，而讀者以三隅反，如古人引詩斷章取義之例，會心不遠，目擊道存，始爲善讀詩者，如退溪所云九曲一絕有「百尺竿頭，更進一步」意，雖作者不必有此意，而讀者則不妨如此會心。

肆、內容特色

綜上所論，可知退溪的九曲櫂歌十首，其內容特色，可以歸納爲以下四者，茲分別說明之。

㈠宗朱之情

退溪之學，以朱子爲宗，對於朱子詩，用力最深，其所和朱子之詩，有八題二十九首之多（註四六），可見其篤好之深。退溪於次朱子九曲櫂歌韻之前，曾有「和西林院詩韻二首」（註四七）「西林院詩」是朱子寓西林院時所作（註四八）。又據退溪弟子鄭士誠說：

壬戌秋，先生在陶山，月夜招士誠登天淵臺，命誦武夷九曲詩。（註四九）

壬戌年（西元一五六二）退溪六十二歲，猶愛好朱子武夷九曲詩，而命其弟子誦讀。而退溪所和朱子的九曲櫂歌韻十首，對朱子的流風餘韻，處處流露出宗仰與懷念之情。如第一首便開宗明義的道出「滄洲遊跡想餘清」的情懷。而一曲的「一自眞儒吟賞後」，更肯定了朱子「繼天立極」、膏澤斯民的德意。而在四曲詩中，推崇朱子「風流」永在，佳話流傳，且自註朱子當年在武夷答劉靜春寄羊裘詩，以想見朱子的謦欬餘芳，眞有杜工部「悵望千秋一灑淚，蕭條異代不同時」的感慨。（註五〇）其下文的「當年五曲入山深」，很明顯的是指淳熙癸卯，朱子卜居武夷精舍之事，且其所云「瑤琴」、「夜月」、「荷蕢」等字樣，也都是取材於朱詩，再運用修辭的技巧，配合自己的情境，而加以適當的點化，多少帶有「翻案」的意味，予人以「貌同心異」的感覺。其實「貌同」亦只是辭彙的大同，而非句法的雷同。「心異」，也只是情境的小異，並非實質的大異。其餘各首所表現的宗朱之情，雖沒有以上所舉的顯而易見，但如與朱子的原詩對照，亦不難找出「宗朱」的蛛絲馬跡。

㈡隱居之志

朱子的武夷櫂歌，是其閒居武夷精舍時所作。朱子的精舍雜詠有「隱求齋」（註五一）詩，取孔子「隱居以求其志」之意。（同註一三）而退溪的七臺三曲詩，以「招隱臺」爲首，有「晨與越淸溪，杖策尋雲壑。幽人在何許？鬱鬱松桂碧」之句，（註五二）此處之「幽人」，指隱者，退溪越溪尋壑，欲與幽人爲伍，可見其微意所在。又其「考槃臺」詩，有「剪蔚得佳境，茅茨行可卜，隱求復何爲？優游歌弗告」之句（同註五二），値得注意的是以上詩句，與九曲櫂歌詩爲同一時期的作品。可見其隱居的素志，是念茲在茲，十分堅定的。

在九曲櫂歌中，表現隱居之志最顯著的是四曲及五曲兩絕。四曲的末句「披得羊裘釣月潭」，據退溪自註，是用朱子與劉靜春的故事，而此事的發生，是因劉氏寄羊裘與朱子而起的。朱子詩中以「狂奴」來比擬劉氏，其意義顯得非同尋常。而羊裘垂釣，本是後漢高士嚴光的故事，退溪對於嚴光的隱居不仕，高風亮節，久已心儀，屢次形諸吟詠。（註五三）可見退溪對於嚴光的羊裘垂釣，必當有所默契，有所會心。

其實，一首好詩，有時其「言外」遠致，往往富有多重含義，讀者會心不同，所見亦異。今人所謂「岐義」（註五四），當即指此。岐義如詩中橄欖，耐人尋味。退溪「披得羊裘釣月潭」的名句，即是屬於此一類型。

至於五曲一絕，首句指朱子當年入山居於武夷精舍之事，次句的「大隱還須隱藪林」，是一句全稱肯定，不僅是指朱子，也可指朱子以外的隱者。而三句的「擬把」，自然是作者退溪的意願，末句的「知心」，當然是知退溪之心了。可知此詩的後兩句，已巧妙地將「大隱」的對象，縮小了範疇，由全稱肯定一變而爲特定個人——退溪。於是退溪的心事，也就由「大隱」而宣告「大白」了。此點在前文已有論及，此處不贅。

㈢遊仙之思

九曲櫂歌亦稱武夷櫂歌，而武夷山相傳因仙人武夷君而得名，是以作九曲櫂歌詩者，常與「仙」字結緣，以增加神秘的色彩。何況仙與禪，皆詩中本色。（註五五）故朱子武夷櫂歌，首句開宗名義就說：「武夷山上有仙靈」。退溪的九曲櫂歌，「仙」字共出現五次：即仙山、仙娥、仙機、仙家、飛仙。而朱子除首句外，僅七曲見「仙掌」字，而「仙掌」爲峯名，無關遊仙思想。退溪之詩，以仙字爲地名者亦有「仙機」。若說「仙」爲詩中本色，何以朱子用「仙」字少，而退溪用「仙」字多？豈是朱子之本色不及退溪之多？答案當然是否定的。然而，有一點可以肯定的是，退溪的九曲櫂歌詩，帶有濃厚的遊仙色彩，而朱子卻沒有。這或許是退溪用「仙」字較朱子爲多的主要原因。尤其是退溪的六曲與七曲兩絕的末句都有「仙」字，此點頗堪玩味。六曲的「始覺仙家日月閒」，是靜態的感受，七曲的「醉挾飛仙鶴背寒」，是動態的遐想。退溪是儒者，是不信神仙的，他有詩說：

方丈仙山非世間，秦皇徒慕漢空憐。
不緣變化因丹藥，那得飛昇出紫烟？（註五六）

方丈仙山，不在世間，秦皇徒慕，漢武空憐，是迷信，也是夢想。然則退溪何以有「仙家」之思，「飛仙」之想呢？要了解其中緣由，必須了解退溪當時的處境，關於此點，在前文「時代背景」中已有述及，此處須說明者，此種遊仙思想，係現實之反響，當環境惡劣，精神苦悶，難以改變或排解時，則唯有藉遊仙思想，以表現自由之意志，而求心靈之安頓，精神之超脫。此即何劭所說的「吉士懷貞心，悟物思遠託」、「連翩御飛鶴，抗跡遺萬里」。（註五七）退溪生不逢時，貞心不改，君子道消，難以有爲。故藉遊仙思想，逍遙物外，抗跡遠託，以追求精神上之自由世界。

㈣進學之意

陳普註朱子武夷櫂歌，認爲朱子九曲詩「純是一條進道次序」。（同註三）退溪不然其說，以爲朱子的「九曲十絕，初無學問次第意思，而註者穿鑿附會，節節牽合，皆非先生本意。」（同註四三）退溪既不同意陳註的說法，那末，退溪所和的九曲櫂歌，自然不會有陳註那樣牽合附會的毛病。但細味退溪的九曲十絕，雖多詠物寫景之語，但其中的託與寓意處，亦不無進學之意。此在八曲與九曲兩絕，寓意較爲顯著。尤其是此兩曲的末句「鼓得遊人究竟來」和「妙處猶須別一天」。「究竟來」是一種境界，而「別一天」則又更進一步，其境界也更高。退溪此種精進不已的精神，受朱子的影響頗大。退溪曾論及朱子的九曲一絕說：

> 鄙意竊謂先生此一絕，本只爲景物而設，而九曲一境，山盡川平而已。素號此處別無勝絕，殆令遊興頓盡處。故詩前二句直敍所見，而末二句意若曰：勿謂抵此境界爲極至處，而須更求至於眞源妙處，當有除是泛常人間，而別有一段好乾坤也。（同註四三）

退溪對朱子九曲一絕的評價，揆其用意，不無進學之意。所云更求「眞源妙處」，顯然是指進學之極詣而言。移退溪此語，以評退溪之九曲一絕，亦無不可。

作詩貴有理趣，不宜有理語。蓋理無不在，觸處可悟。誠如羅大經所說：「大抵古人好詩，在人如何看，在人把做什麼用。」（同註四五）所以作詩要有才情，讀詩要有慧心。自古沒有不學詩的理學家，讀退溪的九曲櫂歌，如能運用慧心，思其言外遠致，則觸處是學，觸處是道，不止八、九兩曲詩爲然也。

伍、結語

嚴羽說：「和韻最害人詩，古人酬唱不次韻。」（註五八）良以次韻之詩，拘於固定韻脚，不易發揮新意。朱子的武夷櫂歌，自宋韓元吉、方岳以下，歷代次韻的作品很多，但卻罕有佳構。此因朱子才高，又以首唱之便，得以自由發揮，而賡和之者，限於原詩韻脚，難以出新意。退溪的九曲櫂歌，既能深得朱子之意，又能表現一己特色，在所有的和詩中，稱得上是佼佼者。

楊載說：「賡和之詩，當觀元詩之意如何。以其意和之，則更新奇。要造一兩句雄健壯麗之語，方能壓倒元白。」（註五九）如退溪九曲櫂歌十首，其中二曲結句「閶闔雲深一萬重」，朱子原詩作「興入前山翠幾重」？又退溪八曲結句「鼓得遊人究竟來」，朱子原詩作「自是遊人不上來」。兩者相較，和詩在氣勢上似勝一籌，此即楊載所說「雄健壯麗之語」。然若取退溪雄健之句，用以代替朱詩原句，則又有如「斷鶴續鳧」，損其眞美。是知「鳧短鶴長」，各有攸當。欲以一兩句定其優劣，亦非至論。

要之，退溪之次韻朱詩，於宗仰朱子流風遺韻之餘，而能表現其徜徉泉石的幽居之志，和超然物外的遊仙思想，既不失唱酬本意，又能自出機杼，成一家風骨。退溪身處亂世，遭時不遇，隱居之志，是對現實消極的退讓；遊仙之思，是對理想積極的執着。其生活的拘束，精神的苦悶，由此而得以解放，得以超脫。充分顯示出退溪高尙的情操，純眞的心靈，和至善至美、自由自在的精神境界。

【附註】

註　一：白玉蟾櫂歌十首之一，見武夷山志，卷四，葉三〇五。白玉蟾，字如晦，原名葛長庚，繼爲白氏子，名玉蟾，南宋寧宗嘉定中詔徵赴闕，對稱旨，後隱於武夷山。

註　二：王懋竑朱子年譜：淳熙十年癸卯五十四歲，結廬於武夷之五曲，正月經始，至四月落成，始來居之。詳見朱子大全文集卷九「武夷精舍雜詠序」、「武夷櫂歌」十首。

註　三：見藝文印書館百部叢書集成，佚存叢書「武夷櫂歌註」陳普字尚德，爲朱子嫡派。新元史卷二三五。

註　四：見退溪全書第一册，卷十六，答奇明彥別紙，葉四二六。退溪李滉，字景浩，韓國人，其生平參見拙著「李退溪的詠梅詩」，淡江學報二十二期。

註　五：見退溪全書第一册，文集卷一詩，葉六三、六四。

註　六：見孟子萬章。

註　七：退溪全書第一册，文集卷一，繫九曲櫂歌詩十首於丁未。

註　八：見退溪全書第四册，言行錄卷六，年譜上，葉一一九。

註　九：同前書，葉一二○；又見退溪全書第四册，葉二○二，出處條。

註一○：見論語泰伯。

註一一：見退溪全書第四册，葉十八，鄭惟一「言行通述」。

註一二：見退溪全書第一册，文集卷十，葉二八二，二八三「與曹楗仲書」案此書作於癸丑，時年五十三，上距癸卯決志退休，適爲十年。

註一三：論語季氏：孔子曰：「隱居以求其志，行義以達其道，吾聞其語矣，未見其人也。」

註一四：「無限修行過程」，牟宗三先生語，見「中國文化大動脈中的終極關心問題」講詞，載於中華民國七十二年十月三日聯合報。

註一五：見退溪全書第四册，葉一二○，年譜上。

註一六：退溪全書第二册，葉五〇六，別集卷一，春川向陽口幾五六十里云云。

註一七：朱子大全卷七六「武夷圖序」說：「武夷君之名，著自漢世，祀以乾魚，不知果何神也？」又武夷山志卷首有詩說：「傳說仙人降紫雲，飄然自號武夷君，乾魚漢祀今何在？空有荒壇鎖碧雯。」

註一八：滄洲在福建建陽縣西南，原名龍舌洲。宋光宗紹熙三年壬子，朱子始築室於建陽之考亭。復建精舍於東，扁曰竹林，後更扁曰滄洲。自號滄洲病叟，見朱子年譜卷四上，葉二十六，粤雅堂叢書本。又見大清一統志卷四三一，葉二二，建寧府考亭條。

註一九：天柱峯五絕爲朱子武夷七詠之一，見朱子大全卷六，葉二三。

註二〇：相傳秦始皇二年八月十五日，武夷君置酒肴，會鄉人於幔亭峯上，初召男女二千餘人，如期而往，乃見山徑平坦，虹梁駕空。至山頂，有幔亭，歌宴既罷，彩雲四合，環佩車馬之音，亘空而至。既下山，則風雨暴至，虹橋斷絕，回顧山頂，無復一物。鄉人感幸，因名其峯曰幔亭，相與立祠山下，歲修祀事，號同亭，今之會眞廟是也。詳見古今圖書集成山川典，卷一八一，葉七七二，武夷山部。亦見崇安縣新志卷三一，叢談引祝穆方輿勝覽。

註二一：見韓愈答劉正夫書，韓昌黎集卷一八，葉四。

註二二：崇安縣新志卷二一玉女峯：「峯在溪南，屬二曲，玉立水濱，娟秀爲諸峯第一。其頂草木參簇，若鬟髻而戴花者。武夷山志謂其嫋嫋婷婷，有姝麗之態，良然。」

註二三：李延年侍武帝起舞，歌曰：「北方有佳人，絕世而獨立，一顧傾人城，再顧傾人國。寧不知傾城與傾國，佳人難再得。」上嘆息曰：「善！世豈有此人乎？」平陽主因言延年有女弟，上乃召見之。見漢書卷六七上「外戚傳」。

註二四：見全唐詩卷五七四，葉六六九三。

註二五：論語雍也。

註二六：後漢書卷八三逸民傳：「齊國上言：有一男子，披羊裘釣澤中」。

註二七：劉清之，紹興進士，學者稱靜春先生，見宋史卷四三七儒林傳，宋元學案卷五九清江學案，清之受業於其兄靖，或以清之爲朱門弟子者誤。

註二八：見朱子大全卷九，葉六。

註二九：詳見朱子大全卷九「武夷精舍雜詠序」。

註三〇：見昭明文選卷二二，葉四。

註三一：朱子大全卷七，葉二，原詩爲：「獨抱瑤琴過玉溪，琅然清夜月明時。祇今已是無心久，卻怕山前荷蕢知。」

註三二：論語憲問：「子擊磬於衛，有荷蕢而過孔氏之門者曰：「有心哉，擊磬乎？」既而曰：「鄙哉，硜硜乎？莫己知也，斯已而已矣。」

註三三：見洪自誠菜根譚，二八八條。

註三四：見武夷山志卷四，葉十三、十七。

註三五：見全唐詩卷二五四，葉二八四九，王之渙登鸛雀樓。

註三六：見全唐詩卷五四〇，葉六一九一，李商隱武夷山詩。

註三七：朱子大全卷九，葉六，伏蒙致政少傅相公云云。

註三八：蘇東坡全集前集卷一九，葉二六八。

註三九：莊子逍遙遊：「藐姑射之山，有神人居焉，肌膚若冰雪，淖約若處子。不食五穀，吸風飲露，乘雲氣，御飛龍，而遊乎四海之外。」

註四〇：同註三，葉六。

註四一：退溪全書第四册，葉五一八，退溪文集考證卷四。

註四二：「除是」、「別有」，見朱子武夷櫂歌九曲一絕末句「除是人間別有天」。答金成浦書見退溪全書第一册，文集卷一三，葉三四六。

註四三：方岳至顧應祥詩，均見退溪全書第一册，文集卷一三，葉三四七。

註四四：見武夷山志卷四，葉一三。

註四五：見鶴林玉露卷八，葉一一。

註四六：見淡江學報十六期，葉一三，拙著「李退溪的詩學」四、朱子。

註四七：見退溪全書第一册，文集卷一，葉六二。

註四八：見朱子大全卷二，葉十一，「題西林可師達觀軒」詩，及「示西林可師二首」，見同書卷二，葉十二。案退溪所和者爲二首之後一首。

註四九：見退溪全書第四册，退溪先生言行錄卷三，葉二〇二。

註五〇：見杜詩鏡銓卷三，葉六五一，「詠懷古跡」。

註五一：見朱子大全卷九，葉三。

註五二：見退溪全書，文集卷一，「戲作七臺三曲詩」葉六二。

註五三：退溪詠嚴光詩，有「桐江垂釣」（文集卷二，葉九二，黃仲舉求題畫，又文集卷三，葉一一九，鄭子中求題畫）及「富春垂釣」（文集卷三，葉一二二，題金愼仲畫）「小川釣魚」（文集卷三，葉一一七，韓永叔江墅十景）。

註五四：見沙牧所著「詩的岐義」一文，載於中華民國七十三年六月二十六日中央日報副刊。

註五五：胡應麟詩藪內編卷五：「日仙曰禪，皆詩中本色。」

註五六：見退溪全書第四冊，葉六二，「題黃仲舉方丈山遊錄」。

註五七：見昭明文選卷二一，葉二七，何敬祖遊仙詩。

註五八：滄浪詩話、詩評，見詩話叢刊上冊，葉六三五。

註五九：詩法家數，賡和，見歷代詩話冊二，葉七三五。

附錄：朱子武夷櫂歌

淳熙甲辰中春，精舍閒居，戲作武夷櫂歌十首，呈諸同遊，相與一笑。

武夷山上有仙靈，山下寒流曲曲清。欲識箇中奇絕處，櫂歌閑聽兩三聲。

一曲溪邊上釣船，幔亭峯影蘸晴川，虹橋一斷無消息，萬壑千巖鎖翠煙。

二曲亭亭玉女峯，揷花臨水爲誰容，道人不復陽臺夢，興入前山翠幾重。
三曲君看架壑船，不知停櫂幾何年，桑田海水今如許，泡沫風燈敢自憐。
四曲東西兩石巖，巖花垂露碧㲯毿，金雞叫罷無人見，月滿空山水滿潭。
五曲山高雲氣深，長時烟雨暗平林，林間有客無人識，欸乃聲中萬古心。
六曲蒼屛遶碧灣，茅茨終日掩柴關，客來倚櫂巖花落，猿鳥不驚春意閑。
七曲移船上碧灘，隱屛仙掌更回看，人言此處無佳景，只有石堂空翠寒。
此詩後二句，一本作卻憐昨夜峯頭雨，添得飛泉幾道寒。
八曲風烟勢欲開，鼓樓巖下水縈洄，莫言此處無佳景，自是遊人不上來。
九曲將窮眼豁然，桑麻雨露見平川，漁郎更覓桃源路，除是人間別有天。

退溪詩的心路歷程

壹、莫笑文章為小技，胸中妙處狀來真

人聲之精者爲言，人言之精者爲詩，詩是心影的傳眞，也是心聲的藝術化。退溪有句說：「莫笑文章爲小技，胸中妙處狀來眞」。（註一）退溪所說的「胸中妙處」，就是指「心」而言。葉燮說：「詩是心聲，不可違心而出，亦不能違心而出。功名之士，決不能爲泉石淡泊之音；輕浮之子，必不能爲敦龐大雅之響。其心如日月，其詩如日月之光，隨其光之所至，即日月見焉。」（註二）所以讀其詩，即可知其爲人。例如陶潛多素心之語，王維多閒適之語，李白多曠達之語，杜甫多憂時之語，皆觸類應聲，詩如其人。

然詩之爲道，在儒者視爲末技。退溪爲理學醇儒，遊於藝，而不滯於藝；喜爲詩，而不溺於詩。退溪在其「奉呈安孝思」的詩中說：「和詩十首公休索，累牘聯篇亦一塵」（註三）「累牘聯篇」，即不免陷溺。所以詩不可多作。退溪曾對弟子趙穆說：「文學豈可忽哉？學文所以正心也。」（註四）「學文所以正心」，這是一種「尙用」的文學觀。「學文」是手段，「正心」是目的。退溪又說：「

自非聖於詩，法度安可輟」、「曷不少低頭？加工鍊與律。」（註五）作詩須講求「法度」，更要「加工」精鍊，以求合律，此是一種「尚文」的文學觀。「尚文」在求美，「尚用」在求善。求善注重內容，求美注重形式，兼顧形式與內容，這是孔門文學觀的特色。（註六）

詩以道性情，道之為言路也，然性情皆統於心，情動於中，應物興感，感物為詩，面目各具。而其心路歷程，亦可由其詩篇窺其梗概，前云「詩如其人」，其理由在此。

退溪於詩，用功頗深，作品亦夥，見存之詩二〇一三首（註七），實際當不止此數，其作詩年代，自十五歲至七十歲，長達五十六年，可以說自少至老，都在作詩，很少間斷，至其詩之內容，則包羅宏富，茹古含今，隨所遇之人、之境、之事、之物，時時發其思君國、憂患難、憫時艱、悲民窮，念親眷，懷友朋、愛自然、樂山水、喜幽居、少宦情、重質實、厭浮華、勤學問、希聖賢之情，凡所思所感，一一觸類而起，寓之於詩。如星宿之海，萬源從出；如四時百物，生意各別。其心路歷程，自非一端，本文所欲探討者，不在其層面之廣袤，而在其層次之進階。此種進階，與環境、閱歷、經驗、學養，均有密切之關係，而其思想結構與時間因素，尤其不可忽視。為了便於說明起見，謹將退溪之詩，分為下列五期：

第一期：十五歲至三十一歲。

第二期：三十二歲至四十二歲。

第三期：四十三歲至五十二歲。

第四期：五十三歲至六十歲。

第五期：六十一歲至七十歲。

貳、雲飛鳥過元相管，只怕時時燕蹴波

第一期作品，有年歲可考者僅有五首，其中前三首均爲七絕，第一首石蟹，作於十五歲時，第二首遊春詠野塘，作於十八歲時，第三首詠懷詩，作於十九歲時。茲錄於下：

石　蟹

負石穿沙自有家，前行卻走足偏多。生涯一掬山泉裏，不問江湖水幾何？（退溪詩續集卷一，葉一）

遊春詠野塘

露草夭夭繞水涯，小塘清活淨無沙。雲飛鳥過元相管，只怕時時燕蹴波。（退溪年譜上）

詠　懷

獨愛林廬萬卷書，一般心事十年餘，邇來似與源頭會，都把吾心看太虛。（退溪年譜上）

對於以上三首七絕，筆者曾有專文論析（註八）此處欲申述者，這三首詩已顯示出退溪心路歷程的初基，而退溪的性情襟懷，也可由這三首詩中窺其端倪。石蟹詩的末二句雖是寫蟹的生活態度，但

卻頗富哲學意味。「一掬山泉」，悠然自得；「不問江湖」，與人無爭，似有守分循理、安貧樂道之意。

次首詠野塘詩，以「小塘」喻心體，以「燕蹴波」喻人慾之萌。而「只怕時時」，是一種憂患意識，「時時」二字，顯示其憂患意識之持續性與強烈性。「燕蹴波」喻人慾之萌，屬於道德意識。「只怕時時燕蹴波」，此是由憂患意識強化道德意識。此詩較「石蟹」詩已有顯著之進步，「石蟹」詩雖富哲理，似嫌消極。此詩有冰淵自懍之心情，有積極向善之意義。

第三首詠懷詩，前兩句情眞意遠，有恬淡之情，有篤學之志，而第三句之「似與源頭會」，乃由修而悟之心得，此較之詠野塘詩，體段又自不同。

後兩首均爲七律，題爲「芝山蝸舍」茲誌如下：

其一

高齋瀟灑碧山傍，祇有圖書萬軸藏，東澗遶門西澗合，南山接翠北山長。白雲夜宿留簷濕，清月時來滿室涼。莫道山居無一事，平生志願更難量。

其二

卜築芝山斷麓傍，形如蝸角祇身藏。北臨墟落心非適，南挹煙霞趣自長。但得朝昏宜遠近，那因向背辨炎涼。已成看月看山計，此外何須更較量。（退溪詩外集卷一，葉十）

退溪於「次金惇敍所和李庇遠見和傍字韻律詩」之序中說：「往在丙戌歲，家兄游泮宮，余侍親在兄舍，嘗於西齋吟一律『高齋蕭灑碧山傍』云云以寄兄，兄亦和之，辛卯，余有小築於芝山之麓，又用傍字韻以紀事。」（註九）據此，知退溪「芝山蝸舍」二詩，其前一首作於丙戌，時年二十六，後一首作於辛卯，時年三十一。兩詩皆用傍字韻，在時間上相去五年。其內容皆側重寫景，而景中有情。其緊要處均在末二句。前一首之「莫道山居無一事，平生志願更難量」，此與明道之「旁人不識予心樂，將謂偷閒學少年」之句（註一〇）同一機杼，然辭氣發越，語少含蓄，不無後生時氣象。（註一一）而後一首之「已成看月看山計」，則其閒適之情，丘壑之志，頗有樂在其中，不願乎外之意，故末句說「此外何須更較量」。又退溪早歲讀書靈芝山之小築，自號靈芝山人（註一二），此亦可見退溪之素懷。

叁、玉堂坐對春宵月，鴻雁聲中有所思

第二期自三十二歲至四十二歲，雖有十一年之久，但其詩可考者僅一百八十九首，較第三期之五百六十七首，相去甚遠。考其原因有二，其一因退溪於壬辰年赴舉，未遑作詩。其二因退溪丁母夫人朴氏憂，自京奔喪，服中柴毀成疾，幾至不起。以故自丁酉至己亥，三年中未曾作詩，此一期實際作詩時間，只有七年。其中三十三歲有詩三十七首，四十歲十八首，四十一歲五十五首，四十二歲六十一首。作詩最少者，爲三十四歲僅三首，其次三十五歲四首，三十六歲十一首。此三年僅有詩十八首，

平均每年僅六首，此在退溪之作詩歷程中，實爲罕見之現象。退溪自言「遇景值興，不可無詩。」（註一三）蓋作詩所以適懷，興來情適，以我手，寫我心，行乎其所宜行，止乎其所不得不止。退溪作詩之少，其心情不難想見。

爲便於說明，謹將此期之詩，分前半、後半兩階段，擇其具有代表性者，試加賞析。

㈠前半期

過　浦

欲將身世付鷗波，細和滄浪一曲歌。世事算來憂思集，雲林別去夢魂多，船牕倒射溶溶日，水渚輕搖點點荷。常愧未能渾脫略，每逢佳處等閒過。（退溪詩續集卷一，葉二）

此詩作於癸巳，退溪年三十三。首句有瀟灑出塵之想，次句用孟子滄浪歌故事，（註一四）取「清斯濯纓」之意，退溪詩集有「濯纓泛月」（註一五），則其微意可見。三、四言情，憂思世事，夢繞雲林，寫出退溪心事。五、六寫景，溶溶日影，點點荷花，此景中有佳趣，結句以未能脫略爲愧，以致佳處等閒錯過，惋惜之情，溢於言表。

感　春

清晨無一事，披衣坐西軒，家僮掃庭戶，寂寥還掩門，細草生幽砌，佳樹散芳園。杏花雨前稀，桃花夜來繁。紅纓香風飄，縞李銀海飜。好鳥如自矜，間關哢朝暄。時光忽不留，幽懷悵難言。

三年京洛春，局促駒在轅。悠悠竟何益？日夕愧國恩。我家清洛上，熙熙樂閒村。鄰里事東作，雞犬護籬垣。圖書靜几席，煙霞映川原。溪中魚與鳥，松下鶴與猿，樂哉山中人，言歸謀酒尊。（退溪詩卷一，葉二）

此詩作於丙申，退溪年三十六。據年譜，退溪於甲午三月及第，四月選補承文院權知副正字，薦授藝文館檢閱，乙未六月，差護送官送倭奴于東萊，丙申三月授宣務郎。甲午至丙申皆在京，故詩中有「三年京洛春、局促駒在轅」之句，而退溪不樂仕宦之心情，亦由此表露無遺，結句「樂哉山中人，言歸謀酒尊」，道出歸里之樂，遙應前文，苦樂判若霄壤。又退溪於是年「歲季得鄉書書懷」詩中，有「客枕多憂思，魂夢輒飛越，撫躬良自愧，報國亦云缺。胡不早收愚？歸安在蓬蓽。力耕給公上，甘旨奉怡悅」之句（退溪詩卷一，葉四）尤見其憂思之深，鄉心之切。一片愛國之念，孝親之思，洋溢於字裏行間。

(二)後半期

書堂次金應霖秋懷

秋入梧桐撼一年，緜思宿債負山川。病中猶憶聖呼酒，貧裏寧甘兄事錢。紫氣仙人函谷外，黃冠道士鑑湖邊。平生謬廁金閨彥，不及渠家養寸田。（退溪詩卷一，葉七）

偶　吟

舊業鳩巢拙，京師但賃居。避喧猶喜客，移病亦看書。小砌兒澆竹，閒園婢摘蔬。鳳池稱吏隱，何似返耕鋤。（退溪詩續集卷一，葉十）

前一首作於辛丑，退溪年四十一。據年譜，是年三月，「賜暇讀書」，書堂在東湖，乃國家儲養人才之地，與其選者，榮比登瀛。金應霖號寓庵，安東人，與退溪同鄉，官禮曹參事，此詩首二句扣緊「秋懷」二字。一年容易，又値秋撼梧桐之時，退溪於己亥十二月選入玉堂，至此兩易秋風，回思宿債未償，有負山川之約。三、四寫曠達之懷，安貧之念。「聖呼酒」，「兒事錢」（註一六），語皆有本，使事自然。六、七有遺世之想，歸隱之情。用老子出函谷關，及賀知章請爲道士之故事。（註一七）結句言爲官金閨，不如養此寸田。謂「謬厠」，以見爲官非其所願。寸田指心，渠家指仙人道士，退溪爲一醇儒，非有慕於方外之士，不過藉此以寓隱逸之志。末句歸本於養心，此爲儒者之本色。

後一首「偶吟」，首二句敍賃居京師，拙理舊業。三、四寫情，「避喧猶喜客」，樂有賢友；「移病亦看書」，勤於爲學。前者近乎仁，後者近乎智。五、六寫景，然景中有情。「兒澆竹」，「婢摘蔬」，饒富閒適之情，田園之趣。結句寫出心事，鳳池，指禁中。自感吏隱於朝，不如返耕於野。此時退溪身在魏闕，心存丘園，下列近體一首，意尤顯豁。

吾鄉李參判先生假歸，將因以乞身，鄉人在朝者會餞於先生仲子寓舍，奉呈近體一首

引退非緣忘主恩，高年自合愛丘園。一鄉會餞簪纓簇，二品辭歸齒德尊。天爲宵歡收積雨，月因離恨照芳罇。憑風寄與詩僧道，林下如今可共論。（退溪詩集卷一，葉十）

李參判，即李聾巖，於燕山君戊午年登第，歷事中宗、仁宗、明宗三朝，卒於明宗九年乙卯，（註一八）此詩首兩句寫聾巖引退非忘主恩，高年自愛丘園，不無自況之意。三、四寫其餞歸榮寵，五、六寫景，而情景交融。結句反用唐詩僧靈澈上人答韋丹詩意，靈澈原句是「相逢盡道休官好，林下何曾見一人？」（註一九）退溪反用其意，亦可見其素懷。

此外，退溪於是年「宿清風寒碧樓」詩，中有「半生堪愧北山靈，一枕邯鄲久未醒」之句（退溪詩集卷一，葉九），上句有歸隱之願，下句少仕宦之情。其「過清平山有感」詩序，獨惓惓於隱者李資玄，稱其能「辭榮避位，高蹈遠引，蟬蛻於濁穢之中，鴻冥於萬物之表」（退溪詩集卷一，葉十三）此語無異「夫子自道」，其決志退休，固已如箭在弦。

肆、涉歷始知新得趣，歸來真覺舊迷方

第三期自四十三歲至五十二歲，此期爲退溪詩之轉捩期。退溪自三十四歲踏入仕途，雖不樂爲官，時有思歸之念，然僅止於「玉堂坐對春宵月，鴻雁聲中有所思」（註二〇），或是止於「暫出瀛洲弄烟艇，何如耕釣赴初盟」（註二一）的感懷而已，此期則「回頭住脚」「改塗易轍」，決志退歸，付諸行動，此可於退溪癸丑「與曹楗仲書」中見之。退溪說：

於是惕然覺悟，欲追而改塗易轍，以收之桑榆之景。則乞身避位，抱負墳典而來，投於故山之

中，將以益求其所未至。庶幾賴天之靈，萬有一得於銖累寸積之餘，蘄不至虛過一生，此滉十年以來之志願。而聖恩含垢，虛名迫人，自癸卯至壬子，凡三退歸而三召還。以老病之精力，加不專之工程，如是而欲望其有成，不亦難乎？（註二二）

退溪之心跡，於此表露無遺。此期十年之中，其詩可考者達五六七首，以近體詩爲主，共五〇一首。其中七言多於五言，七言三九一首，五言一一〇首。七言之中，絕多於律，七絕二四九首，七律一四二首。此十年中，辛亥年作詩最多，計一〇三首，以是年不仕家居，心情閒適，宜於爲詩。乙巳年作詩最少，僅十一首，以連遭國喪，私憂未已，心事乖張。（註二三）加以權奸用事，士禍大起，誅竄相繼，朝野駭憤，此時此地，豈宜爲詩。

退溪於癸卯決志退休之年，有「送金厚之修撰乞假歸覲」詩，中有句說：

我昔與子遊泮宮，一言道合欣相得。君知處世如虛舟，我信散材同樗櫟。富貴於我等浮雲，偶然得之非吾求。秋風蕭蕭吹漢水，我夢夜夜白石青雲間。青雲白石我尚阻，海山千里君先去。

（退溪詩集卷一，葉十九）

詩中所云「富貴於我等浮雲，偶然得之非吾求」，這是塵垢軒冕，不願作官的自剖。所謂「青雲白石我尚阻，海山千里君先去」，這更是決志退歸，遁跡泉石的宣告。而「君先去」三字，似帶有強烈的暗示，其意若曰：不久，我當步君之後塵。此種暗示，對於金厚之而言，是一種「吾道不孤」的安慰。吾人有理由相信，退溪與金厚之之「道合欣相得」，雖始於「遊泮宮」之日，而實相契於厚之

「歸覲」之後。

下列一首「東巖言志」七律，亦爲此期作品：

新卜東偏巨麓頭，縱橫巖石總成幽。烟雲杳靄山間老，溪澗灣環野際流。萬卷生涯欣有託，一犂心事歎猶求。丁寧莫向詩僧道，不是眞休是病休。（退溪詩集卷一，二八葉）

據年譜，丙午十一月，築養眞庵于退溪之東巖。先是，構小舍於溫溪之南，芝山之北，以人居稠密，頗未幽寂。是年始假寓于退溪之下，於東巖之旁，作小庵名曰養眞。溪俗名兎溪，先生以退改兎，因自號焉。

此詩題爲「東巖言志」、「東巖」即指退溪之東巖，養眞庵即築於此時，退溪四十六歲，正當乙巳士禍之次年，庵名「養眞」，蓋取陶詩「養眞衡茅下」之意。（註二四）而先生亦於是年改兎溪爲退溪，因以自號，此更可見退溪的素志。此詩首二句點明「東巖」二字，二四寫景，而景中有情、「山間老」「野際流」，有自況之意，有終老之情。五六寫情，而其志益顯。「萬卷生涯」「一犂心事」，寫出耕讀之志，養眞之願。末句「不是眞休是病休」，是感慨，是自憐。「眞休」不可得，「病休」不可免，不可得，何以爲心？不可免，何以爲情？另有一首「東巖言志」，亦作於此年。其詩末二句說：「天開眞樂無涯地，築室優游思莫緘。」（退溪詩續集卷一，葉二九）自註：「邵康節詩：築此巖邊小書室，樂吾眞樂樂無涯」，邵詩正合退溪的心願，引此聊以自慰。又退溪有「晨至溪莊」詩二首，其末二句說：「山翁笑問溪翁事，只要躬耕代舌耕」、「聖主洪恩知不棄，只緣多病合歸耕」（

退溪詩集卷一，二七葉），均可作「東巖言志」詩的註脚。

退溪於戊申年求外補，拜丹陽郡守，時年四十八歲，年譜載：先生乞外有深意，求青松不得，授丹陽有詩云「青松白鶴雖無分，碧水丹山信有緣」。郡地多山水名勝，退溪有「馬上」詩云：「朝行暮歸山水中，山如蒼屏水明鏡。在山願爲棲雲鶴，在水願爲游波鷗」（退溪詩集卷一，葉四十）「棲雲鶴」之閒情逸致，蕭然出塵；「游波鷗」之浩蕩萬里，逍遙自在。此種優遊自得之樂，所以爲資養性情之事，有「仁者樂山，智者樂水」之遺韻，非偷閒玩景，放意林泉之比，故退溪於己酉「答周景游見寄」詩云：

自闕誰能倡別人，難窺斯道曠千春。竹溪但欲投冠去，研味遺經得道眞。（退溪詩集卷一，葉四二）

周景遊名世鵬，爲豐基郡守，時退溪已換授豐基郡守，此詩共二首，以上所錄爲後一首。此詩首句謂「自家於道學亦有欠闕，則何以倡導他人乎？」（註二五）次句言斯道不傳已久，故云難窺。竹溪，指安晦軒，末兩句言晦軒欲投冠而去，研味遺經，得道眞髓。此雖詠竹溪之事，亦不無自況之意。所謂借他人酒杯，澆自己壘塊，投冠研經，正是退溪之素懷。退溪於郡齋有詩云：「淹玆久不決，我車何時脂？吾聞名教中，心法謹毫釐」，（二樂樓次東坡黃樓詩韻，退溪詩集卷一，葉四一）脂車歸去，在謹心法，即投冠研經得道眞之意也。

年譜載：庚戌正月，以擅棄任所，奪告身二等，二月始卜居于退溪之西，構寒栖庵，堂名靜習，讀書其中，有詩云：

身退安愚分，學退憂暮境。溪上始定居，臨流日有省。（退溪詩集卷一，葉四七）

首二句連用兩「退」字，而意義不同，首句以身退爲安，次句以學退爲憂。安於身退，知不退不足以爲安，憂其學退，知日省始足以成德。三句承首句，末句應次句。用「日有省」，便有進學不已之意，「臨流」是取象於水，即孔子「逝者如逝夫，不舍晝夜」之意。（註二七）朱註以爲孔子「於此發以示人，欲學者時時省察，而無毫髮之間斷也。」退溪學宗孔朱，能不以此爲心。

案退溪此詩亦載於年譜庚戌下，並謂「自是從遊之士日衆」。而此後退溪之詩，頗多與諸人唱酬之作，而其詩之內容，兼寓詩教之微旨。玆舉二首，以見梗概。

次金惇敍讀書有感韻

魯鈍無能只信書，中間輕試利名途。殘年始欲追前軌，末路依然作舊吾。汲汲反躬須益友，滔滔立脚是眞夫。寸膠可救黃流濁，參倚尋常在座隅。

次韻答新寧宰黃仲舉

夜枕強懷不滿張，其如一念費稱量。沂公尚戒愚難免，邵子猶思智善藏。涉歷始知新得趣，歸來眞覺舊迷方。誰言簡策爲糟粕，此事應須問紫陽。（以上見退溪詩集卷二，葉十）

前一首緊要處在後四句，「汲汲反躬」見其省察之無間，「滔滔立脚」，見其行己之有守。末兩句以「寸膠」喻敬，以「黃流」喻物欲，而「參倚尋常」，念念不忘，則主宰常定，使全體大用，昭晰無遺，此是主敬之工夫。後一首三四句用沂公、邵子之言，勉人韜光養晦，明哲保身，沂公之戒指中庸（註二八），「愚難免」不可好自用，「智善藏」不可眩己能。五六句有今是昨非之意，「新得趣」是「涉歷」之知，「舊迷方」是「歸來」之悟，此足以顯示其爲學之態度，及工夫之進階。退溪於四十九歲時，有「寡過胡不勉，夫仁亦在熟」之句（註二九），其自勉以勉人之精神，乃仁心之所不容已。

伍、君看動靜相循理，隨處隨時豈暫停

第四期自五十三歲至六十歲，此期共八年，其詩可考者三五一首，與第五期之七百首相較，僅及其半；與第三期之五六七首相較，亦落後甚多。故以數量言，此期可謂之低潮期。此期之詩，仍以近體詩爲主，其中七言二五五首，五言僅六十首。七言之中，絕句一九四首，逾全期之半，律詩六一首，不及前期之半。退溪作詩之少，不外由於心情欠佳或工作忙碌。此期二者兼而有之，而以癸丑年作詩最少，僅得十六首，因是年退溪拜大司成，在京日久，抱病從公，牽故少暇。觀其與林大樹詩，有「愁人臥窮巷，寂寞抱沉疾」、「閒思雀羅門前設，病畏儒冠座上衰」之句（註三〇），可知其作詩之少，並非無因。此期退溪之詩，有遊山書事十二首，用朱子雲谷雜詩韻。（註三一）雖詩題相同，而詩意則有異。茲錄其首尾二首如下：

登　山

尋幽越濬壑，歷險穿重嶺。無論足力煩，且喜心期永。此山如高人，獨立懷介耿。

還　家

遊山何所得，如農自有秋。歸來舊書室，靜對香烟浮。猶堪作山人，幸無塵世憂。（退溪詩集卷二，葉二九、三一）

此兩詩結穴處，均在末二句。前一首末二句「介耿」當作「耿介」，以用韻而倒裝。此山如耿介獨立之高人，隱然有自擬之意。後一首「猶堪作山人，幸無塵世憂」，寫出自己之素願，遙應第一首之「此山如高人」，便見地步，而有遠韻高致，此詩皆五言六句，在退溪詩中，極爲少見。

年譜載：「乙卯冬，入清涼山，踰月而返，有遊山諸作。」是年退溪五十五歲，所云「遊山諸作」，實以「遊山書事」十二首爲主。清涼山位於陶山書院東北十二公里，退溪幼曾讀書此山中，（註三二）其後亦曾屢遊此山，有詩五十一首詠其事。（註三三）且稱清涼山爲「吾家山」（註三四）。由此可見其喜愛清涼山之程度，此點容後再論，值得注意者，退溪於是年十月四日，有「遊月瀾庵」三首，其中一首云：

莫道林林我最靈，靈源才汩等昏冥，雖當老境兼衰齒，只在眞知與力行，伯子後時懲獵習，文公早歲驗鐘聲。君看動靜相循理，隨處隨時豈暫停。（退溪詩集卷二，葉二八）

首二句言莫謂我爲萬物之靈，須知「靈源才汩」，便昏冥暗昧。「靈源」指本心，本心易爲物欲所汩，宜常保虛靈不昧。雖當年老齒衰，亦要不斷努力，講求眞知，注重力行，此三四句之意。然難持者心，易染有欲，五六句舉伯子「懲獵習」，文公「驗鐘聲」之故事，（註三五），說明治心工夫不可不密，省察克治不可或懈。末二句言心貫動靜，理本相通，隨處隨時，當著實用功，不可暫停。此詩所言，爲心學之切要工夫，而退溪用工之密，體會之深，於此可見一斑。

下列「次黃仲舉元日韻」一首，亦屬同一類型，而詩意尤爲顯豁。

拙朴由來得自天，追尋芳躅每欣然。聰明此日非前日，習氣今年似去年，透得利關聞上蔡，驗來學力說伊川、吾儕更勉躬行處，莫向人前枉執鞭，（退溪詩集卷二，葉三二）

此詩首二句言天生質朴之性，每以追尋前賢芳躅，引爲欣悅之事。三四句言聰明今非昔比，而習氣猶似去年，此蓋自謙之詞，而亦可見其律己之嚴，五六句用上蔡及伊川故事，說明學問之效驗，（註三六）在於「透得利關」，驗之於踐履，末二句以躬行相勉，不可苟求富貴，枉道從人。其後黃仲舉棄官而歸，（註三七）不可謂非受退溪之影響。

退溪於丁巳三月，改卜書堂地於陶山之南，以爲歸隱藏修之計，有詩二首誌感：

其一

風雨溪堂不庇牀，卜遷求勝徧林岡，那知百歲藏修地，只在平生採釣傍。花笑向人情不淺，鳥鳴求友意偏長。誓移三徑來棲息，樂處何人共襲芳。

其二

陶丘南畔白雲深，一道蒙泉出艮岑。晚日彩禽浮水渚，春風瑤草滿巖林。自生感慨幽棲處，眞愜盤桓暮境心。萬化窮探吾豈敢？願將編簡誦遺音。（退溪詩集卷二，葉四十）

前一首所云「百歲藏修」、「誓移三徑」，此可見退溪欲終老溪堂之決心，後一首之「盤桓暮境心」、「編簡誦遺音」，尤可見其晚年幽棲讀書之樂。退溪於戊午九月晦入都，十月拜成均館大司成，屢以病辭，皆不獲允。是年冬，有「寄南時甫」詩云：

急雨顚風撼夜牀，蘧然驚破夢還鄉。平生不恨儒冠誤，末路深知世事妨。漠漠橋山成久別，蒼蒼蕭寺定何藏。嗟君欲識余心事，請誦衡門第一章。（退溪詩集卷二，葉四五）

此詩緊要處在末二句。衡門，詩經陳風篇名，朱子以爲衡門首章乃「隱居自樂而無求者之詞」，（註三八）此乃退溪之「心事」，然退溪之隱居自樂，又非潔身避世之士可比。觀其所言「平生不恨儒冠誤，末路深知世事妨」句，上句反用杜甫「儒冠多誤身」句意（註三九），以明學問之根柢，立身之依歸。下句「末路」，指晚年，時退溪五十八歲，深知世衰俗末，儒者難以有爲，惟有急流勇退，明哲保身之一途。所謂「深知世事妨」、「世事妨」三字，詞微而有深意。是年退溪有「贈沙門法蓮」詩，末二句云「明年返我迷行駕，衡泌端居樂莫勝。」（註四〇）與此詩末二句同意，而其歸隱之態度則更爲積極。

又退溪曾裒集古今箴銘及贊，切於身心者，名曰「古鏡重磨方」，並有「題古鏡重磨方」詩云：

古鏡久埋沒，重磨未易光。本明尚不昧，往哲有遺方。人生無老少，此事貴自彊。衞公九十五，

懿戒存圭璋。（退溪詩續集卷二，葉二一）

此詩厠於戊午後，庚申前，蓋作於己未，時年五十九。據年譜，退溪於是年十二月，始編宋季元明理學通錄。疑「古鏡重磨方」之內容，與此書不無關係。此詩以鏡喻心，「古鏡重磨」，以喻心學之工夫。首二句喻本心蔽於物欲，治心未易奏功。三四句言良知尚未泯滅，往哲有治心之方。五六句言人生無論老少，皆須自強不息，躬行往哲治心之方。末二句舉衞武公以九五高齡，猶能作懿詩以自戒。（註四一）圭璋，指衞武公之作品。由此詩可見退溪對於心學所持之態度，及其所用之工夫。

庚申年冬，陶山書堂落成，歸隱藏修有所，有以自樂而忘外慕，於道所見益親，所造益深。見諸吟詠者，亦時流露其深造自得之樂。其林居十五詠，有以觀心、存心、樂天爲題者，即此可見其用功之所在，茲錄如下：

觀心

靜中持敬只端襟，若道觀心是兩心，欲向延平窮此旨，冰壺秋月杳無尋。

存心

同醉昏昏儻有醒，最難操守驗鐘聲。直方工力皆由我，休遣微雲點日明。

樂天

聞道樂天斯聖域，惟顏去此不爭多。我今唯覺天堪畏，樂在中間可詠歌。（以上均見退溪詩集卷三，葉四）

第一首「觀心」，主旨是說持敬。持敬之道，延平主張「默坐澄心，體認天理。」（註四二）末句「冰壺秋月」，以喻其心境之清明，語見宋史李侗傳。（註四三）此種清明之心境，乃端襟持敬、「默坐澄心」之效驗。「觀心」之說，出於佛氏，「觀心是兩心」，語本朱子「觀心說」。（註四四）次首「存心」，其工夫全在第三句，「直方」，指「敬以直內，義以方外」，乃存心之要法。（註四五）能敬義夾持，交相爲用，不息其功，操存在我，而後能明此心體，順理應物。末句以「微雲」喻人欲，以「日」喻心體。勿使「微雲點日」，此正操存之關鍵所在。

第三首之「樂天」，退溪認爲已至「聖域」，賢如顏子，猶去此一間，可見其境界之高。然樂天實由畏天而來。天之「堪畏」，由我之「覺」。覺其堪畏，其「畏」始眞。而樂亦在其中。「可詠歌」正寫其樂。

陸、暮年窺得巖棲意，博約淵冰恐自踈

第五期自六十一歲至七十歲，此期共十年，其詩可考者七百首，冠於其他各期。此期之詩，近體詩達六四七首之多，其中七絕四四六首，七律一〇六首。其次爲五絕五八首，五律三七首。古體詩七言十六首，五言十一首，就上述統計數字觀之，七絕之四四六首最多，其次爲七律一〇六首。退溪何以獨喜作七言絕句，良以七絕的停式變化最多，據劉大白之統計，七音停有一百二十八式，可分十六

類（註四六），變化最多，形式複雜，在整齊之中，有參差之美。揚音吐節，有如出於天籟；語近情遙，而有言外之意，楊載詩法家數云：「絕句之法，要婉曲回環，刪蕪就簡，句絕而意不絕。」（註四七）以聲調而論，五言不如七言之「婉曲回環」，使人神遠而有餘韻。

退溪晚年詩作，七絕最多，良以吟詠情性，不得不然。其詩之內容，多與陶山書堂有關。退溪於「陶山雜詠」記中云：

堂凡三間，中一間曰玩樂齋，取朱先生名堂室記「樂而玩之，足以終吾身而不厭」之語也，東一間曰巖棲軒，取雲谷詩「自信久未能，巖棲冀微效」之語也。又合而扁之曰陶山書堂。（退溪詩集卷三，葉七）

此中值得注意者有二事：其一，陶山書堂巖棲軒與玩樂齋之命名，皆本於朱子之詩文，以見其學有所受，而鄭惟一謂退溪「晚年尤喜看朱子詩」（註四八）之語為不虛。其二，玩樂齋與巖棲軒之命名，不可求其意於文字之表象，而實有其更深之義理層次。就巖棲二字言，此本於朱子雲谷二十六詠之「晦菴」（註四九）詩中所云「示我一言教」，即指「晦」字。而屏山教朱子有「木晦於根，春容曄敷，人晦於身，神明內腴」之語（註五〇）屏山即朱子師劉子翬。退溪以巖棲名軒，實涵「晦身」之義。故其巖棲軒詩云：

曾氏稱顏實若虛，屏山引發晦翁初。暮年窺得巖棲意，博約淵冰恐自疎。（退溪詩集卷三，葉十一）

此詩緊要處在末句，博約相益，此爲學之工夫，冰淵自懍，此保身之態度，所謂「巖棲冀微效」，巖棲而不息其功，則「神明內腴」之效可期。

次就玩樂二字言，退溪取朱子名堂室記「樂而玩之」之語以名齋，而朱子之意，以持敬明義，動靜交相爲用，有合乎周子太極之論，又知天下之理，莫非貫乎一者，是以樂而玩之，固足以終吾身而不厭，何暇外慕者哉？（註五一）退溪取以名齋，意在效法朱子，以自警自勉，此可從其玩樂齋詩見之：

主敬還須集義功，非忘非助漸融通。恰臻太極濂溪妙，始信千年此樂同。（退溪詩集卷三，葉十一）

此詩首句言敬義工夫不可分，朱子謂「靜則察其敬與不敬，動則察其義與不義。須敬義夾持，循環無端，則內外透澈。」（註五二）可見敬義只是一事。次句「非忘非助」，乃持敬之態度，「漸融通」乃持敬之效驗。三句謂動靜交相爲用，有合乎濂溪太極之論，末句始信此樂古今相同。齋云玩樂者，謂玩味此理，融通無礙，而後能生意盎然，蓋工夫至處，自有眞樂。

退溪之陶山雜詠，凡得七言十八絕。而巖棲、玩樂二詩，頗有「畫龍點睛」之妙，故略爲疏通說明，以見其用功之所在。此外，又有五言二十六絕，退溪陶山雜詠記所謂「道前詩不盡之餘意」，觀其詩題，雖皆寫眼前之景，而其寓意，固別有在，其逐題之下，又有四言詩一章，意同小序。在退溪詩中，別立一格。茲錄二首，以爲一臠之嘗。

山泉卦爲蒙，厥衆吾所服。豈敢忘時中，尤當思果育。

蒙 泉

庭 草

庭草思一般，誰能契微旨？圖書露天機，只在潛心耳，（以上見退溪詩集卷三，葉十四）

蒙泉題下詩云：「書堂之東，有泉曰蒙，何以體之？養正之功。」所謂「養正之功」，是此詩主旨所在。山下出泉，爲蒙之象，君子體此，當思果行育德，使其正常發展。「時中」二字，見於蒙卦象辭，當其可之謂時，時中謂適得其中。「豈敢忘時中」？此其自警自勉，溢於言表。

庭草題下詩云：「閑庭細草，造化生生，目擊道存，意思如馨。」「目擊道存」，語見莊子田子方篇。（註五三）此指心契乎道，不待言說。首句用周濂溪故事，濂溪言庭草不除，與自家意思一般。（註五四）其好生之意，與天地生意一般，此旨誰能會得？圖書指周子太極圖及通書，圖書義理精微，洩露天機，周子之深造自得，惟在潛心默契。小序所云「目擊道存，意思如馨」，亦是潛心契道，思到精處，則義精仁熟，意思如馨。而有「仁者渾然與物同體」之妙（註五五）

陶山書堂有節友壇，退溪以松竹梅菊蓮爲節友，於節友中，獨酷愛梅，退溪有「節友壇梅花暮春始開」和湖堂詠梅詩，其小序云：「追憶往在甲辰春，在東湖訪梅於望湖堂，賦詩二首，忽忽十九年矣。因復和成一篇，道余追舊感今之意，以示同舍諸友」，其詩云：

青春欲暮嶠南村，處處桃李迷人魂。眼明天地立孤樹，一白可洗羣芳昏。風流不管臘雪天，格韻更絕韶華園。道山疇昔幾仙賞，廿載重逢欣色溫。臨風宛若西湖伴，對月不覺東方暾。問我緣何太瘦生？白首長屏雲巖門。向來自有烟霞疾，今者何須蘭臭言。天涯故人不可見，與爾日飲無何罇。（退溪詩集卷三，葉三八）

退溪此詩作於壬戌暮春，時年六十二，上距湖堂詠梅詩之作，已有十九年之久，此詩「追舊感今之意」，可略窺其心路歷程之不同。詩中「眼明天地立孤樹，一白可洗羣芳昏」，「一白」寫素梅之色，「眼明」見「一白」之光。天地之間，惟此孤樹，傲然獨立，出類拔萃。皎然一白，可洗羣芳之昏。此象徵其人格之高潔，自負之不凡，頗有君子德風、存神過化之影響力。其下「風流不管臘雪天，格韻更絕韶華園」，見其冰雪清操，堅貞不移，格韻高絕，獨樹清標。至其所云「問我緣何太瘦生？白首長屏雲巖門。向來自有烟霞疾，今者何須蘭臭言」。則語帶雙關，寫梅亦以自況。「長屏雲巖」，「烟霞痼疾」，乃退溪之素懷，人生到此，有梅爲伴，雖蘭臭之言，亦屬多餘。此詩斂華就實，簡淡如出天籟。與十九年前之原作，迥然不同。原詩充滿幻想，有濃厚之遊仙色彩，且文辭華麗，多用典故。此詩由絢爛歸於平淡，有不食人間烟火之高致。

退溪詩的心路歷程，是儒者無限修行之歷程，此種歷程，與日俱進，亦與日俱新，同一詩題，由於歲月之洗禮，經驗之累積，工夫之磨鍊，涵養之進階，其所表現之詩境，亦有不同之層次。此就上述和湖堂詠梅詩，可以知其端倪。

此外，退溪於丁未三月，寓月瀾庵，有戲作七臺三曲詩，題下小序云：「月瀾庵近山臨水，而斷如臺形者凡七，水繞山成曲者凡三。（註五六）其七臺爲招隱、月瀾、考槃、凝思、朗詠、御風、凌雲。七臺詩皆爲五言古詩，其後乙卯，退溪有「遊月瀾庵」三首七律，前已述及。又其後乙丑，有「遊月瀾庵」七絕，而其題與丁未七臺詩題完全相同。所不同者，丁未爲五古，乙卯爲七律，乙丑爲七絕。此古律絕之不同，亦可顯示退溪所好之層次。在退溪詩集中，古詩最少，七絕最多。十九年前之丁未，有五言十一首，七絕三十四首，而十九年後之乙丑，有七絕六十一首，五古則付諸闕如。是退溪七絕之作，與年俱增，（註五七）以其近於天籟，有契於退溪自然之性。茲錄月瀾七絕之前二首如下：

招隱臺

招招幽隱歷崎嶔，抱犢山中莫苦心。豈識幽人無苦事，反招歌罷入雲深。

月瀾臺

不到瀾臺今幾年，明窗一室坐如禪。憶曾感慨西林意，秋月冰壺尙杳然。（退溪詩集卷四，葉二十）

招隱詩首句言招隱所歷之境，次句言隱者莫以居山爲苦，抱犢山爲隱者所居之地。（註五八）三句反承次句之意，幽人乃退溪自況。末句云隱居之樂，反招原指王康琚之反招隱詩，退溪乃反用康琚反招之意，即九曲櫂歌「大隱還須隱藪林」之意也。（註五九）而退溪當年招隱五古之末二句云：「永懷不易見，躊躇長太息」（同註五六），兩者相較，層次自見。

月瀾詩首句以追舊興感，退溪不到瀾臺，今十九年矣。次句「坐如禪」乃形容其虛靈不昧之心境。三句指十九年前所作「和西林院詩韻」二首。（註六〇）末句言契道之難，欲此心如「秋月冰壺」，此非可「坐如禪」而能。退溪有明誠齋詩云：

明誠旨訣學兼庸，白鹿因輸兩進功。萬理一原非頓悟，眞心實體在專攻。（退溪詩集卷五，葉四十一）

明誠兩進，內外合一；眞心實體，敬義夾持，至於用力之久，工夫純熟，自能清明在躬，心安理得。退溪此詩，作於庚午，庚午乃退溪卒年，於此可見退溪詩的心路歷程，乃是「於穆不已」、「下學上達」的無限修行過程。

柒、結論

退溪爲理學名儒，理學宗旨，在於明德修身，弘道安人。學詩所以涵養性情，陶鑄品格。其人恬淡寡欲，襟懷灑落，又能窮理致知，反躬踐實。至於用力之久，功夫純熟，學養深厚，始能體道悟眞，而造其極。黃黎洲云：「詩也者，聯屬天地萬物，而暢吾之精神意志也。」（註六一）是以味其詩可以觀其志意，誦其辭可以知其學養。良以詩爲心靈之語言，人品之標幟。退溪之詩，多達二千餘首，本文所述，僅及全詩五十分之一，以此極少數之作品，來看退溪詩之心路歷程，有如以管窺豹，不無以偏概全之嫌。然而嘗肉一臠，能識鼎中之味，由退溪詩之「吉光片羽」，亦可略窺其精神面貌，以爲研究退溪理學之一助。本文所錄「石蟹」詩，乃退溪十五歲時所作，而「明誠齋」詩，乃其七十歲所作，首尾宛然，由志學以至於成德，其心路歷程，躬修之跡，亦有可得而言者，此本文之所由而作也。

至於本文將退溪詩分爲五期，亦即顯示其心路歷程之五個階段。此五個階段，有其進道之層次，亦有其一貫之精神。第一期由「石蟹」詩已微露守分自安之意，而其「芝山蝸舍」詩，充滿閒適之趣，頗有樂在其中，不願乎外之意。蓋內有所重，則外有所輕，此期由志學以至於有立，進步之跡，顯而易見。第二期初入仕途，事與願違，不幸喪母，形神交瘁，此期作品，充分流露出不樂仕宦、心存丘園的情懷。第三期爲退溪詩之轉捩期，此期由於仕途多舛，權奸用事，退溪知道不行，決意急流勇退，乞身避位，出補郡守。此期之詩，多遊仙思想，（註六二）富養眞之情。第四期爲低潮期，此期作詩不多，身居魏闕，心存丘園，屢乞致仕，皆不獲允。然「朱子書節要」、「答奇高峯辨四端七情」，皆在此時完成。此期於道所見益親，所造益深。其詩充滿隱居求志，樂道順天之思。第五期作詩最多，蓋因陶山書堂落成，得遂巖棲之願，且有藏修之所，造道益深，而功夫益密。明誠兩進，而冰淵自懍。襟懷如秋月冰壺，造詣如爐火純青。茲錄其「齋中夜起看月」一首七律，以略窺其用功之梗概。

精一齋中玩月明，拓窗孤坐湛凝情。梧桐漸轉空階影，蟋蟀無停暗壁聲。四序迭侵人易感，一宵全寂院逾清。神襟了了燭幽鑑，更覺先賢爲後生。（退溪詩集卷五，葉三六）

詩後自註：「右示金彥遇、李大用、趙士敬、金愼仲、琴聞遠、金惇敍、琴壎之、尹起伯、朴居中、兼示姪宰、孫兒安道、純道，時共讀心經，故於末及之。」

此詩爲退溪卒年所作。自註云：「時共讀心經」，是退溪至老猶以心經爲教，心經爲心學之淵源，亦爲修道之指針。於此可見退溪用功之所在。此詩首句以「精一」名齋，「精一」二字，乃「惟精惟一」之省，此乃心學之切要工夫，而相傳舜禹授受之十六字，即心學之淵源。宋眞德秀所編之「心經」，即以此十六字冠於首篇。此詩結句之「燭幽鑑」三字，（註六三），即指「心經」一書。意謂研讀「心經」，能使人「神襟了了」，有得於心，有契於道。此種功效，即「先賢爲後生」之處。用「更覺」二字，以見其感受之深切。此種感受，發自體道悟道之眞知實得，非泛泛應酬之辭。至於其爲學之一貫精神，要不外「眞」與「敬」二字，「眞」是赤子之心，乃儒者之本色。「敬」是心之主宰，乃聖學之工夫。退溪有句云：「一寸膠無千丈渾，玉淵秋月湛寒源」（居敬齋，文集卷五）寸膠喩敬，淵月喩心。此說明主敬之工夫，便是去欲明心之要法。而儒者之本色，亦由此充分表現。

【附註】

註　一：退溪全書，册三，續集卷二，葉三九。

註　二：葉燮原詩外篇。

註　三：退溪全書，册一，文集卷五詩，葉一五四。

註　四：退溪全書册四，葉三四，言行錄卷二，月川日記。

註　五：退溪全書，册二，葉五二九，喜林大樹見訪論詩。

註　六：參見郭紹虞中國文學批評史，第一章第一節，孔門之文學觀。

註　七：據拙著退溪詩學附表二之統計，共達二〇一三首，見該書一八〇葉，退溪學研究院刊本。

註　八：見拙著退溪早年的幾首七絕，刊於檀國大學校中國文學報，第四號，一九八〇年一月出版。

註　九：退溪全書册二，葉五二三。

註一〇：明道文集卷一，葉一，偶成，見二程全書册二，中華書局，旁人，性理大全卷七十作「時人」。

註一一：朱子評明道「偶成」末二句云：「此是後生時氣象，眩露無含蓄」，見性理大全卷五六，葉八六〇。

註一二：退溪於癸卯「奉酬聾巖李先生靈芝精舍詩」序中說：「吾鄉靈芝山有佛舍，滉舊嘗往來讀書，而山後亦有小築，宦游思歸而未得，因自號靈芝山人」云云，見退溪全書册一，葉五四。

註一三：退溪全書册四，葉一〇三，言行錄卷五，類編。

註一四：孟子離婁上：「有孺子歌曰：滄浪之水清兮，可以濯我纓；滄浪之水濁兮，可以濯我足。」

註一五：退溪全書册一，葉一一二有「四月既望，濯纓泛月，令審、安道、德弘，以明月清風分韻得明字。

註一六：三國志魏書卷二十七徐邈傳：「鮮于輔曰：平日醉客，謂酒清者爲聖人」，晉書卷九十四魯褒傳，褒著錢神論，有「親之如兄，字曰孔方」之語。

註一七：相傳老子乘青牛車，出函谷關，有紫氣浮上。杜甫秋興詩有「東來紫氣滿函關」，即用其事。又唐賀知章請爲道士，還鄉。詔賜鏡湖剡川一曲。見新唐書卷一九六隱逸傳。

註一八：明宗九年乙卯，即明世宗嘉靖三十四年，西元一五五五年。退溪有「知中樞聾巖李先生挽詞」二首，中有「寵眷三朝厚，風流一代尊」之句，見退溪詩集卷二。

註一九：見靈澈上人「東林寺酬韋丹刺史」詩，其詩前二句爲「年老心閑無外事，麻衣草座亦容身」，載於全唐詩卷八一〇，韋丹寄靈澈上人思歸絕句：「王事紛紛無暇日，浮生冉冉只如雲。已爲平子歸休計，五老巖前必共聞」，見全唐詩卷一五八。

註二〇：退溪「玉堂憶梅」詩，其前二句是：「一樹庭梅雪滿枝，風塵湖海夢差池。」，見退溪全書冊二，退溪詩外集，葉五四七，亦見退溪全書冊四，言行錄卷六，年譜上，二十一年壬寅。

註二一：退溪全書冊一，文集卷一詩「夕霽舟上示應霖、景說」末二句，葉五〇。

註二二：退溪全書冊一，文集卷十，葉二八二。

註二三：參見拙著「退溪詩學」，葉一九三。

註二四：見陶淵明集校箋卷三，葉一一八，「辛丑歲七月赴假還江陵夜行塗口」詩，其末二句云：「養眞衡茅下，庶以善自名。」明倫出版社，又案：文選卷二六李善注：曹子建辯問曰：「君子隱居以養眞也。」

註二五：見退溪全書冊四，葉四五一「退溪文集考證」卷一引「江錄」。案江錄，謂三江齋儒所傳錄者。

註二六：安裕（西元一二四三——一三〇六）號晦軒，韓高麗朝名臣，興州人，西元一二八六年隨忠烈王至燕京，攜回朱子書，卒諡文成，周景遊爲豐基郡守，立安文成祠於古興州竹溪上。豐基白雲洞有書院，即周氏所建。退溪有「

白雲洞書院示諸生詩」(退溪詩集卷一，葉四一)卽詠其事。

註二七：見論語子罕篇。

註二八：中庸二十八章：子曰：「愚而好自用，賤而好自專，生乎今之世，反古之道，災及其身者也。」

註二九：見「石崙寺效周景遊次紫極宮感秋詩」之末二句，據詩前之序，時退溪四十九歲，見退溪詩集卷一，葉四二。

註三〇：愁人句見退溪全書册二，葉五二八，別集卷一「喜林大樹見訪論詩」；閒思句見退溪全書册一，葉八一，詩集卷二「次韻林大樹四首」之一。

註三一：朱子有雲谷雜詩十二首，每首五言六句，退溪效其體，用其韻。玆錄其首尾二詩如下：登山，夕陽翳東峯，微月下西嶺。不辭青鞋穿，陟此巖路永。巖路永且躋，中情何耿耿。還家：出去柴門掩，歸來蕙草秋。素菸林下吐，清芬衣上浮。欲寄山中友，日暮悵離憂。

註三二：退溪自云：「往在乙亥春，叔父松齋遊山，寓上清凉庵，滉與諸兄弟侍」，見退溪全書册一，卷二，葉八九，「示諸姪孫二首」序。又於「周景遊清凉山錄跋」文中云「滉少小從父兄負笈𥲤，往來讀書於此山，不知其幾也。」見退溪全書册二，卷四三，葉三七四。

註三三：見李退溪小傳「清凉山略志」，葉一八八，鄭飛石著，丁範鎮、陳祝山譯，國立臺灣師範大學退溪學研究會發行。

註三四：見退溪所著「周景遊清凉山錄跋」，退溪全書册二，卷四三，葉三七四。

註三五：近思錄卷五：「明道曰：獵自謂今無此好。」周茂叔曰：「何言之易也，但此心潛隱未發，一日萌動，復如前矣。後十二年因見，果知未也。」本註云：「明道年十六七時，好田獵，十二年暮歸，在田野閒見田獵者，不覺有喜心。」又朱子曰：「嘗記少年時在同安，夜聞鐘鼓聲，聽其一聲未絕，而此心已自走作，因此警懼。見王懋竑朱子年譜二十六年丙子條。

註三六：上蔡語錄下：透得名利關，便是小歇處。伊川歸自涪州，氣貌容色髭髮，皆勝平昔。門人問何以得此。先生曰：學之力也。見二程全書冊二，外書十二，葉八，中華書局，四部備要本。

註三七：陶山門賢錄卷一，黃仲舉「結錦陽精舍，以爲藏書講道之所。癸亥棄官歸，道卒，年四十七。」見退溪全書冊四，葉三二六。

註三八：見朱子詩經集傳卷七，葉八二，華正書局。

註三九：杜甫奉贈韋左丞丈二十二韻，見杜詩鏡銓卷一，葉二四，華正書局。

註四〇：退溪全書冊三，葉四三。

註四一：國語卷一七楚語上：「昔衞武公年數九十有五矣，猶箴儆於國曰：「自卿以下，至於師長士，苟在朝者無謂我老耄而舍我。」於是乎作懿戒以自儆也。韋昭謂「懿，詩大雅抑之篇也。懿，讀之曰抑。毛詩序曰：抑，衞武公刺厲王，亦以自儆也。」

註四二：見宋元學案卷三九豫章學案，亦見宋史卷四二八，葉十六。

註四三：鄧迪嘗謂朱松曰：「愿中如冰壺秋月，瑩徹無瑕。」延平字愿中，見宋史卷四二八，葉十七。

註四四：朱子「觀心說」云：「以心觀物，則物之理得。今復有物以反觀乎心，則是此心之外，復有一心而能管乎此心也。」見朱子大全卷六七，葉十九。

註四五：朱子「觀心說」云：「存心云者，則敬以直內，義以方外，若前所謂精一操存之道也。」卷葉同前。

註四六：見劉大白「中國舊詩篇中的聲調問題」，載於「中國文學論叢」一九九頁，明倫出版社。

註四七：見歷代詩話册二，葉七三三「詩法家數」絕句條，漢京文化公司。

註四八：見鄭惟一撰「言行通述」，載於退溪全書册四，葉二〇。

註四九：朱子雲谷二十六詠，晦菴云：「憶昔屏山翁，示我一言教。自信久未能，巖棲冀微效」。見朱子大全卷六，葉十五。

註五〇：語見朱子「名堂室記」，朱子大全卷七八，葉五。

註五一：詳見朱子「名堂室記」，見朱子大全卷七八，葉六。

註五二：朱子語類卷一二，葉一四。

註五三：莊子田子方：子路曰：「吾子欲見溫伯雪子久矣，見之而不言，何邪？」仲尼曰：「若夫人者，目擊而道存矣，亦不可以容聲矣。」宣云：「目觸之而知道在其身，復何所容其言說邪。」

註五四：程明道曰：「周茂叔窗前草不除去，問之，云：與自家意思一般。」見二程遺書卷三，葉二。

註五五：明道語，見二程遺書二上，葉三。

註五六：退溪全書，册一葉六二。

註五七：參見拙著「退溪詩學」，葉一七八、一七九，退溪詩統計年表。

註五八：抱犢山在山東嶧縣北，昔有隱者抱一犢於其上以墾種，因以爲名。

註五九：語見退溪全書册一，葉六四。

註六〇：退溪和西林院詩韻二首：其一：「似與春山宿契深，今年芒屩又登臨。空懷古寺重來感，詎識林中萬古心。」

其二：「從師學道寓禪林，壁上題詩感慨深。寂寞海東千載後，自憐山月映孤衾。」見退溪全書册一，葉六二。

註六一：見南雷文定四集卷一「陸鈞俟詩序」。

註六二：詳見拙著「退溪詩的夢與願」一文。七十四年十一月二十六日在漢城市新聞會館演講。

註六三：程敏政「心經附註序」云：「所謂指南之車、燭幽之鑑」，引見「李退溪全集」下册，葉四一六，退溪學研究院影印日本刻版。

退溪與梅花精神

一、此次會議意義重大

今天是紐約退溪學研究會的成立大會，也是退溪學巡廻演講會首次在紐約舉行，本人應邀致詞，感到非常榮幸。

退溪學與新儒學國際學術會議，到今天共舉行六屆，以前五屆都是在亞洲舉行，地點包括韓國漢城、日本東京、和中華民國的臺北。而這次的國際會議，是在美國麻省的哈佛大學舉行。會後並在美國的紐約、華府、夏威夷等五大城市，舉行退溪學巡廻演講會，這實在是空前的盛事，也是一項重大的突破。這項突破，使退溪學由亞洲伸展到美洲。據悉，明年的退溪學國際會議，計畫在歐洲的西德召開，這顯示出主辦單位眼光的遠大，也說明了退溪學不僅爲東方學者所尊崇，亦爲世界人類所仰慕。

退溪祖述孔孟，憲章程朱，於朱子書用功最深，其學以居敬窮理爲主，而能精思力踐，溫故知新，崇禮尙義，擇善固執，深造於眞知實得的境界，蔚爲海東儒學的主流。不僅澤被韓國，宗師百世；其餘波所及，遠啓日本藤原、山崎、大塚諸儒學派。而這次退溪學國際會議在美國舉行，其意義特別重大，必將有助於東西文化的交流，自不待言。

二、補救西方文化缺失

尤有進者，今日科技高度發達，物質文明日新月異，一般人沈溺於「物質世界」，醉心於「功利世界」，人慾橫流，道德式微，核子擴散的危機，更令人惶惶不安。有識之士，莫不引以爲憂，深恐科技的終點，就是世界的末日。而挽救之道，只有回歸人文科學，注重精神文化，使人心收拾向裏，自作主宰，堤高生活品質，開拓「精神世界」，重整「道德世界」，以追求完美的人生。而代表東方文化精神的儒家思想，其重視倫理道德的優良傳統，明善誠身的修養方法，是「放之四海而皆準，百世以俟聖人而不惑」的眞理。退溪學和近世儒學，就是中國儒家思想的一脈相傳。儒家思想可以補救西方文化的缺失，這是不爭的事實。然而，理須講論而後明，德須漸修而後成。退溪是一位注重眞知實得的道德實踐家，他的動靜語默，一言一行，都足以爲後人效法。眞可說是「不離日用常行內，直到先天未畫前」。他的人生修養，是以天人合一，超凡入聖爲最高境界。而其下學工夫，不外乎敬義夾持，明誠兩進，自作主宰，硬擔勇荷，不倚靠他人，不等待來日，當下用力，前進不已，眞積力久，自然水到渠成，自然氣質變化。

三、自己與梅融爲一體

退溪本少宦情，不慕紛華，對於世間的毀譽榮辱，窮通得失，一切置之度外。他的出處進退，皆以義爲準。平居樂道順天，自甘淡泊，動靜語默，各有其節，各得其宜。不欺暗室，不言人過，視軒冕如泥塗，視富貴如浮雲，其心如冰壺秋月，其德如泰山喬嶽。志存丘壑，酷愛梅花，曾手書梅花詩帖。他以隱逸的本性，發爲愛梅的至情，以愛梅的至情，寫成體物的詩篇。透過移情的作用，運用象徵的筆法，將他自己和梅花融成一體。在退溪的筆下，梅花無異是他自己的化身。

四、雪虐風饕氣節堅貞

中國古代的詠梅詩，自南北朝的鮑照、何遜以後，代不乏人，到了趙宋時大爲盛行，其中尤以林逋最爲著名。林逋隱居西湖孤山，種梅蓄鶴爲伴，人稱他是梅妻鶴子，仁宗天聖六年逝世，賜謚和靖先生。和靖是一位「獨善其身」的隱君子，他有八首詠梅詩，其中「疎影橫斜水清淺，暗香浮動月黃昏」一聯，傳爲千古絕唱。其實，更富情致的是此詩起首兩句：

衆芳搖落獨暄姸，占盡風情向小園。

這兩句頗有「獨清獨醒」的高致，和「出類拔萃」的豪情。退溪心儀和靖，在其詠梅詩中，常引用孤山梅隱的故事，表示對和靖的尊崇，藉以寄託自己的情懷。退溪有一首「奉酬金愼中詠梅」絕句，其最後二句是：

萬紫千紅渾失色，小園驚動兩三枝。

這與和靖的「衆芳搖落獨暄妍，占盡風情向小園」的名句實有異曲同工之妙。梅花有君子的品德，有貞士的氣節。退溪有詠梅絕句云：

雪虐風饕戰許條，摧傷烈氣更貞孤。

梅條奮勇作戰，不畏「雪虐風饕」，雖被「摧傷烈氣」，更能顯其貞孤。這種奮戰不懈的勇氣，堅貞不二的節操，也就是孟子所說「威武不能屈」的精神。陸放翁的詠梅名句：「零落成泥碾作塵，只有香如故」，可與退溪此詩先後輝映。「香如故」，可見其貞心不改，「更貞孤」，尤足見其勁節高風。

楊維楨詠梅詩說：「萬花敢向雪中出，一樹獨先天下春」「敢向雪中出」，這是勇者的表現，「一樹獨先天下春」，這是仁心的發露。有大仁而後有大勇，鬥雪報春的寒梅，顯示了「數點梅花天地心」的仁德。退溪的愛梅詠梅，不止是娛目適情，而實有其孤懷高致。

五、强哉矯的君子精神

中韓兩國在地理上唇齒相依，在文化上同出一源，而且都是東方文化的先進，這是一種崇尚倫理，愛好和平的文化。由這種文化所孕育出來的退溪學，自然有其厚生廣生的懷抱，和可大可久的精神，值得我們崇敬和效法。

退溪所愛的梅花，也就是中華民國的國花，這不是巧合，而是「人同此心，心同此理」。梅花的堅忍耐寒，不畏風雪，象徵「強哉矯」的君子精神。退溪藉詠梅的詩篇，寄託其偉大的情懷，在退溪的筆下，梅花精神也就是退溪精神。由於梅花是中國的國花，所以在中國人的觀念中，梅花精神就是中國的民族精神。

現在中韓兩國面臨共黨侵略的威脅，國土分裂，河山破碎，億萬同胞失去自由，亟待我們去解救。梅花不妥協，不屈服的精神，就是反共產，反奴役的表徵。孟子說：「窮則獨善其身，達則兼善天下」，發揚梅花「強哉矯」的君子精神，「障百川而東之，挽狂瀾於既倒」，正是當代中韓學人義不容辭的責任。

梅花鬪雪，芳香不染。志士愛國，奮鬪不懈。我們要作文化的尖兵，反共的後盾，以實際有效的行動，爲中韓兩國共同的目標，崇高的理想而努力，而奮鬪。

（一九八三、十、十四于紐約）

貳、哲學篇

退溪的心學

一、心學之源流

聖賢之學，心學而已。古無心學之名，未必無心學之實。論語載堯命舜曰：「允執其中」（堯曰），舜中之以命禹，而加人心道心、危微精一諸語於其上（註一），中者，無過不及，恰到好處之謂。古代帝王憑其行政經驗，了解中道之理，用以治理天下國家。前乎堯舜者，如黃帝得道之中以制法度（註二），帝嚳溉執中而徧天下（註三）；後乎舜禹者，有湯之執中（孟子離婁下），盤庚之設中（註四），而洪範之建用皇極，皇極，即大中也。（註五）。其下文又云：「無有作好，遵王之道；無有作惡，遵王之路。」不偏作好惡，自能合乎中道。中者，人心同然之理，事物當然之則。故聖人貴中，君子守中。心法之要，無以易此。

孔子祖述堯舜，憲章文武。易之象傳，言中者三十五，象傳言中者三十八，意在「用其中於民」。而繫辭則謂「聖人以此洗心，退藏於密」。既洗其心，則渾然天理，清明在躬。退藏於密，則寂然不動，感而遂通。論語及中庸，直接間接言「中」之處甚多。孔子嘗歎「中庸之爲德也，其至矣乎，民鮮久矣！」（雍也）又謂：「不得中行而與之，必也狂狷乎！」（子路）中庸、中行、名異而實同（註六），中道雖爲日用常行之道，然求其能眞知而力行者，實不多見，故孔子有「道之不明」、「道之不行」之歎（註七）。孔子於弟子中，惟贊顏回能擇乎中庸。其言曰：「回之爲人也，擇乎中庸，得一善則拳拳服膺而弗失之矣。」（中庸）就精一言，「擇乎中庸」是精，「得一善則拳拳服膺」是一。擇之不精，則中不可得；守之不一，則用必難致。故必須既精且一，智及仁守，則心之所發，身之所爲，始能合乎中道。孔子四勿二如之教，曾子三省三貫之功（註八），皆所以存養此心，故李退溪云：「孔門未嘗言心學，而心學在其中。」（註九）

孟子道性善，全書七篇，言心之處百餘見，謂學問之道，在求放心、復本心、盡其心、存其心。嘗引孔子之言曰：「操則存，舍則亡，出入無時，莫知其鄉，」惟心之謂與！（告子上）蓋心之本體，原無出入，逐物便流，有私即放，操之則存，舍之則亡。孟子言求放心，又言充四端，求放心即是存其心，充四端即是盡其心。能存心則心無不正，能盡心則心無不仁。心學至孟子而加詳，韓文公謂「孟子之功，不在禹下」（註一〇），豈虛言哉！

隋王通作中說，歷言治中、守中、執中之理，且引大禹謨十六字爲證，以明心法之要。其言雖有未純，然亦有可觀者。程子稱其人爲隱君子（註一一）朱子謂其學近正，其言有荀、楊道不到處（註一二）。北宋周敦頤，著太極圖說，主張「主靜立人極」。太極圖雖係晚出，非周易正宗。然其發明道體，超然獨得，爲前此儒家所未道。朱子編著近思錄，首錄太極圖說，退溪進獻聖學十圖，以太極圖居首。又周子通書，以誠爲本體，以思爲工夫，以大中爲極則，其言直指本心，有功聖學。二程少受學於濂溪，均善言中道。濂溪曾教其尋孔顏樂處（註一三）。孔顏之樂，即是心學之樂。明道云：「君子之學，莫若廓然而大公，物來而順應」（註一四），其識仁篇謂「仁者渾然與物同體」，並以誠敬爲存仁之功夫。伊川之學，以誠爲本，以敬爲要。謂「誠然後敬，未及誠時，卻須敬而後能誠」（註一五）。又爲「主一無適」之解，反覆發明「敬」之義蘊，庶幾學者有所持守，以爲超凡入聖之地。

南宋朱子，集北宋諸儒之大成，其學多得力於伊川。其言曰：「夫持敬用功處，伊川言之詳矣。只云：但莊整齊肅，則心便一，一則自無非僻之干。伊川又言：涵養須用敬，進學則在致知。又言：入道莫如敬，未有致知而不在敬者。考之聖賢之言，如此類者亦衆。是知聖門之學，別無要妙，徹頭徹尾，只是箇敬字而已。」（註一六）朱子生平爲學工夫，不外「居敬窮理」，此種工夫，乃本於伊川「涵養須用敬，進學在致知」之主張。朱子云：「學者工夫，唯在居敬窮理二事，此二事互相發，能窮理則居敬工夫日益進，能居敬則窮理工夫日益密。」（註一七）居敬窮理二者，如車兩輪，如鳥兩翼，不可偏廢。窮理以明之，居敬以養之。「持敬是窮理之本，窮得理明又是養心之助。」（同註一七）居敬窮理，只是一事。

朱子居敬窮理之說，乃聖學之綱領，存養之要法。此說後來影響退溪極大。與朱子同時之陸象山，其學直承孟子，以發明本心爲始事，主張「先立乎其大者」，早悟「宇宙便是吾心，吾心即是宇宙」

（註一八），嘗言「顏曾從裏面出來，他人外面入去。今所傳者，乃外入之學」（註一九），象山之意，蓋以程朱之學爲「外入之學」，以已學爲「內出之學」。朱子亦謂「大抵子思以來教人之法，惟以尊德性、道問學兩事，爲用力之要。今子靜所說專是尊德性事，而熹平日所論問學上多了。」（註二〇）此亦可見朱陸之異同。然朱子有取於范氏心箴，又爲觀心說，求放心齋銘（註二一），是朱子固未嘗忽視尊德性也。

二、心經之影響

退溪之心學，遠宗孔孟，近法程朱。十二歲時，受論語於其叔父松齋，至「弟子入則孝，出則弟」，惕然自警曰：「人子之道，當如是矣」。一日，將「理」字問松齋曰：「凡事之是者是理乎？」松齋喜曰：「汝已解文義矣。」（註二二）十六七歲時，已志於學，十八歲題池上草亭詩云：

露草夭夭繞水涯，小塘清活淨無沙，雲飛鳥過元相管，只怕時時燕蹴波。（註二三）

此詩以小塘之清淨，喻心體之清明，以燕蹴波喻物欲干擾心體。退溪弟子金誠一言此詩「其意深長，與觀書有感之詩同意」（註二四）又其弟子金富倫，謂此詩「天理流行，而恐人欲間之」（同註二三），所論甚是。退溪以十八歲之年，即能有契於心性之學，以冰淵自懔之情，爲意味深長之詩，可見其慧根夙具，識趣不凡。

又退溪自言「十九歲時，初得性理大全首尾二卷，試讀之，不覺心悅而眼開，玩索蓋久，漸見意味，似得其門路，自此始知性理之學，體段自別也。」（同註二二）所謂「心悅眼開」，可見其所好；「玩索蓋久」，可見其好之之篤；「漸見意味」，可見其涵泳之深；「似得其門路」，可見其有得於心，有契於理。

然對退溪影響最深者，則爲心經附註一書（註二五），退溪弟子李德宏云：

先生嘗訪上舍姓黃人，始見心經附註，心甚愛之。其爲註皆程朱語錄，人見之或不分句讀，惟先生閉門數月，沈潛反覆，或驗之踐履之實，或察之義理之精，或以文義推之，或以他書考之，久久思量，自然心會。（註二六）

退溪研讀心經，至於「閉門數月，沉潛反覆」，驗之踐履，察之義理，其優游涵泳，切己體察，精思力踐，有如此者。退溪與弟子趙士敬書，論及心經附註云：

滉鄙陋無聞，幸於此經此註中，略有窺尋路脈處，年來隨分用功，多在這裡。只默念聲誦其經文，已覺一生知得不能盡，行得不可窮。矧乎附註，實濂洛關閩之淵海，每入其中，不自勝其望洋向若之歎也。（註二七）

又其弟子金誠一云：「辛酉冬，先生居陶山玩樂齋，鷄鳴而起，必莊誦一遍，諦聽之，乃心經附註也。」（註二八）退溪對於心經，口誦心惟，身體力行，愛好之深，老而彌篤。至彌留之際，猶命其孫安道云：「前日所校慶州本心經，爲某人所借去，汝可催還，因便送傳韓參奉，使之釐正板本中訛舛可也。」（註二九）嘗自言：

吾得心經，而後始知心學之淵源，心法之精微，故吾平生信此書如神明，敬此書如嚴父。（同註二六）

退溪尊信心經，如神明，如嚴父，又能體之於身，驗之於心，見之於行。其平居教人，亦以心經爲先。認爲「初學下手用功之地，莫切於心經一部」（註三〇）曾教弟子鄭子中「以一部心經，爲早晚誦習夾輔用功之地」（註三一），其弟子李德宏，每以心經相質。趙士敬以爲心經舊註疎脫，欲去舊註，退溪教其「虛心遜志，尊尚其書」，勿以抉摘文字瑕痕爲務（同註二六）。又黃仲舉致書退溪，指摘心經「漫無統紀」，且謂附註「擇焉不精」，退溪爲書力辨其非，反斥仲舉有「務高喜事之弊」（註三二）退溪嘗與諸生通讀心經，難疑答問。曾與具汝膺書云：

易東相聚，固是好事，共讀心經，甚有議論，從前看未透處，看未盡處，得以看透了，看到盡底，或有謬誤看處，因得省改，麗澤相資，古人所樂，方信不我欺也。諸人旣去後，或能接續其功，久而不已，安知其不有所得。（註三三）

退溪常與弟子相聚，共讀心經，講習討論，而有「麗澤相資」之樂。然退溪所重者，則在「接續其功，久而不已」，期能消除病痛，變化氣質，退溪嘗引朱子之言曰：「知其病而欲去之，則只此欲去之心，便是能去之藥」（註三四），能知其病，痛下鍼砭，工夫到處，效驗必著。

三、主敬與窮理

心經一書，其主要精神，不外「敬」字，心經贊云：「相古先民，以敬相傳，操約施博，孰此爲先」（註三五）。其附註則由濂洛關閩，兼取後來諸賢之說，大抵皆爲宋儒討論心學之言。退溪之心學，受此書影響極大。此外，退溪晚歲篤好朱子書，嘗爲「朱子書節要」二十卷，使學者知其入處，以爲心學用功之地。此書特重朱子居敬窮理之言論，則其微意可見。退溪與栗谷書云：「窮理而驗於踐履，始爲眞知；主敬而能無二三，方爲實得」（註三六）又與韓永叔書，勉其「更加勵志於眞知實踐之地，庶見內益重則外不期輕而自輕矣」。（註三七）然欲眞知實踐，必當以敬爲本，工夫始有著落。

㈠敬之重要

心爲一身之主宰，而敬爲一心之主宰。敬之重要，於此可見。退溪答金而精書云：

譬之治病，敬是百病之藥。（註三八）

又答洪胖書云：「今君患心之紛擾，不以持敬爲治病之藥」（註三九），其意謂「敬」能治心之紛擾。弟子金誠一問：「靜坐有拘束之病則如何？」退溪曰：「血肉之軀，自少全無檢束，一朝遽欲靜坐收斂，則豈無拘束之病？大抵拘束之病，實由持敬之工未至，安肆日偷故也。」（註四〇）此謂持敬能治拘束之病。

李德宏問：「一日操存，雖無走作，往往昏冥，而無光明氣象？」曰：「持敬不熟故也。彊而操之，則反有此病。」（同註四〇）此謂持敬能治昏冥之病。

退溪答金惇敍云：「大抵人之為學，勿論有事無事，有意無意，惟當敬以為主，而動靜不失。則當其思慮未萌也，心體虛明，本領深純。及其思慮已發也，義理昭著，物欲退聽，紛擾之患，漸減分數，積而至於有成，此為要法。」（註四一）此謂敬為治心之要法。退溪又曰：

大抵心學雖多端，總要而言之，不過遏人欲存天理兩事而已。其實，兩事只是一事。心之百病，生自人欲，人欲既遏，則天理自存。以敬為主，則內外肅然，「靜而存天理之本然，動而決人欲於幾微」。動靜不失，則心得其養。

㈡敬之內容

敬之內容，極為廣泛，要而言之，不外讀書、應事二者，讀書所以涵養此心，明白義理。一時放下，則一時德性有懈。退溪於書無所不讀，尤精於性理之學。李宏仲欲讀朱子書，退溪教宏仲先讀詩，其言云：

假使公專意此學，自古安有不學詩書底理學耶？前日面勸讀詩，今問讀何書，是公意以讀詩不切於心學，而不欲讀之，此大誤也。（註四三）

退溪以讀詩切於心學，此猶不脫儒家詩教之微旨。退溪「於書無所不讀，而尤用心性理之學，章章爛熟，句句融會，講論之際，親切的當，如誦己言。晚年專意朱書，平生得力處，大抵自此書中發也。」（註四四）金睟問：小學、近思錄、心經，何書最切？

先生曰：小學體用俱備，近思錄義理精微，皆不可不讀。而初學用工之地，莫切於心經。又曰：

以余觀之，無踰於朱子書。知舊門人，資質病痛，有萬不同，故因材施教，對證下藥，許多問答之中，豈不有偶合於我者乎！苟能沈潛玩繹，如承面命，則其於自修之工，豈曰小補之哉？（同註四四）

讀書要以聖賢之言體之於心，「沈潛玩繹，如承面命」，然後方有涵養進德之功。否則，泛泛誦說，心不在焉，不過章句口耳之末學，雖誦盡千編，白首談經，亦何益哉？金誠一問讀書之法。

先生曰：止是熟，凡讀者雖曉文義，若未熟，則旋讀旋忘，未能存之於心。必也，旣學而又加溫熟之功，然後方能存之於心，而有浹洽之味。（註四五）

讀書要熟讀詳味，隨時體驗，然後方有親切之感。蓋讀書精熟，久而久之，自然見得道理，養得本原深厚。此心自然收斂。讀書如此，寫字亦然。退溪答金惇敍云：

明道寫字時甚敬，固非要字好，亦非要字不好，但敬於寫字而已。字之工拙，隨其才分工力而自有所就耳。此即必有事焉而勿正，心勿忘，勿助長之見於事者，乃聖賢心法如此，不獨寫字爲然也。故朱子亦曰：一在其中，點點畫畫，放意則荒，取妍則惑。所謂一，即敬也。（註四六）

「非要字好，亦非要字不好」，此即是「無所爲而爲」。無偏私，無造作，順其自然，盡其在我。「放意則荒，取妍則惑」，全是一團私意，故不免忘助之病。聖賢千言萬語，大事小事，莫不以敬爲主。李德宏問「立志以定其本，居敬以持其志」？先生引朱子之訓曰：

立志必須高出事物之表，而居敬則常存於事物之中，令此敬與事物皆不相違。言也須敬，動也須敬，坐也須敬，頃刻去他不得。（註四七）

敬不是閉眉合眼，空然徒守虛靜，須於日常言動，應事接物，處之不失，此心各得其理。此須日日念念，養之有素，始能泛應曲當，無不中節。退溪舉孔子應事之則云：

師冕見，及階曰階，及席曰席，皆坐，曰：某在斯，此主於言思忠，未必兼於視思明，而所視自中節矣。君召使擯，色勃如，足躩如，揖所與立，左右手，衣前後襜如，此主於事思敬，未必兼於色貌手足，而周旋之頃，各自中其節矣。不獨在聖人爲然，中人以下，亦不可謂不盡然也。但隨所稟所養之粹駁淺深而有分數耳。（同註四一）

敬以爲主，則清明在躬，當下之事，幾微畢見，四體默喩，曲折無漏矣。退溪與琴聞遠書云：

須寬着意思，優游涵泳，而惺惺主人，常不失照管，此法差爲簡約。而朱子所謂「未發之前，不可尋覓；已覺之後，不容安排。惟平日莊敬涵養爲本領工夫」一節，尤爲警切。（註四八）

所謂「惺惺主人常不失照管」，此須平日涵養深厚，眞切用功，作止語默，應事接物，一息不懈，一絲不苟，至於眞積力久，自有得力之處，則中和氣象，漸可馴致。

㈢敬之工夫

1.主理帥氣

人心合理氣而爲身之主宰，而敬又爲一心之主宰，能持敬，其心便一，一者主於理，能主於理，自無非僻之干。退溪弟子金誠一問：

思慮之所以煩擾何也？

先生曰：夫人合理氣而爲心，理爲主而帥其氣，則心靜而慮一，自無閒思慮。理不能爲主，而爲氣所勝，則此心紛綸膠擾，無所底極，邪思妄想，交至疊臻，正如翻車之環轉，無一息之定貼也。（註四九）

退溪認爲主理帥氣，則心靜慮一，此種「主理帥氣」之說，蓋基於「理貴氣賤」之見解。退溪與朴澤之書云：

人之一身，理氣兼備，理貴氣賤。然理無爲而氣有欲，故主於踐理者，養氣在其中，聖賢是也。偏於養氣者，必至於賊性，老莊是也。（註五〇）

聖賢之踐理，本於大公；老莊之養氣，牽於私欲。退溪尊儒貴理，賤氣而貶老莊，有功聖學不小。

2. 敬義夾持

退溪之主敬窮理思想，大抵本於程朱之說，其答禹景善云：

把捉即操存之謂，非不善也。若未得活法，則反爲揠苗助長之患。觀顏子四勿、曾子三貴，從視聽言動、容貌辭氣上做工夫，所謂制於外所以養其中也。程子曰：「只整齊嚴肅，則心便一，一則自無非僻之干。」朱子亦曰：「持敬之要，只是整衣冠，一思慮，莊整齊肅，不敢欺，不敢慢，則便身心肅然，表裏如一矣。」更於此思勉如何？（註五一）

所謂未得活法，退溪雖未明言，然可推知「活法」不是「把捉」。李德宏問敬，退溪答曰：

> 爲初學計，莫若就整齊嚴肅上做工夫，不容尋覓，不容安排。只是立脚於規矩準繩之上，戒謹於幽暗隱微之際，不使此心少有放逸。（註五二）

尋覓、安排，皆屬把捉之類，惟有整齊嚴肅，守定規矩，不欺幽暗，不忽隱微，便能身心肅然，表裏如一。退溪之活法，蓋即朱子之活敬。朱子曰：「敬有死敬，有活敬。若只守著主一之敬，遇事不濟之以義，辨其是非，則不活。」（註五三）由此可見活法即是敬義夾持。退溪答李宏仲云：

> 若程夫子所謂敬者，亦不過曰：正衣冠、一思慮、莊整齊肅、不欺不慢而已。蓋其曰正衣冠、曰莊整嚴肅，是以靜言，然而動時衣冠豈可不正，容止事物豈可不莊整齊肅乎？曰一思慮、曰不欺不慢，是以動言，然而靜時此心尤不可不主於一本原之地，又豈容有一毫欺慢乎？」（註五四）

主敬之功，貫動靜，合內外，敬義二者，原不可分。敬中有義，義中有敬。敬之精明條理處即是義，義之整齊嚴肅處即是敬。出門如見大賓，使民如承大祭，此是言動時之敬，然未出門、使民之時，此心未嘗不敬。或問程子「未出門使民之時如之何？」曰：「此儼若思時也。」（註五五）「儼若思時」，則此敬全在其中。如賓如祭，此指有事時之敬；儼若思時，此指無事時之義。故朱子云：「敬義只是一事，如兩脚立定是敬，才行是義；合目是敬，開眼見物便是義。」（同註五三）靜則察其敬與不敬，動則察其義與不義，故退溪云：

靜而涵天理之本然，動而決人欲於幾微。（註五六）

涵天理是敬，涵天理之精明條理處即是義；決人欲是義，決人欲之整齊嚴肅處即是敬。無事時敬在理上，有事時敬在事上。不論有事無事，而吾心之敬未嘗間斷。則「內無妄思，外無妄動」，動靜不失，得其中矣。

3. 勿忘勿助

持敬之功，兼動靜而合內外，徹上徹下，只是一貫。學者持之不熟，即未免有忘；操之過切，即未免助長。退溪弟子金惇敍，以「心中不可有一事」爲疑，退溪謂曰：

> 蓋事不能爲心病，而有之則爲病，故不問善事惡事，大事小事，而不可一有之也。且事未來，而先有期待底心；事已應了，久卻常存在胸中，不能忘卻，此二者與所謂「胸中不可有一事」者同一心法也。蓋不可不豫者事也，而有期待之心則不可；不可不應者物也，而存留不忘則不可。聖門之學，心法之要，正在於此。（註五七）

事未來而先迎，事已過而留情，同屬私意吝習，皆足以爲心之累。人若徒見心爲物潰之害，因而厭事而求忘，惡動而耽靜，則不免陷溺其心，懸空守寂，淪爲老佛之徒。

又李德宏問：「心學以心中有一物爲不可，而至於忠信、篤敬，卻要念念不忘，必使之見其參於前，倚於衡，不幾於偏繫乎？」（註五八）對於李德宏此問，退溪答以「先儒所以有既不可著力又不可不著力之訓」，後又認爲此說「不若伊川說非著意、非不著意之爲尤穩」（註五九）然孔子亦謂「

人無遠慮，必有近憂」（衛靈公），既有「遠慮」，則心中不可謂無事，又若曾子三省之類，分明是有事於心，此「有」字當作何解，退溪於答金惇敍書中釋之云：

> 事無善惡大小，皆不可有諸心中，此「有」字泥著係累之謂，正心助長，計功謀利，種種病痛，皆生於此，故不可有。若如三省之類，有事於心，即孟子所謂「必有事焉」之有，此豈所當無耶？然此一「事」字亦難看，如延平先生所謂「非著意、非不著意」，即此「事」字之意也。（同註五六）

退溪以爲「有」字有「泥著係累」之意，亦即是「著意」。既「著意」，即不免於「助」；然不「著意」，又不免於「忘」，延平所謂「非著意、非不著意」，即是集義之工夫，亦是持敬之方法。退溪答金而精云：

> 朱子以勿忘勿助之間爲敬，非以有事之事爲敬。只謂有事於敬者，當勿忘勿助耳。（註六〇）

朱子所謂「勿忘勿助之間」，即延平「非著意、非不著意」。言勿忘，以見工夫不可緩；言勿助，以見工夫不可急。如爐煉丹，火冷則灰死，火猛則丹走，惟溫火常在爐中，保持適宜的熱度，經過長時期的工夫，自然養得丹成。退溪認爲：

> 雖工夫未熟底人，當其眞得勿忘勿助，而此心灑然呈露，此理自然流行時，更有甚纖毫著力處耶？況在成德底其氣象爲如何耶？故此兩言通上下看乃可。但初學之於兩得處疎而暫，成德之於兩得處密而久耳。（同註六〇）

工夫純熟，不用著力，體道自然，行所無事，眞積力久，深造自得。則心之於事物，未來而不迎，方來而畢照，旣應而不留，本體湛然，如明鏡止水，雖酬酢萬變，而心無一物。

李德宏問：如何可免忘助之病？退溪答云：

姑就整齊嚴肅上做工夫，深潛義理之中，則久久而自然惺惺，自然不容一物，而忘助之病可免。（註六一）

整齊嚴肅，其心便一；深潛義理，其心便誠。誠則不惑，一則不放。內外交修，其德日進。杜預云：「優而柔之，使自求之；饜而飫之，使自趨之；若江海之浸，膏澤之潤，渙然冰釋，怡然理順，然後爲得也。」（註六二）優游涵泳，怡然自得，有日新之功，無忘助之病，杜氏此數語說得最好。

(四)敬之體系

1. 十圖傳心學

大居敬而貴窮理，此乃朱子爲學之要法。退溪旣受心經之影響，又得朱子之正傳，其思想亦以主敬爲最大特色。而其用功之眞切，踐履之篤實，規模之大，節目之詳，具體表現於聖學十圖。所謂聖學十圖，即：

第一太極圖　　周濂溪作

第二西銘圖　　程復心作

第三小學圖　　李退溪作

第四大學圖　　權陽村作
第五白鹿洞規圖　　李退溪作
第六心統性情圖　　上圖程復心作、中下圖李退溪作
第七仁說圖　　朱子作
第八心學圖　　程復心作
第九敬齋箴圖　　王柏作
第十夙興夜寐圖　　李退溪作

以上十圖，係退溪於戊辰年進於朝鮮宣祖，其時退溪已六十八歲，此圖可略窺其思想淵源與思想體系。太極圖言道體，西銘圖言仁體，此二圖爲本體論，小學、大學、及洞規三圖，皆言修身、明倫、懋業之方，此三圖爲方法論，心統性情圖言理氣相須之道，心學圖言遏欲存理之方，仁說圖言天人合一之妙，敬齋箴圖及夙興夜寐圖，言日用之際，敬畏之目。

退溪於小學圖說中，引朱子大學或問云：

吾聞敬之一字，聖學之所以成始而成終者也。爲小學者不由乎此，固無以涵養本原，而謹夫灑掃應對進退之節，與夫六藝之教。爲大學者不由乎此，亦無以開發聰明，進德修業，而致夫明德新民之功也。（註六三）

小學爲大學之基本，大學爲小學之依歸。小學所以收其放心、養其德性，大學所以察夫義理、措

諸事業。小學大學，相輔相成。所以一以貫之、成始成終者則爲敬。非惟小學及大學二圖爲然，即其他八圖亦莫不然。退溪於大學圖下論之云：

非但二說（指小學及大學圖說）當通看，幷與上下八圖皆當通此二圖而看。蓋上二圖（指太極、西銘二圖）是求端擴充、體天盡道極致之處，爲小學大學之標準本原。下六圖是明善誠身、崇德廣業用力之處，爲小學大學之田地事功。而敬者又徹上徹下、着工收效，皆當從事而勿失者也。今茲十圖，皆以敬爲主焉。太極圖說言靜不言敬，朱子註中言敬以補之。（註六四）

退溪以小學大學二圖，爲成己成物、下學上達之門徑，而以太極西銘兩圖爲其本原，以洞規以下六圖爲其工夫。以「敬」字爲徹上徹下、成始成終之要。蓋敬爲一心之主宰，萬事之本根。聖賢千言萬語，莫非存心之法。退溪之聖學十圖，皆以敬爲本。蓋持敬即所以存心。是聖學十圖，即實踐心學之方案，而所謂「障川之柱、指南之車、燭幽之鑑」（註六五），皆不外於此矣。

2. 四七論理氣

聖學十圖，皆爲朱學或與朱學有關（註六六），其中第六心統性情圖，共上中下三圖，上圖程氏復心所作，退溪以程氏之圖「多有未穩」（註六七），因據孟子與程朱之所論本然之性、氣質之性，而作中下兩圖。本然之性，主於理而言，氣質之性，兼理氣而言。中圖以本然之性，主四端而爲之。下圖以氣質之性，主七情而爲之。其理氣之論，以下圖「四端理發而氣隨之，七情氣發而理乘之」二語爲綱領。此即所謂「理氣互發」之說，退溪曾與奇高峯往復論辨，高峯認爲四端七情皆兼理氣，同實而異名，四七不可分屬理氣。退溪認爲四端對七情而言，自有主理主氣之異，分屬有何不可。其言云：

大抵有理發而氣隨之者，則可主理而言耳，非謂理外於氣，四端是也。有氣發而理乘之者，則可主氣而言耳，非謂氣外於理，七情是也。（註六八）

對於退溪「理氣互發」說，栗谷於退溪下世後亦有異議，謂四端亦是氣發理乘。其言云：

所謂氣發而理乘者，非氣先於理也，氣有爲而理無爲，則其言不得不爾。（註六九）發之者氣也，所以發者理也。非氣則不能發，非理則無所發。無先後，無離合，不可謂互發也。（註七〇）

栗谷「氣發理乘」之論，不過推本朱子「氣有爲而理無爲」之說，亦是對朱子「動靜者氣也，動之靜之者理也」之轉釋，並無新奇之處。其實，氣發理乘之義，退溪亦有此論。其答李宏仲云：

理發爲四端，所資以發者氣也，其所以能然者，實理之爲也。（註七一）

所謂「所資以發者氣」，即有「非氣則不能發」之意。所謂「其所以能然者，實理之爲也」，即有「非理則無所發」之意。可知退溪「理發氣隨」之說，理發非謂理能自發，意謂主於理而發。且退溪明謂「理而無氣之隨，則做出來不成；氣而無理之乘，則陷利欲而爲禽獸」（同註七一）「理無氣則做不出來」，是理不自發，待氣而發。氣無理而陷私欲，是理無私而氣有欲也。故知「理發氣隨」之義，「理發」不失所主，「氣隨」非有先後。前文「主理帥氣」之論，即以此爲依據。蓋理無足，氣無目。無足不能自行，無目不免盲動。理氣二者，本相須以爲體，相待以爲用。天下無無理之氣，亦無無氣之理，必主理帥氣，氣發理乘，而後「內無妄思，外無妄動」、「靜而涵天理之本然，動而決人欲於幾微」，一靜一動，隨時隨處，存養省察，交致其功。至於眞積力久，一旦豁然貫通，則所謂精一執中之聖學，存體應用之心法，皆可以不自意而得之。

3.始終求放心

學問之道，皆所以求其放心。朱子云：「自古無放心底聖賢，一念之微，所當深謹」，（註七二）一念不謹，其心便放，蓋人心最難操持，才私便放，才放便昏。求放心之工夫，須時時警覺，才覺便收，才收便存。退溪云：

> 所謂放心，非止謂逐物，營營奔馳之心，一刻一念，些少走失，失皆放也。夫所謂求，非謂一日一餉，乍然尋求捉住，便爲終身爲學之基本。蓋日日念念，在在處處，才覺有透漏，便即收攝整頓得惺惺，是之謂求。（註七三）

一般人以求放心爲始學之事，退溪以爲若推其極而論之，則大有不然者。其言云：

> 竊以爲求放心，淺言之，則固爲第一下手著脚處；就其深而極言之，瞬息之頃，一念少差，亦是放。顏子猶不能無違於三月之後。只不能無違，斯涉於放。惟是顏子才差失，便能知之；纔知之，便不復萌作，亦爲求放心之類也。（註七四）

退溪認爲求放心之工夫，以其極致言之，自大賢以下，皆不可免。「其放也，其求也，各隨其人之才分，學力，而有大小、精粗、遠近、難易之不同。」（同註七三）是以求放心是學之始事，亦是學之終事。學者徹上徹下，自始至終，無非求放心之事。退溪此種精闢之見解，推本程朱之意，而能曲盡其旨，無復餘蘊。蓋以退溪體道入微，踐履功深，故能言之親切如此。

四、結論

退溪之學，以朱子爲宗，以主敬窮理爲用功地頭。其所學博而不雜，約而不陋。精思力踐，眞知實得，作止語默，自然安詳，動容周旋，無不中禮。以言主敬，則主理帥氣，敬義夾持，貫乎始終，兼乎動靜，尤嚴於幽獨得肆之地。以言窮理，則愼思明辨，沉潛反覆，驗之踐履，謹乎幾微，而深造於眞知實得之境。其學術統要，萃於聖學十圖。其用功之要，不出敬之一字。梁任公有句云：「十圖傳理訣，百世詔人心」（註七五），所謂理訣，即是心學。然退溪之學，貴乎躬行自致，其所爲說，或指示本原，或切於受用，可謂「切問近思」之躬行君子。

禹性傳云：「性傳出入門下久矣，或燕居從容，或對人酬酢，未嘗見其著力矜持，而亦未見其懈慢之容。」（註七六）其持敬工夫，蓋已習與性成，行所無事矣。易簀前數日，進藥後命曰：「今日乃外舅忌日也，勿用肉饌。」（註七七）其守禮之念，至死不苟。疾革痢泄，盆梅在旁，命移他處，曰「於梅兄不潔，心自未安耳。」（同註七七）此以禮敬之心，待無情之梅，即明道「仁者渾然與物同體」之意。蓋理有未得，即心有未安。必理得心安，物我無間，而後「反身而誠，樂莫大焉。」

明儒夏東岩云：「孔門沂水春風景，不出虞廷敬畏情。」（註七八）此二語可爲退溪心學之寫照。

【附註】

註　一：荀子解蔽：「道經曰：人心之危，道心之微，危微之幾，惟明君子而後能知之。」古文尚書大禹謨：「人心惟危，道心惟微，惟精惟一，允執厥中」。後儒以此爲虞廷心法。閻若璩古文尚書疏證，謂大禹謨此言「乃梅賾所采竄」，然荀子引道經之言，上承「舜之治天下」而言，末結以「治心之道」。又「允執其中」之言，見於論語，是古文尚書雖僞，其言並非全無根據。且孟子有「湯執中」之言，參覆諸書，此亦可見堯舜禹湯相傳之脈絡。

註　二：見白虎通。

註　三：見史記五帝本紀。

註　四：見尚書盤庚篇，其言曰：「各設中于乃心」。

註　五：尙書洪範篇：「建用皇極」，疏：五行志注應劭曰：「皇，大；極，中也。」

註　六：說詳拙著「孔學抉微」中道論引言。

註　七：子曰：「道之不行也，我知之矣，知者過之，愚者不及也，道之不明也，我知之矣，賢者過之，不肖者不及也。」（中庸）四書辨疑以爲此段「行」「明」二字當互易。

註　八：孔子教顏回「非禮勿視，非禮勿聽，非禮勿言，非禮勿動」，又教仲弓「出門如見大賓，使民如承大祭」，均見論語顏淵。曾子三省，見爲政。三貫，見泰伯。

註　九：答鄭子中書，見增補退溪全書（下簡稱退全）册一、退溪文集卷二四，葉五八二。

註一〇：韓愈與孟尙書書：「愈嘗推尊孟氏，以爲功不在禹下」。

註一一：性理大全卷五八，葉八九四。

註一二：性理大全卷五八，葉九〇四。

註一三：程明道云：「昔受學於周茂叔，每令尋仲尼、顏子樂處，所樂何事」。見宋元學案卷十二，濂溪學案下，葉五一九。

註一四：程明道定性書，見宋元學案卷十三，明道學案上，葉五四六。

註一五：宋元學案卷十一，伊川學案。

註一六：答程允夫，朱子大全卷四一。

註一七：朱子語類卷九。

註一八：象山年譜詳載此言於十三歲時，見陸象山全集卷三六。

註一九：陸象山全集卷三五、語錄，李伯敏錄。

註二〇：朱子大全卷五四、答項平父書。

註二一：范氏心箴及求放心齋銘，眞西山收入心經。觀心說見朱子大全卷六七，亦見心經附註。范氏名浚，字茂明，心箴見香溪文集。

註二二：退陶先生言行通錄卷六、年譜上、退全册四、葉一一四。

註二三：退全册三、葉五七六、年譜。亦見退全册二、葉五四五、外集卷一。退全册四、葉一一四、退陶先生言行錄。葉一六九，退溪先生言行錄。

註二四：見註二三，案「觀書有感」詩，朱子所作，共二首，此指其前一首。詩云：半畝方塘一鑑開，天光雲影共徘徊。問渠那得清如許，爲有源頭活水來。

註二五：心經附註，見日本刻版「李退溪全集」下册，葉四一六至四八六，大韓民國退溪學研究院發行。

註二六：退全册四，葉二四，退陶先生言行通錄卷二。

註二七：退全册一，葉五六三，退溪文集卷二三。

註二八：退全册四，葉一七〇，退溪先生言行錄卷一。

註二九：退全册四，葉二四一，退溪先生言行錄卷五。

註三〇：退全册四，葉二六，退陶先生言行通錄卷二。

註三一：退全册二，葉二八，退溪文集卷二六。

註三二：退全册一，葉五〇五，退溪文集卷二十。

註三三：退全册二，葉二三六，退溪文集卷三六。

註三四：退全册一，葉四〇九，文集卷十六，答奇明彥。

註三五：見李退溪文集下册，葉四一九，心經附註卷首。

註三六：全書册一，葉三七〇，退溪文集卷十四。

註三七：全書册二，葉二七九，退溪文集卷三八。

註三八：退全册二，葉九三，答金而精書。

註三九：退全册二，葉二九七，退溪文集卷三九。

註四〇：退全册四，葉三三，退陶先生言行錄卷二。

註四一：退全册二，葉七〇，退溪文集卷二八。

註四二：退全册二，葉二五九，退溪文集卷三七，答李平叔書。

註四三：退全册二，葉二三二，退溪文集卷三六。

註四四：退全册四，葉一七一，退溪言行錄卷一。

註四五：退全册四，葉一七二，退溪言行錄卷一。

註四六：退全册三，葉一六七，自省錄卷一。

註四七：退全册四，葉一七六，退溪言行錄卷一。

註四八：退全册二，葉二三八，答琴聞遠。

註四九：退全册四，葉一七七，退溪言行錄卷一。

註五〇：退全册一，葉三三五，退溪文集卷十二。

註五一：退全册二，葉一三〇，退溪文集卷三一。

註五二：退全册四，葉一七六，退溪言行錄卷一。

註五三：朱子語類卷十二，葉一四。

註五四：退全冊二，葉二二五，退溪文集卷三五。

註五五：引見朱子論語集註顏淵篇。

註五六：退全冊二，葉七一，退溪文集卷二八，答金惇敘。

註五七：退全冊二，葉六三，退溪文集卷二八。

註五八：退全冊四，葉一〇八，退陶言行錄卷五。

註五九：退全冊四，葉一〇九，退陶言行錄卷五。

註六〇：退全冊二，葉九四，退溪文集卷二九。

註六一：退全冊四，葉一〇八，退陶言行錄卷五。

註六二：春秋左氏傳序。

註六三：退全冊一，葉二〇二，退溪文集卷七。

註六四：退全冊一，葉二〇三，退溪文集卷七。

註六五：程敏政語，見心經附註序。

註六六：案聖學十圖中，白鹿洞規、仁說及圖、敬齋箴，皆朱子所撰，（小學舊題朱子撰，實門人劉子澄纂述），又朱子太極圖說有註、大學有章句、或問、西銘有解。心統性情圖（上圖）及心學圖，撰者程復心，取朱子集註，會通黃勉齋、輔漢卿之說而折衷之，以成四書章圖，固亦朱子學也。

註六七：程氏復心之圖，據伊川「顏子所好何學論」而作。程氏之說有云：「心不統情，則無以致其中節之和，而情易蕩。

學者知此，必正其心以養其性而約其情。」退溪以程子「好學論」中之「約其情」，在正心養性之前，而此反居後，不如程子之論爲順，故云「圖有未穩」，見退全册四，葉二一二，退溪言行錄卷三。

註六八：退全册一，葉四一九，答奇明彥第二書。

註六九：栗谷全書，葉二〇九。

註七〇：栗谷全書，葉一九八。

註七一：退全册二，葉二三七，退溪文集卷三六。

註七二：李退溪文集下册，葉二〇，心經附註卷四。

註七三：退全册一，葉五六二，退溪文集卷二三，答趙士敬。

註七四：退全册一，葉二〇七，退溪文集卷七。

註七五：梁啓超聖學十圖贊詩：「嶷嶷李夫子，繼開一古今。十圖傳理訣，百世詔人心。雲谷琴書潤，濂溪風月尋。聲教三百載，萬國乃同欽。」

註七六：退全册四，葉一七七，退溪言行錄卷一。

註七七：退全册四，葉二四一，退溪言行錄卷五。

註七八：明儒學案卷四，葉六五，崇仁學案四。

退溪的憂患哲學

一、引　言

憂患哲學生於憂患意識。所謂意識，是一種精神上的覺醒狀態，通過此種精神上的覺醒，而對歷史、對社會、對人生、對時代，有了透徹的觀察與體驗，由此觀察與體驗，發現歷史上的治亂興亡，人事上的吉凶成敗，都有其因果關係存在。孟子所謂「生於憂患，死於安樂」（註一），歐陽修所謂「憂勞可以興國，逸豫可以亡身」（註二），這些深具哲理的名言，就是經過觀察體驗而獲得的智慧的結晶。

自古聖賢，莫不朝乾夕惕，防微慮患，戰兢臨履，不敢稍懈，是以能清明在躬，履險如夷。吾人苟能善處憂患，則種種煩惱，皆爲養心之助；種種危險，皆爲鍊膽之助；種種橫逆，皆爲勵志之助；種種困苦，皆爲進德之助。常保精神上的自覺，對歷史、對社會、對人生、對時代，能有深切的觀察與體驗，則能產生「不容自外」的責任感，「不容自滿」的求知欲，和「不容自已」的進取心。責任感近乎仁，求知欲近乎智，進取心近乎勇。這三者是憂患意識的要素。就此三者而言，智如舵，仁如舟，勇如帆。無舟不能載物，無舵不能掌握方向，無帆不能快速行進。所以憂患意識是一種悲天憫人、舍我其誰的懷抱，是一種困心衡慮、修慝防患的智慧，也是一種堅苦卓絕，奮鬪到底的勇氣。此點容後詳論。

就憂患意識而論，憂患以境言，意識以心言。然有憂患之境，不必有憂患之意識，如燕巢飛幕者是（註三）。無憂患之境，亦不必無憂患之意識，如居安思危者是（註四）。

然就實際而論，憂患之事與憂患意識息息相關。所歷憂患之事愈多，其憂患意識亦愈強烈。而人生不如意事常十之八九，凡不如意之事，往往有憂患存乎其間。也可說人之一生，常與憂患相終始。所以孟子說：「君子有終身之憂」（註五）。曾子至臨終啓手啓足，而後知免。（註六）牟宗三先生認爲「中國人的憂患意識特別強烈，由此種憂患意識可以產生道德意識。」（註七）此就中國古代的歷史事實而論，確是如此。一種哲學思想的發生，大都有其時代背景。老子說：「失德而後仁，失仁而後義」（註八），由失德失仁的憂患意識，而產生了重視仁義的哲學思想，這是很自然的事。

二、時代背景

退溪李滉（西元一五〇一——一五七〇）字景浩，韓國眞城人，其學以朱子爲宗，有海東考亭之稱。退溪所處的時代，是一個憂患的時代。所謂「天變見於上，人事闕於下，大禍重疊，國運艱否，根本卼隉，邊圉虛疎，兵耗糧竭，民怨神怒」（註九）。朝中權奸用事，構陷異己。中宗十四年己卯，動舊派南袞等排斥趙光祖等新進士人，掀起了有名的「己卯士禍」，自是邪正相雜，奸人得勢，報復私怨，必指爲已卯餘習。中宗末年，兩尹交惡（註一〇），「推刃士林，芟夷羣賢，其禍滔天，慘於黨錮」（註一一）。明宗幼沖，權奸相繼用事，士林之禍，連續而起。此正所謂「小人道長，君子道消」之時，朝廷不和，上下否隔，政治風氣，敗壞不堪。學術風氣也受到汚染。

據年譜嘉靖二年癸未（註一二）

是歲先生始遊太學。時經己卯之禍，士習浮薄，見先生擧止有法，人多笑之，

又據年譜嘉靖二十年辛丑

賜暇讀書

堂在東湖，乃國家儲養人才之地，極選文學之士以充之，輪番讀書，與其選者，榮比登瀛焉。然被選之人，多遊放自逸。先生每番必往，往必以讀書爲事。

太學爲國家最高學府，竟然「士習浮薄」，而國家文學之士，又多「遊放自逸」，學術風氣，不堪問矣。顧炎武說：「士大夫之無恥，是謂國恥。」（註一三）浮薄自逸之人，不可謂之知恥，不知恥之人，無異自暴自棄。

退溪認爲「士之徇俗習非，安常無立者必不肯向學」（註一四），不肯向學者必忌人之向學，明乎此，則知退溪「擧止有法，人多笑之」，亦不足怪，退溪自言：

年二十二，當諸人慘禍之後，奮然上京，居館下齋，中心所存，不能不見於外，人多惡之，誣

誇不已，勢難相容。居二朔而出來，其誇至今不絕。（註一五）所謂「誣謗不已，勢難相容」，人言可畏，一至於此。退溪處此政治紊亂、士風浮薄、巧言如簧，讒人罔極的環境，眞可謂局天蹐地（註一六）動輒得咎。由於環境的惡劣，更加深了退溪的憂患意識。退溪年三十四，選補承文館權知副正字，薦授藝文館檢閱，兼春秋館記事官。時臺諫承權臣風旨，奏免退溪史職（註一七）。及仁宗升遐，明宗即位，權奸用事，誅竄相連。右相李芑，黨同伐異。退溪與丁公熿等數人，同日削職，朝野駭憤。後雖命還職牒（註一八），然朝政已不可爲。明宗末年，召命累下，退溪固辭不至。

及宣祖即位，朝野顒顒望治，退溪見「世衰俗末，儒者難以有爲，上心求治不誠，大臣又無學術。無一可試，故懇辭爵祿，期於必退。既返陶山，言不及時政」（註一九）。「上心求治不誠，大臣又無學術」，既無可爲之時，又無有爲之主，更無社稷之臣，只有「懇辭爵祿，期於必退」。此時退溪的憂患意識，已昇華至藝術境界，楊龜山詩說：「莫把疎英輕鬭雪，好藏清豔月明中」（註二〇）此詩就是退溪心情的寫照。

三、思想淵源

一個哲學家的思想，決非偶然產生，而必有其思想的淵源。退溪思想的主要依據，就是中國正統的儒家思想。退溪嘗說：

古人云：不敢自信而信其師，今者無師可信，須信聖賢之言，聖賢必不欺人。（註二一）

退溪弟子鄭惟一說：先生「經傳子史，靡不博觀。然自少用力於四書五經，而於四書易經爲尤深，往往多背誦不差」（註二二）。退溪幼時即能背誦論語兼集註，自初章至終篇不差一字。其用功之深可以想見。退溪自言：

十九歲時，初得性理大全首尾二卷，試讀之，不覺心悅而眼開，玩熟蓋久，漸見意味，似得其門路矣。（註二三）

對於易經，退溪用功尤深。而易經一書，實爲憂患哲學的根源。憂患二字，最早見於易經。繫辭下說：

易之興也，其於中古乎？作易者其有憂患乎？

史記稱「西伯拘羑里而演周易」（註二四），即指作易者有憂患而言，孫夏峯說：「士君子生今之世，而不明乎易，其能處憂患乎？六十四卦，會而通之，皆所以處憂患之道，不獨履謙九卦爲然也。（註二五）由此可知易經一書，就是一篇有體系的憂患哲學。

退溪晚年所上的「聖學十圖」，以「太極圖」冠首，並引朱子之言，謂「此是道理大頭腦處，又以爲百世道術淵源」（註二六）。對於周濂溪太極圖說，尤爲重視。退陶言行錄載：

先生講太極圖說曰：吾與人講學，必先講此者，吾初年由此而入故耳。

誠一讀大學，於理氣上未達，先生曰：君未學太極圖說，故面牆如此，即令讀之。

又曰：太極圖說中，「君子修之吉，小人悖之凶」二句，最學者用功夫地頭。修之、悖之，只在敬肆之間，可不懼哉？（註二七）

學者用功，不外修己以敬。一失則爲夷狄，再失則爲禽獸。憂患意識以此爲轉捩點。然而罔念作狂，克念作聖，罔念克念，繫乎一心。心經所言，不外乎敬，退溪於心經，口誦心惟，身體力行。曾說：

> 吾得心經，而後始知心學之淵源，心法之精微，故吾平生信此書如神明，敬此書如嚴父。（註二八）

心經一書，以大禹謨「人心惟危，道心惟微，惟精惟一，允執厥中」，十六字冠首。朱夫子、眞西山均以此爲舜禹授受的心法。（註二九）其實，心法即是一種精微的憂患哲學。危微即是憂患意識，精一執中，即是所以處憂患之道。退溪「聖學十圖」第八心學圖，取林隱程氏之說，以「心」爲一身主宰，「敬」爲一心主宰，又以人心道心平置「心」下，以惟精惟一置於「心」「敬」之間。可見其心學淵源，及其用功之所在。退溪以爲聖賢之教，「大抵教人守道心之正，遏人心之流」（註三〇）。「守道心之正」，是憂患意識的積極作用，「遏人心之流」，是憂患意識的消極作用。其實，二者只是一事。

但退溪用功最深，受用最大的是朱子書。據退溪弟子金誠一說：

> 先生家有朱子書寫本一帙，卷帙甚舊，字畫幾刓，乃讀而然也。其後人多印出，每得新帙，必

校讎點竄，溫習一過，章章融會，句句爛熟。其受用如手持而足蹈，耳聞而目覩。故日用之間，語默動靜，辭受取予，出處進退之義，無不脗合於是書。人或質疑問難，則必援是書而答之。（註三一）

對退溪而言，朱子書無異是「指南之車，燭幽之鑑」，思想的源頭，行爲的準則。退溪對朱子書的評價是「規模廣大，心法嚴密，戰兢臨履，無時或息，懲忿遷改，如恐不及（註三二）」。所謂「心法嚴密」，顯示其憂患哲學體系的完整，「戰兢臨履」，可見其憂患意識的強烈，「懲忿遷改」，可見其憂患哲學的精義。前者是防微慮患；後者是爲善去惡。前者重存養，後者重克治。退溪平生得力處，大抵發自朱子書。退溪曾說：

古人不云乎？不敢自信而信其師，朱子吾所師也，亦天下古今之所宗師也。（註三三）

退溪爲朱子學的嫡傳，其祖述朱子之處，在退溪集中所在多有。其最著者，朱子有戊申封事六條，退溪亦有戊辰封事六條，雖條目小異，然要其歸，皆主於一心，本於誠敬。而退溪之「聖學十圖」，皆爲朱學或與朱學有關。（註三四）且聖學十圖，以「敬」爲存養之要法，此一「敬」字，是憂患哲學的道德化，亦是朱子學的眞精神。

四、天命史觀

孔子言三畏，以「畏天命」（註三五）居首。儒家的天命觀，是修人事以合天心。其所重者是人事。朱子說：

如非禮勿視聽言動，與夫戒謹恐懼，皆所以畏天命也。（註三六）

畏者，敬畏，有嚴憚之義。常戰兢不敢稍懈，怵惕不敢自欺，懍然如上帝鑒臨一般。此種戰兢怵惕的心理，就是憂患意識的表現。退溪的天命思想，深受儒家傳統思想的影響。退溪的戊辰六條疏第六條是：

誠修省以承天愛。

「誠修省」是以人爲主體，其所重者在人事。惟有誠心修省，戒愼恐懼，善盡人事，無時或懈，才能上合天心，以承天愛。退溪引書經的話以戒宣祖說：

皇天無親，克敬惟親。民罔常懷，懷于有仁。（註三七）

「敬」就是要「無事而不修省，無時而不恐懼」。否則，「惟不敬厥德，乃早墜厥命」（註三八）敬畏天命，只在日用常行之事上用功，只在不覩不聞之中戒懼。自堯之兢兢、禹之孜孜、湯之懍懍、文王之翼翼、武王之無貳、周公之無逸、孔子之時習，孟子之思誠，以至於朱子、退溪的居敬窮理，無非是此憂患意識的層層下貫，而落實於修爲的表現。大學說：

顧諟天之明命，古註云：常目在之。

朱子說：

目在是如目存之，常知得有此理，不是親眼看。「立則見其參於前，在輿則見其倚於衡」，便是這模樣。只要常常提撕在這裡，莫使他昏昧了。（註三九）如目存之，參前倚衡，此是「敬」的精神。敬是念茲在茲，以心體之，以身行之，是眞知實得，不是浮光掠影。退溪又戒宣祖說：

> 誠使爲人君者，知天之所以仁愛我者，如此其不徒然也，則其必能知爲君之難矣，其必能知天命之不易矣，其必能知高高在上而日監于茲，不容有毫髮之可欺矣。能如此，則其在平日必有以秉心飭躬，克敬克誠，以昭受上帝者無不盡其道矣。其遇災譴，必有以省愆修政，克愼克實，以感格天意者，益能盡其心矣。夫然，則制治於未亂，保邦於未危，有平安而無禍敗可幾也。（註四〇）

所謂「知天命之不易」「知高高在上而日監於茲」，此處的「天命」，顯然帶有「人格神」的意味，人能修德，天人才能相通。「秉心飭躬，克敬克誠」，這是道德意識的昇華，「省愆修政，克愼克實」，這是政治意識的落實，前者在遙契天意，後者在上格天心。然政治意識之落實，必以道德意識爲基礎。所謂「制治於未亂，保邦於未危」，此即「居安思危」、「防患未然」之意。制治、保邦雖爲政治意識，但究其制治，保邦的動機，則不能無道德意識。政未亂而思治，邦未危而思保，此是憂患意識，也是道德意識。由此可知憂患意識可以產生道德意識，也可以強化政治意識，以預防政治的危亂，使國家長治久安。

如無憂患意識，則「不知天心」，「不愼厥德」，必將無所忌憚，冥行妄作，如「孔光以爲天道不必憂，安石以爲天變不足畏」，在退溪看來，皆爲「誣誕姦罔之言，固大得罪於天矣」（同註四〇）。得罪於天，必遭天譴。所以說「惟不敬厥德，乃早墜厥命」。

退溪在戊辰六條疏中勉勵宣祖：

> 內以自反於身心者一於敬，而無作輟；外以修行於政治者一於誠，而無假飾，所處於天人之際者無所不用其極，則雖有水旱之災，譴警之至，猶可施恐懼修省之力而承天與仁愛之心。（同註四〇）

「內以自反於身心者一於敬」，這是憂患意識和道德意識的合一，「外以修行於政治者一於誠」，這是政治意識與道德意識的合一。其憂患意識愈強，則其自反於身心者愈敬；其自反於身心者愈敬，則其修行於政治者愈誠，於此可見憂患意識與道德意識，及政治意識三者的關係，是如何的密切。誠能上體天心，下盡人事，雖有災譴，亦可施恐懼修省之力，以消除更化。此即退溪所說「人道積善以回天」的道理（註四一）由此可見退溪的天命史觀，是遠承古代儒家畏天命修人事的思想，而其所重者在人事，不在天命。如何「一於敬」、「一於誠」，此皆是道德修養中事。退溪認爲：

> 君之於天，猶子之於親。親有怒於子，子之恐懼修省，不問所怒與非怒，事事盡誠而致孝，則親悅於誠孝，而所怒之事，並與之渾化無痕矣（同註四〇）。

「恐懼修省」「事事盡誠」，前者是憂患意識，後者是道德意識。於此可見二者關係的密切。退溪此論，不啻是「人道積善以回天」的註脚。宋儒張南軒說：

人主不可以蒼蒼者便爲天，當求諸視聽言動之間，一念纔是，便是上帝鑒觀，一念纔不是，便是上帝震怒。（註四二）

正因爲「上帝鑒觀」、「上帝震怒」，所以要「恐懼修省」「事事盡誠」，以下盡人事，上合天心。詩曰：「畏天之威，於時保之」，孟子引此以規齊王（註四三），退溪引此以戒宣祖（同註四〇），揆其用意，皆重在修人事方面。由此可知退溪的天命史觀，是以憂患意識爲前題，以道德意識爲依歸。以倫理爲本位，以誠敬爲門路。

五、重要內涵

㈠自覺性

憂患意識是一種精神上的自覺，退溪認爲：

人心備體用，該寂感，貫動靜，……未發則爲戒慎恐懼之地，已發則爲體察精察之時。而所謂喚醒與提起照管之功，則通貫乎未發已發之間，而不容間斷者，即所謂敬也。（註四四）

「敬」是由憂患意識所產生的精神上的自覺。退溪所說「人心備體用」的人心，即是陸象山所說的本心（註四五）。本心即是「虛靈知覺」的良知。朱子說：

所覺者心之理也，能覺者氣之靈也。（註四六）

理與氣合便能知覺，譬如這燭火，是因得這脂膏便有許多光燄。

退溪推衍朱子的話說：

滉因謂火得脂膏而有許多光焰，故能燭破幽闇，鑑得水銀而有如許精明，故能照見姸媸。理氣合而爲心，有如許虛靈不測，故事物纔來，便能知覺。今但當因此等明訓而知涵養體驗之功，積累多後，自當有豁然貫通處（註四七）。

退溪所說的「虛靈不測」，即朱子所說的「虛靈知覺」（註四八）。

惟其虛，故能備衆理；惟其靈，故能應萬事。然常因氣稟之障，習染之蔽，而使「危者愈危，微者愈微」，須加「涵養體驗」之功，以復其本心的純粹和明覺。退溪所謂「火得脂膏，鑑得水銀」，脂膏水銀，以喻學問功夫。學問功夫不外格物致知。朱子說：

格物是夢覺關，格得來是覺，格不得只是夢（註四九）。

此可見自覺經過格物功夫，而後此自覺始是眞知實得。唐君毅先生說：

中國的文化精神則是自覺地求實現者。（註五〇）

所謂「自覺地求實現」，乃是要「從根上消化生命中之非理性反理性的成分」，一言以蔽之，此即「克己復禮」的工夫。朱子說：

某嘗謂物格知至後，雖有不善，亦是白地上黑點；物未格，知未至，縱有善，也只是黑地上白點。（同註四九）

使生命變成「白地」，這是「自覺地求實現」的結果。「自覺」是「常惺惺」的狀態，如顏子的

「不違仁」，即是自覺的作用，而不歇地做成德的功夫。書洪範說：

思曰睿，睿作聖。

「思」是「覺」前的工夫，「睿」是「覺」後的狀態。思睿可以作聖，此亦可知「思」的重要，與「睿」的可貴。

就修己而言，自覺始能去病；就安人而言，自覺始能覺人。退溪說：

朱先生答李敬子自陳己病之問曰：此等處自覺是病，便自治之，不須問人，亦非人所能預也。（註五一）

「自覺是病，便自治之」。「覺」是知，「治」是行。此是即知即行的工夫，退溪又曰：

嘗聞之，朱夫子之言曰：知其病而欲去之，則只此欲去之心，便是能去之藥。願吾友勿訪藥於他人，即於此句內求之，而痛下砭治。則必有神驗，非苦口之藥所能及者矣。（註五二）

「只此欲去之心，便是能去之藥」，此合知行爲一，「痛下砭治」，貴在篤行。知而不行，病何能去？

孟子說：「賢者以其昭昭，使人昭昭」（註五三）「以其昭昭」，此賢者的自覺，「使人昭昭」，此賢者的覺人。伊尹說：

天之生此民也，使先知覺後知，使先覺覺後覺也。予天民之先覺者也，予將以斯道覺斯民也。（註五四）

「使先知覺後知，使先覺覺後覺」，這是理所當然的事，對先知先覺者而言，這也是義不容辭的事。退溪篤信聖賢之言，其平居教誨後學，不厭不倦，待之如朋友，終不以師道自處。退溪弟子金誠一說：「自先生之起，爲士夫者始知所以爲人之道」（註五五），這是退溪自覺覺人的註脚。據陶山門賢錄所載退溪及門諸賢共達三一二人，親炙者如此之多，私淑者更難以數計。所謂「以斯道覺斯民」，退溪在這方面是終身以之，而且是成就遠大，輝光日新。

㈡悲憫性

自覺是智慧的表現，悲憫是仁心的發露。憂患意識的精義，即在具有「悲天憫人」的懷抱。孟子說：「惻隱之心，人皆有之」（註五六）。「惻隱之心」，正是悲憫的根源。退溪天性篤厚，異於常人，據年譜載：

正德三年戊辰，先生八歲。

仲兄刃傷手，先生抱泣，母夫人曰：「汝兄則傷手不泣，汝何泣耶？」對曰：「兄雖不泣，豈有血流如彼，而手不痛乎？」（註五七）

仲兄傷手，退溪抱泣，是至情至性的自然流露，是愛人如己的崇高表現。也就是孟子所說的「不忍人之心」，這種「不忍人之心」，是憂患意識的根源所在。程伯子說：「仁者以天地萬物爲一體，莫非己也。若不有諸己，自與己不相干。如手足不仁，氣已不貫，皆不屬己。」（註五八）仁者與物同體，須從感應之機上體認。退溪釋詩說：

詩曰：「民之訛言，寧莫之懲，我友敬矣，讒言其興」。亂世讒賊之禍，根連條逮，朋友義均同體，友之禍即己之禍，友之憂即己之憂。故始冀友念亂而憂所以弭亂，即愛於人也。終勸友反己而謀所以息讒，即反諸己也。讀者以是認得詩人忠厚懇惻之意則善矣。（註五九）「朋友義均同體」，此是大本所在。大本既立，始能與友同禍，為友分憂。若大本既失，雖莫逆之交，亦可反目成仇。所說「憂所以弭亂」、「謀所以息讒」，這是為了處憂患之道。而「愛於人」、「反諸己」，皆是悲憫之心的發露。其中「反諸己」又實為「愛於人」的張本。若「反諸己」不誠，則「愛於人」亦必不忠。知詩人「忠厚懇惻之意」，則知所以處憂患之道矣。

雖然，朋友以其同體，同體所以同憂。其在鳥獸草木，亦同此理，而人或不察。如孟子對齊宣王說：

臣聞之胡齕曰：「王坐於堂上，有牽牛而過堂下者，王見之曰：「牛何之？」對曰：「將以釁鐘。」王曰：「舍之，吾不忍其觳觫若無罪而就死地。」（註六〇）

齊宣王見牛將釁鐘，而不忍其觳觫，此種不忍之心，已與牛為一體。惜宣王不能推其不忍之心，以行不忍之政，所以見責於孟子，見譏於後世。

當退溪疾革之際：

痢泄，盆梅在其旁，命移於他處，曰：「於梅兄不潔，心自未安耳。」（註六一）

盆梅雖為無知之物，然在退溪之心目中，盆梅已人格化。潔不潔在梅，安不安在心，此時退溪之心，已與梅爲一體。梅因退溪而有不潔，則退溪即不能心安。梅雖無知，退溪則有情。孟子所說「舉斯心加諸彼」（註六〇），猶指同類而言。而退溪之不忍「梅兄不潔」，其愛已及於無知之植物。愛物之心如此，愛民之心更可知矣。退溪說：

古之人君，視民如傷，若保赤子。父母愛子之心，無所不至。如遇其疾病飢寒，則哀傷惻怛，不啻在己提抱撫摩，誠求不遠，飲食以飼哺之，藥物以救療之，如此而或至於死猶不敢怨天，而自傷其救療之未盡，蓋其深愛至痛之情所當然也。（註六二）

「視民如傷，若保赤子」，可見其愛民之心，無時或已，無所不至。若遇民疾苦，則「哀傷惻怛」，此是仁心的發露，也是仁心的不容已處，更是憂患意識之所由表現。「飲食以飼哺之，藥物以救療之」，這是所以處憂患之道。孟子說：

禹思天下有溺者，由己溺之也；稷思天下有飢者，由己飢之也，是以如是其急也。（同註五）

「由」同「猶」字，「猶己飢」、「猶己溺」，可見其情的痛切。而「如是其急」的「急」字，更有憂心如焚、急如燃眉的情懷。退溪說：

心即是體萬物普四海底心。（註六三）

「體萬物普四海」的心，就是惻隱之心，也就是悲憫之心。有悲憫之心，才有切膚之痛，才能產生憂患意識。

㈢歷鍊性

玉不琢，不成器。淑世的君子，須經艱苦的磨鍊。在磨鍊中充實生活的內涵，在磨鍊中體驗生命的意義。朱子說：

窮須是忍，忍到熟處，自無戚戚之念矣。（註六四）

「窮」指憂患，「熟」指歷鍊。「忍到熟處」，其歷鍊的工夫自不待言。退溪一生，飽經憂患，備嘗辛苦。其與奇明彥書說：

鄙書多憂患之語，似乎無端，老生更歷世故之日多，自然慮至於此，幸勿爲怪。愚見此事極一生辛苦工夫，僅可庶幾。（註六五）

「多憂患之語」，見其憂患意識之強烈。「更歷事故之日多」，見其飽經憂患的洗禮。「極一生辛苦工夫」，即是極一生磨鍊工夫。退溪又說：

（朱子）訓門人曰：「須是忍辛耐苦，做得不快活底工夫，乃是好消息，久久須得力也。」凡此皆今所云病痛處，對症之方藥也。於此又當知毋欲速，毋憚難，毋一不得而遂輟，直要硬著脊梁，依此法做去，仍勿屑屑計較其近効。孔子所謂「先難而後獲」，正謂此也。（註六六）

「忍辛耐苦，做得不快活」，此中多少歷鍊工夫，多少憂患意識。「毋欲速」須毅，毅以致遠；「毋憚難」須勇，勇以克難。而「硬著脊梁」，則有「頂天立地」的氣概，「舍我其誰」的擔當。朱子說：

痛理會一番，如血戰相似，然後涵養將去。未能識得，涵養個甚！（註六七）

「痛理會」是致知工夫，知得分曉，自然行得實在。退溪推衍朱子的話說：

必須奮發剛勇，硬著脊梁，克自擔當。盡死力而痛理會，如血戰然，乃可以得之；不然，悠悠泛泛，終無可得之理。（註六八）

「痛理會」而「盡死力」，這是何等刻苦、何等切實的工夫。如此「痛理會」，其印象必深，其所得必固，其受用必大。理會得一分，即有一分進益。不然「悠悠泛泛」，無所用心，立脚不穩，把握不住，是以無可得之理。

以血戰精神求知，其知必致；以血戰精神力行，其行必成；以血戰精神制欲，其欲必去。退溪論制欲之勇說：

滉之於制欲，如敗軍之將，憤回溪之垂翅，堅壁清野，枕戈嘗膽，厲兵誓士，而敵自不至。其或遇敵，或多設方略，不與交鋒，而坐銷西羌之變。或不得已至於用兵，則當鑿城怒牛，一舉而掃蕩燕寇；斫樹發弩，頃刻而殪死窮龐可也。（註六九）

此段退溪以戰喻制欲之法有三：一是嚴防，二是堅守，三是猛攻。嚴防在制敵幾先，堅守在以逸待勞，猛攻在速戰速決。三者殊途同歸，論其精神，全在一個「勇」字。退溪說：

朱先生剛勇，百世一人。然少覺己見有誤處，己言有未安處，無不樂聞而立改之。雖至晚年，道尊德盛之後猶然，豈嘗纔發輒於聖途而已。乃知眞剛眞勇，不在於逞氣強說，而在於改過不吝，聞義即服也。（註七〇）

「改過不吝，聞義即服」，非大勇不能。其在孔門，如顏子的有過不貳，擇善固執；曾子的冰淵自懍，病革易簀；子路的聞過則喜，臨死結纓。都是大勇的具體表現。

黃仲舉稱贊退溪「硬擔勇荷」（註七一），此四字大有事在，大有工夫。孟子說：

天將降大任於是人也，必先苦其心志，勞其筋骨，餓其體膚，空乏其身，行拂亂其所爲，所以動心忍性，曾益其所不能。（同註一）

「硬擔勇荷」須經一番苦勞拂逆，艱難歷鍊，和動心忍性的工夫。孟子這一段話，不啻是「硬擔勇荷」四字的最佳註脚。退溪也說：

紛華波蕩之中，最易移人，余嘗用力於此，庶不爲所動。（註七二）

是知貞剛貞勇，必須小心翼翼，戒愼恐懼，久經磨鍊，動忍增益，始能壁立萬仞，外物不搖。大抵憂患意識愈強，其操心愈危，其慮患愈深，其戒懼愈嚴，其克己愈勇。退溪就是這樣貞剛貞勇，壁立萬仞的賢人君子。

以上所言自覺、悲憫、歷練三者，是憂患意識的主要內涵，自覺是智，悲憫是仁，歷練是勇，這智仁勇三者，以仁爲中心。智以知仁，勇以行仁。退溪之仁，深潛純粹，自覺之智，迥異常人。退溪於十二歲時，受論語於叔父松齋公寓，至「弟子入則孝，出則弟」，惕然自警曰：「人子之道，當如是矣」。（註七三），此與朱子幼讀孝經即題曰「不若是，非人也」（註七四），可謂同一心理。

退溪於十八歲時，作遊春詠野塘詩：

露草夭夭繞水涯，小塘清活淨無沙。

雲飛鳥過元相管，只怕時時燕蹴波。（註七五）

此詩重點全在最後一句，「燕蹴波」，喻人欲之萌，干擾心體。「只怕時時」，即是憂患意識。「時時」二字，正見憂患意識的強烈。退溪弟子金富倫評此詩，謂「天理流行，而恐人欲間之」（註七六），其說甚是。退溪以十八歲的少年，能有這種存理制欲的憂患意識，可說是慧根夙具，少年老成。

六、處道之要

㈠居敬窮理、存養省察

人之常情，莫不樂逸豫而惡憂患，非知憂患之爲難，而所以處憂患者實難。朱子說：

聖門之學，別無要妙，徹頭徹尾，只是個敬字而已。（註七七）

「敬」是聖學的綱領，也是存養的要法。退溪說：

程朱論學固以居敬窮理爲第一義。（註七八）

對於二者的關係，朱子認爲：

能窮理則居敬工夫日益進；能居敬則窮理工夫日益密。（註七九）又說：

涵養中自有窮理工夫，窮其所養之理；窮理中自有涵養工夫，養其所窮之理，兩項都不相離。（

同註七九）

「窮其所養之理」，是涵養爲窮理之本；「養其所窮之理」，是窮理爲涵養之助。其實，二者只是一事，就窮理的專一處說，便是涵養的工夫；就涵養的精密處說，便是窮理的工夫。窮理即是致知，涵養在於持敬。致知以明理，持敬以養心，二者交相爲用，而實以持敬爲本，「若能持敬以窮理，則天理自明，人欲自消」（同註七七）。所以退溪亦說：

惟當敬以爲主，而動靜不失。當其思慮未萌也，心體虛明，本領深純。及其思慮已發也，義理昭著，物欲退聽，紛擾之患漸減，分數積而至於有成，此爲要法。（註八〇）

「思慮未萌」，當靜而操存，以涵養本原；「思慮已發」，當動而省察，以存理遏欲，所謂「靜而涵天理之本然，動而決人欲於幾微」（同註八〇），至於眞積力久，則「天理自明，人欲自消」。天理有一分未明，人欲有一分未消，即有一分憂患意識存在。而處憂患之道，當以「敬以直內」爲第一義。惟敬能貫動靜、合內外，亦惟敬能存天理、去人欲。退溪說：

譬之治病，敬是百病之藥。（註八一）

學者用力處，只在持敬，持敬既久，涵養既熟，省察工夫自在其中。工夫間斷，便是未熟，熟則不憂間斷。退溪說：

君子晝居於外，則終日乾乾，自強不息；夜處於內，則惕厲不欺，寢亦不尸，無時不敬也。（註八二）

無事不敬，無時不敬，是涵養的要法，也是處道的要法。

二謙虛韜晦、卑以自牧

謙虛所以養量，韜晦所以養德。顏子「有若無，實若虛」。視有若無，方不自欺；視實若虛，方不自滿。其爲邦之量，在孔門無出其右，實非偶然。易經謙卦說：「謙謙君子，卑以自牧」（註八三），退溪精通易學，深知謙退之理。凡人有上人之心，由內之不足；有爲人之意，由己之不立，退溪答趙士敬說：

凡百務爲韜晦，惟不自失而日求益，是爲要法。（註八四）

「不自失而日求益」，即子夏「日知其所亡，月毋忘其所能」（註八五）之意。「不自失」是「求益」是「日知其所亡」。退溪又與鄭子中書說：

以吾輩今日學問緩急言之，著述非急。行身顯晦言之，晦藏爲上。乃忘上策，而急非急，以橫起犯世患之端，君子之所當愼也。（註八六）

由此可知「晦藏」所以養德，亦所以避患。因爲露才揚己，最易招嫉。常見己不足，才有進益；自處太高，便非所宜。退溪規奇明彥「勿太高於自處，勿遽勇於經世」（註八七）。又謂趙士敬「不無有誇逞矜負自喜之態，而少謙虛歛退溫厚之意」（註八八）。

對於處世的態度，退溪說：

古人雖云「事其大夫之賢者，今日使此說不得，正須內植其志，壁立萬仞，而所以行於世者，

則每以退人一步，低人一頭爲第一義。閉門自守，聽天所命，如是而或有險難，可謂之命，以其非自召也。（註八九）

凡此均可見退溪謙退韜晦的態度。對於毀譽，更是深具戒心。退溪說：

吾儕一爲人所知所譽，便是不好消息。（註九〇）

又說：一投足一開口之間，不得譽則必得毀。得毀固可畏，得譽更可憂。（同註八九）

得毀可畏，得譽可憂，而毀譽常相因而生。譽之所至，名亦隨之；名之所歸，謗亦隨之。退溪以名譽爲「不好消息」，似與孔子所說「君子疾沒世而名不稱焉」的話相左。其實，名者實之賓，名所以表實。退溪所憂所畏者，是名不副實之名。至於實至名歸之名，乃是理所當然之事，似無可逃之理。退溪的看法是：

人有爲學之名，人必以百責歸之，此危道也。況自相以無實之辭，稱美推許，以招人之笑怒哉（註九一）

人以百責歸之，以笑怒加之，此皆名不副實之累。而所謂「危道」，即憂患意識之所在。於此可見退溪的謙退韜晦，實含有深遠的意義，和人生的哲理。

㈢出處去就、相時度義

退溪處於朝政不綱，權奸用事的時代。所謂「小人道長，君子道消」，在這種「與世齟齬，枘鑿相反」的環境中，退溪既不欲貶道以徇人，就只有奉身退隱之一途。退溪嘗說：

仕所以行道，非所以干祿。（註九二）

這是退溪爲政的信條，而當時的政治狀況。距離退溪的理想尙遠。孟子說：「有官守者，不得其職則去」（註九三）仕而不得其職，不能行道，故不得不去。退溪答奇明彥說：

古之君子明於進退之分者，一事不放過，少失官守，則必奉身而亟去，彼其愛君之情必有所大不忍者，然不以此而廢其去者，豈不以致身之地，義有所不行，則必退其身，然後可以徇其義。當此之時，雖有大不忍之情，不得不屈於義所揜也。……而滉也一生蹤跡，常落在退身徇義之一邊。蓋義之所在，隨人隨時，變動不居，在諸公則進爲義，欲使之爲我所爲，不可也。在我則退爲義，欲使之爲諸公所爲，亦不可也。（註九四）

退溪認爲古之君子「少失官守，則必奉身而亟去」，退溪嘗謂「仕所以行道，非所以干祿」，道既不行，未免有失官守，退溪自言「一生蹤跡，常落在退身徇義之一邊」，實有其不忍之情與難言之隱。禹性傳說：

先生戊辰之出，不可謂無其意，而一時老事之徒，悠悠泛泛，度時日饕利祿者相環也。凡先生所欲爲，皆彼之所忌，或有建白，非惟泥而不行，又從而指目之，動與爲矛盾，不得一有施設。則不爲其事而享其爵祿，豈先生之心哉。其與人書曰：在此不穩，事逐日如麻，安得不急於歸計耶！（註九五）

觀此一段話，可見退溪在朝處境的惡劣，小人在位，悠悠泛泛，守正君子，橫遭嫉妒，眞所謂「

謀之其臧，則具是違，謀之不臧，則具是依」（註九六），小人動輒掣肘，相爲矛盾；退溪獨處守正，孤掌難鳴。所以說「在此不穩」，而急於歸計。退溪嘗言進退之義：

> 我之進退，前後似異，前則聞命輒往，後則有徵必辭，雖往亦不敢留。蓋位卑則責輕，猶可一出；官尊則任大，豈宜輕進！昔有人除大官則輒往曰：「上恩至重，何可退也。」余意則似不然，若不顧出處之義，而徒以君寵爲重，則是君使臣、臣事君，不以禮義而以爵祿也。其可乎？（同註九五）

進以禮，退以義，這是退溪出處所遵循的原則。所謂「官尊則任大，豈宜輕進」，衡以孟子「惟仁者宜在高位」之言，可知這未必是退溪「有徵必辭」的眞正理由。觀其「不以禮義而以爵祿」之語，不難窺其微意所在。金誠一說：

> 近世士大夫讀書，則惟知決科之利，而不知有聖賢之學。居官則惟知寵祿之榮，而不知有恬退之節。泯泯蚩蚩，無恥無義，自先生之起，爲士夫者，始知所以爲人之道，不在彼而在此。間有聞風而興起，雖時不遇，學不見試，而功化之及物者已不淺矣。（註九七）

邵康節詩：「隱几功夫大，揮戈事業卑」（註九八）。然則退溪之退身徇義，固大有功於名教也。

(四)樂山樂水、潛心求道

孔子說：「知者樂水，仁者樂山」（註九九）。退溪仁智兼資，樂山樂水，出於天性。自謂「少小林泉有好懷」（註一〇〇）。退溪與曹楗仲書說：

乞身避位，抱負墳典而來，投於故山之中，將以益求其所未至，庶幾賴天之靈，萬有一得於銖累寸積之餘，蘄不至虛過一生。此滉十年以來之志願，而聖恩含垢，虛名迫人，自癸卯至壬子，凡三退歸而三召還。以老病之精力，加不專之工程，如是而欲望其有成，不亦難乎！夫榮利之途，世所同馳，得之則以爲快樂，不得則以爲戚嗟者，衆皆然也。不知賢者之於山林，有何事可以自樹於此，而能忘於彼者耶！其必有所事者矣，其必有所得者矣！其必有所守而安之者矣！其必有所樂於胸中而人不能與知者矣。（註一〇一）

所謂「必有所事」「必有所得」「必有所守」「必有所樂」，此是「知者樂水，仁者樂山」，是樂與道俱，而有浴沂舞雩的遺風，有陶冶性情的功效。

退溪於五十歲二月，卜居退溪之西，構寒栖庵，有詩道：

身退安愚分，學退憂暮境，溪上始定居，臨流日有省。（註一〇二）

此詩無異是退溪的小影。前兩句是憂患意識，後兩句是處憂患之道。所憂者學退而臨暮境，「欲博則聰明不及，欲約則精力已耗」（註一〇三）。溪上定居，臨流有省。所省者莫非改過遷善之事。惟能日省其身，始能日新又新，進步不已。

退溪雅好佳山麗水，有「吾與點也」之意。年譜載：

辛酉三月，築節友社。一日，先生自溪上步出陶山訪梅，有詩曰：「花發巖崖春寂寂，鳥鳴澗樹水潺潺，偶從山後攜童冠，閒到山前看考槃。」李德宏問曰：「此詩有上下同流，各得其所

之妙。」先生曰：「雖略有此意，推言之太過。」（註一〇四）

此詩首句言靜，次句言動。春寂寂而花發，靜中自有盎然生意。水潺潺而鳥鳴，動中便有活躍之機趣。後兩句「偶從山後」「閒到山前」，山前山後，純任自然，全不著意。情與境適，樂與道俱。所謂「上下同流，各得其所」，此種境界，乃是體道之自然，成德之氣象。孫夏峯說：

明道以鳶飛魚躍與必有事焉勿正之意同者，正謂於飛躍見流行之體，而工夫在勿忘勿助之間。（註一〇五）

所謂「勿忘勿助之間」即是敬。退溪答金而精說：

朱子以勿忘勿助之間爲敬，非以有事之事爲敬。只謂有事於敬者，當勿忘勿助耳。……蓋雖功夫未熟底人，當其眞得勿忘勿助，而此心灑然呈露，此理自然流行時，更有甚纖毫着力處耶？（註一〇六）

「此心灑然呈露，此理自然流行」，此是持敬的效驗。到得眞積力久，工夫純熟，深造自得，如鳶飛魚躍活潑潑地，便是成德底氣象。夏東岩說：「孔門沂水春風景，不出虞廷敬畏情」（註一〇七），沂水之樂，自克己工夫中來。趙士敬說退溪「每遇佳山麗水，幽閒迥絕之處，則或攜壺獨往，或命侶俱遊，倘佯嘯詠，終日而歸，皆所以開豁心胸，疏淪精神，資養性情之一事，非偷閒玩景，放意林泉之比也」。（註一〇八）退溪臨終之年，曾有詩說：

七十居山更愛山，天心易象靜中看。一川風月須閒管，萬事塵埃莫浪干（註一〇九）

其樂山樂水之情懷，好學深思之精神，可謂老而彌篤。以其充養有素，深造自得，故言之警切有味，寄寓深遠。

㈤以身率敎、以敎攝政

行道淑世，本爲儒者的素志，然時不我用，惟有息影山林，以在野之身，潛心求道，率教化民。進而以教攝政，扶持正脈。李德弘輓退溪詩有句說：

躬行敬義光前哲，首揭明誠啓後人；作聖規模圖與箚，隨時出處智兼仁。（註一一〇）

前二句是以身率教，後兩句是以教攝政，退溪訓誨後學，不厭不倦。平居爲學，敬義夾持，明誠兩進，默默加工，孳孳不已。退溪告柳仲淹說：

眼中朋友，未見有長進者，又不曾信向此事，豈吾所爲者，無足信耶！甚可憂懼。（註一一一）

「眼中朋友，未見長進」，此是退溪之所憂，「吾所爲者無足信」，此是退溪之所懼。此語充分反映出退溪教人，注重以身作則。此與孔子所言「吾無行而不與二三子者」（註一一二）可謂同一機杼。據李德弘說：

（退溪）答德弘論敬書，因寫一通，揭之於壁，趙月川穆嘗侍左右，問何以若是？曰：「我雖教人如此，而反諸吾身，猶未能自盡故然耳。（註一一三）

以此教人，亦以此自省。此即孔子「古者言之不出，恥躬之不逮」（註一一四）的意思。退溪有自省錄，其內容皆是與朋友講習之言。退溪於自省錄序中說：

今與朋友講究往復，其言之出，有不得已者，已不自勝其愧矣。況既言之後，有彼不忘而我忘者，有彼與我俱忘者，斯不但可恥，其殆於無忌憚者，可懼之甚也。閒搜故篋，手寫書稿之存者，置之几間，時閱而屢省之，於是而不替焉。（註一一五）

「時閱而屢省之」，期在言出必行，行必徹底。退溪於「易簀前月，已被重疾，而尚與諸生講論，無異平昔。諸生久乃覺之，輟講數日，疾已革矣」（註一一六）。此可見退溪「守死善道」的精神。

儒者理想，是以教化領導政治，儒者對君主說話，常居於賓師之地位。儒者既以道自任，不能不望以教攝政。而政治上之勢力，常欲控制一切，迫使儒者精神墮落，而爲其所御用。儒者既不願枉尺直尋，常不能不承擔悲劇的命運。（註一一七）由於政治上的現實勢力抬頭，儒者總是難進而易退。然儒者之退，並非放棄責任。而是要在政府之外，建立文教的力量，以此力量化民成俗，以此力量影響政治。前者在建立人格世界，也就是「爲天地立心，爲生民立命」；後者在實現王道政治，也就是「爲往聖繼絕學，爲萬世開太平」。

退溪於中歲以後，乞身避位，有徵必辭，而講學益專，任道愈重，其憂患意識亦愈強烈。「雖退閒年久，憂國之念，老而益篤。往往與學者言及國事，輒噓唏感憤」（註一一八）晚年承召入京，或啓於經筵，或上疏條陳，勉以聖學，以正心爲先，以持敬爲本。而正心之道，莫要於去私，退溪說：

私者一心之蟊賊，而萬惡之根本也。自古國家治日常少、亂日常多，馴致於滅身亡國者，盡是人君不能去一私字故也。是以古之聖賢，兢兢業業，如臨深淵，如履薄冰，日乾夕惕，惟恐頃

刻怠忽，而有墮落坑塹之患。其心未嘗自謂吾學已至，不患有陷於私邪也。（註一二〇）

人君不能去私，「馴至於滅身亡國」，可見徇私之害甚大，欲去私字，必須兢兢業業，懍懍爲戒。而持敬工夫，尤不可少。蓋敬是百病之藥，萬善之根（註一二一），敬則心有主宰，內外肅然，天理自明，人欲自消。

持敬所以正心，正心所以爲治。朱子說：「人主之心一正，則天下之事無有不正」（註一二二），退溪於戊辰六條疏中，其第三條「敦聖學以立治本」，第四條「明道術以正人心」，這兩條是「以教攝政」綱領所在。其實，戊辰六條疏是以倫理哲學爲基礎的政治哲學。其第一條「重繼統以全仁孝」第二條「杜讒間以親兩宮」，都是屬於倫理的範疇。其第五條「推腹心以通耳目」，第六條「誠修省以承天愛」，「推腹心」是倫理的延伸，「誠修省」是倫理的本務。退溪認爲「古人所謂探淵源而出治道，貫本末而立大中者，初不外此」（註一二三）。

所謂「探淵源而出治道」，淵源即是倫理道德。所謂「貫本末而立大中」，「本」是修己，「末」是安人。儒家之學，不外修己安人二者。其第三條「敦聖學以立治本」，合修己安人爲一，由居敬窮理，誠意正心，而入於聖賢中和之域。而爲治之本，於是乎在。

而退溪「以教攝政」的具體方案，則爲聖學十圖（註一二四），並說前五圖本於天道；而功在明人倫，懋德業。後五圖原於心性，而要在勉日用，崇敬畏（註同上）。

所謂「明人倫，懋德業」，這是偏重於安人的工夫，所謂「勉日用，崇敬畏」，這是偏重於修己的工夫。事實上，修己安人並非二事。在儒家看來，政治亦教化中事。所以退溪說：

顏子之心不違仁，而爲邦之業在其中。（註一二五）

由退溪此語可見爲邦之政治，原在不違仁的道德修養之中。退溪又說：

畏敬不離乎日用，而中和位育之功可致。（註同上）

畏敬是憂患哲學的精神，位育是政治哲學的極致。畏敬既不離乎日用，日用亦不外乎彝倫。透過憂患意識的層層下貫，以道德哲學指導政治哲學，經由日用彝倫的實踐，以達天人合一的理想。退溪說：

教必由於上而達於下，然後其教也有本，而可遠可長。（註一二六）

是「以教攝政」的最終目的，在於「以政率教」。大學說：「堯舜率天下以仁，而民從之」，即爲以政率教的明效，孟子說「唯仁者宜在高位」，亦同此理。可惜當時宣祖幼沖，未能將退溪的建言，付諸實踐。而朝中大臣又無學術，不能講明其義，孤負退溪輔養君德、以教攝政的苦心。

七、結　論

退溪所處的時代，是一個憂患的時代。處於憂患的時代，其憂患意識亦特別強烈。由憂患意識的強烈，更能體認自己所負責任的重大，而益堅舍我其誰的擔當，益厲學術報國的志節。退溪之處憂患，以敬爲入道之門，亦以敬爲涵養之方。就爲學而言，注重精思力踐，眞知實得，以陶冶高尚的人格。

就出處而言，注重仕進之禮，退身之義，以保持冰霜的操守。就教學而言，則謙虛好問，舍己從人，以義理至當爲歸。就處世而言，則恭謹溫良，卑以自牧，以韜光養晦爲德。就規模而言，寧學聖人而不至，不以一善而成名。就窮理而言，寧竭吾才而不逮，不以老病而自憐。就制欲而言，堅壁清野，收克己之功；鑿城怒牛，奮克敵之勇。就踐履而言，循循有序，無欲速助長之病；默默加工，有闇然日彰之美。乾乾乎夕惕若，期於天人之合一，洋洋乎日用間，無非天命之流行。孟子說：「君子有終身之憂，無一朝之患」（同註五）。「終身之憂」在求諸己者，「一朝之患」，當聽諸人者。退溪的憂患哲學，是以「求諸己」者爲用功之地。退溪說：

使余當時恥不若人，而遂不學，則終不變當日之陋。使余今日恥不及古，而不自力，則豈惟不能進於今日之習，將並與前所得而失之。惟好之篤則無不可得，而其自謂不能者，皆自棄者也。（註一二七）

所謂「恥不若人」，「恥不及古」，「恥」之一字，實爲立身的大節，「恥」是一種自覺，有刺激性，有推動力。能知恥，方能雪恥。知恥是智，雪恥是勇。君子行己有恥，便是安身立命的根本。

憂患的人生，是迎接挑戰的人生。憂患的哲學，是仁爲己任的哲學。不怕環境的挑戰，必能戰勝環境。張子西銘說：「貧賤憂戚，庸玉女於成也」。在憂勞中自強，在患難中磨鍊，遵守道德的規範，鍛鍊堅強的意志，動心忍性，增益其所不能，才能肩任鉅艱，履險如夷。綜觀退溪的學問，一以朱子爲的。堅持儒家的人文精神，開拓自主的人格世界，扶持人道的正脈，維繫文化的正統。對於社會風氣，世道人心，都有莫大的裨益。

今天中韓兩國處境相同，唇齒相依，而民族的憂患，較諸退溪時代，有過之而無不及。輓近以來，西風東漸，物質文明的發達，導致精神文明的式微。儒家所標榜的傳統道德，面臨嚴重的考驗。我們憂慮國家前途的多艱，更憂慮國民道德的墮落。放眼世界，醉心物欲者滔滔皆是，淡薄的人情，冷酷的現實，頹唐的生活，腐蝕社會生機，危害民族命脈。所以憂患意識的現代意義，必須針對物欲橫流的社會，抱持戒愼恐懼的態度，而厲壁立萬仞的清操，誠如退溪所說：

必常有不可奪之志，不可屈之氣，不可昧之識見，而學問之力，日淬月鍛，然後庶可以牢著脚跟，不爲世俗聲利威風所掀倒也。（註一二八）

「不可奪」是仁，「不可屈」是勇，「不可昧」是智。智及仁守，持志養氣，便能「立之斯立，道之斯行」（註一二九），障百川而東之，挽狂瀾於既倒。

英國史學家湯恩比（Arnold J Toynbe），綜觀世界古今史實，獲得文化之生、長、衰、亡的定律。關於文化發生者，是「挑戰與反應」，有自然與人事的挑戰，而後有創造與發明的反應，文化遂以形成。（註一三〇）挑戰是接連不斷的，克服一次的挑戰，其憂患意識便深一層。我國數千年歷史，憂患綿延不絕，一次又一次的挑戰被克服，因而產生了堅靭深厚的憂患意識，從而建立起大中至正的憂患哲學。由此憂患哲學，開創了「動乎險中」，冒險圖存的中興機運。

沒有憂患，就沒有挑戰。沒有艱險，就沒有奮鬪。當此國家多難之際，吾人面臨各種險阻橫逆，必須以無比的勇氣，去接受一切的挑戰。「殷憂啓聖，多難興邦」，如能以憂患哲學爲指導原則，以克服挑戰爲行事準繩，以提高生活素質，加強國民道德爲當前急務，則必能開拓中興機運，完成仁爲己任的歷史使命。

【附註】

註 一：見孟子告子下篇。

註 二：五代史記伶官傳序，卷三七，葉一九三，藝文印書館。

註 三：燕巢飛幕，喻處境至危而不知。左傳襄公二十九年，吳季子札曰：「夫子（指孫林父，衞大夫孫良夫之子）之在此也，猶燕之巢於幕上。」丘遲與陳伯之書：「將軍魚游於沸鼎之中，燕巢於飛幕之上，不亦惑乎？」

註 四：居安思危，左傳襄公十一年，書曰：「居安思危」，思則有備，有備無患。

註 五：見孟子離婁下篇。

註 六：論語泰伯：曾子有疾，召門弟子曰：「啓予足，啓予手，詩云：『戰戰兢兢，如臨深淵，如履薄冰』。而今而後，吾知免夫。」

註 七：見「中國哲學的特質」第二講，葉十二，學生書局。

註 八：老子第三十八章。

註 九：甲辰乞勿絕倭使疏，增補退溪全書第一册，文集卷六，葉一六八。

註一〇：兩尹，指尹元老及尹任，尹元老爲明宗之舅，尹任爲仁宗之舅，尹元老求婚於任，任不許，以此兩尹遂成嫌隙。

註一一：見退溪先生言行錄卷四，退溪全書第四册，葉二二七。

註一二：見退溪先生言行錄卷六，年譜上，退溪全書第四册，葉一一四。

註一三：原抄本日知錄卷十七，廉恥，葉三八七，明倫出版社。

註一四：答李平叔書，退溪全書第二册，卷三十七，葉二六一。

註一五：李子粹語卷一，退溪全書第五册，葉二三八。

註一六：詩經小雅正月：「謂天蓋高，不敢不局；謂地蓋厚，不敢不蹐」。以喩動輒得咎也。

註一七：退溪言行錄卷六，年譜上：先是，先生外舅權礩，乃正言權碩兄，礩以己卯士類，與安處謙之獄，被罪死，礩亦坐廢。至是諫官承權臣風旨，以爲某礩女婿，不可爲史官，其薦之者亦非，啓請推藝文館官，而遞先生史職。於是論說紛然，一館皆坐罷。見退溪全書第四册，葉一一五。

註一八：退溪言行錄卷六，年譜上：李芑姪校理李元祿，素重先生，力諫芑；林百齡、芑之黨也，亦言於芑曰：李某謹愼自守，人所共知，今若罪此人，人必以爲前日被罪者，皆誣枉。由是芑又詣闕，謝前啓不審，請還給牒，故有是命。見退溪全書第四册，葉一二〇。

註一九：栗谷李珥所撰退溪遺事，見退溪全書第四册，葉二一。

註二〇：丁卯九月二十一日答奇明彥，見退溪全集第一册，文集卷十七，葉四四八。

註二一：退溪先生言行錄卷一，退溪全書第四册，葉一八一。

註二二：鄭惟一撰言行通述，見退溪全書第四册，葉一九。

註二三：退溪先生言行錄卷一，退溪全書第四册，葉一六九。

註二四：見史記「太史公自序」。

註二五：孫夏峯先生語錄，葉四九，廣文書局。

註二六：引見聖學十圖第一圖，退溪所附說明。退溪全書第一册，卷七，葉一九九。

註二七：見退溪全書第四册，退陶言行錄卷二，葉三一。

註二八：退陶先生言行錄卷一，退溪全書第四册二四葉。

註二九：朱說見中庸章句序，眞說見心經贊。

註三〇：見心經附註，日本刻版李退溪全集，葉四八二。

註三一：退溪言行錄卷一，退溪全書第四册，葉一七一。

註三二：見朱子書節要序。

註三三：答奇明彥，退溪全書第一册，葉四一三。

註三四：聖學十圖中，白鹿洞規，仁說及圖、敬齋箴，皆朱子所撰。小學爲門人劉子澄纂述。朱子於太極圖有註說，大學有章句，或問，西銘有解。心統性情圖及心學圖，撰者程復心，亦朱子學派。

註三五：見論語季氏。

註三六：朱子語類卷四六，君子有三畏章。

註　三七：戊辰六條疏，退溪全書第一册，卷六，葉一九二，皇天，書經太甲下作「惟天」。

註　三八：語見書經召誥。

註　三九：朱子語類卷十六，葉一二七，漢京文化公司。

註　四〇：戊辰六條疏，退溪全集第一册，卷六，葉一九〇、一九一。

註　四一：答李宏仲，退溪全集第五册，葉二〇〇。

註　四二：性理大全卷六十五，君道，葉一二。

註　四三：見孟子梁惠王下篇。

註　四四：答黃仲擧，退溪全書第一册，卷一九，葉四八六。

註　四五：象山弟子楊慈湖問：「何謂本心？」象山曰：「君今日所聽扇訟，彼訟扇者，必有一是，有一非；若見得孰是孰非，卽決定爲某甲是，某乙非，非本心而何！」見宋元學案第四册，卷六七，慈湖學案，葉八四七。

註　四六：性理大全卷三二，葉六。

註　四七：答鄭子中別紙，退溪全書第二册，卷二五，葉一三。

註　四八：朱子中庸章句序：「心之虛靈知覺，一而已矣」。

註　四九：朱子語類卷一五，葉一二〇，漢京文化公司。

註　五〇：引見牟宗三先生「中國哲學的特質」第十講，復性的工夫，葉七二，學生書局。

註　五一：答李敬子，朱子大全卷六二，葉三七。又見退溪全書第二册，卷三七，葉二六五。

註 五二：答奇明彥，退溪全書第一册，卷十六，葉四〇九。

註 五三：孟子盡心下篇。

註 五四：孟子萬章上篇。

註 五五：退陶先生言行錄，卷一，退溪全書第四册，葉一六。

註 五六：孟子公孫丑上篇。

註 五七：退陶先生言行錄，卷六，年譜上，退溪全書第四册，葉一一三。

註 五八：宋元學案卷十三、明道學案上，程明道語錄，葉五五二，華世出版社。

註 五九：三經釋義，退溪全書第五册，葉四八。

註 六〇：孟子梁惠王上篇。

註 六一：退溪先生言行錄，卷五，考終記。退溪全書第四册，葉二四一。

註 六二：戊辰經筵啓劄一，退溪全書第一册，卷七，葉一九四。

註 六三：答黃仲舉，退溪書抄卷五，李退溪全集下，葉一〇一。

註 六四：答余國秀。朱子大全卷六二，葉二八。

註 六五：自省錄，與奇明彥書別紙，李退溪全集下，葉三五八。

註 六六：答李平叔，退溪全書第二册，卷三七，葉二六二。

註 六七：朱子語類卷九，葉六一，漢京文化公司。

註　六八：書李大用研經書院記後，李子粹語卷二，退溪全書第五册，葉三一三。

註　六九：答奇明彥別紙，退溪全書第一册，卷十六，葉四二六。

註　七〇：答奇明彥，退溪全書第一册，卷十六，葉四二一。

註　七一：答黃仲舉，退溪全書第一册，卷十九，葉四八三。

註　七二：退溪先生言行錄卷一，退溪全書第四册，葉一七四。

註　七三：退陶先生言行錄，卷六，年譜上，退溪全書第四册，葉一一三。

註　七四：宋史卷四二九，葉一二七五一，新校本。

註　七五：退陶先生言行錄，卷六，年譜上，退溪全書第四册，葉一一四。

註　七六：退溪先生言行錄，卷一，退溪全書第四册，葉一六九。

註　七七：答程允夫，朱子大全第五册，卷四一，葉十八。

註　七八：答黃仲舉，退溪全書第一册，卷十九，葉四七〇。

註　七九：朱子語類卷九，論知行，葉六〇，漢京文化公司。

註　八〇：答金惇敍，退溪全書第二册，卷二八，葉七十。

註　八一：答金而精，退溪全書第二册，卷二九，葉九三。

註　八二：答申啓叔，退溪全書第二册，卷三八，葉二八三。

註　八三：易經謙卦象辭，孔穎達正義：「恒以謙卑，自養其德也。」

註　八四：答趙士敬，退溪全書第一册卷二三，葉五四九。

註　八五：論語子張篇。

註　八六：與鄭子中，退溪全書第一册，卷二四，葉五八六。

註　八七：與奇明彥，退溪全書第一册，卷十六，葉四〇四。

註　八八：答趙士敬，李退溪書抄卷六，李退溪溪全集下，葉一二八。

註　八九：答鄭子中，退溪全書第一册，卷二四，葉五八八。

註　九〇：答奇明彥別紙，退溪全書第一册，卷一六，葉四〇五。

註　九一：答洪應吉，李子粹語卷四，退溪全書第五册，葉四一四。

註　九二：退陶先生言行錄，卷一，金誠一實記，退溪全書第四册，葉一二。

註　九三：孟子公孫丑下篇。

註　九四：答奇明彥，退溪全書第一册卷十七，葉四四六。

註　九五：退溪先生言行錄，卷三，退溪全書第四册，葉二〇六。

註　九六：詩經小雅小旻文。

註　九七：退陶先生言行錄卷一，退溪全書第四册，葉一六。

註　九八：邵子天道吟，性理大全卷七十，葉八。

註　九九：論語雍也

註一〇〇：東齋感事，退溪全書第一册，文集卷三，葉九八。

註一〇一：與曹楗仲，退溪全書第一册文集卷十，葉二八二，二八三。

註一〇二：退陶先生言行錄，卷六，年譜上，退溪全書第四册，葉一二一。

註一〇三：與奇明彥別紙，退溪全書第一册，卷十六，葉四二五。

註一〇四：退陶先生言行錄卷七，年譜中，退溪全書第四册，葉一二九。「推」，疑爲「惟」之誤。

註一〇五：孫夏峯先生語錄，葉一五三，廣文書局。

註一〇六：答金而精，退溪全書第二册，卷二九，葉九四。

註一〇七：明儒學案卷四，崇仁學案四，葉六五。

註一〇八：退陶先生言行錄卷一，退溪全書第四册，葉一一。

註一〇九：巖栖讀啓蒙示諸君，退溪全書第一册，文集卷五，葉一五九。

註一一〇：陶山輓祭錄，退溪全書第四册，葉二六九。

註一一一：李子粹語卷四，退溪全書第五册，葉四〇九。

註一一二：論語述而。

註一一三：退溪先生言行錄卷一，論持敬。退溪全書第四册，葉一七五。

註一一四：論語里仁。

註一一五：退溪全書第三册，葉一五一。

註一一六：李子粹語卷四，退溪全書第五册，葉四〇九。

註一一七：參見唐君毅先生「儒家精神在思想界之地位」，人生雜誌二六二期，葉四。

註一一八：退溪先生言行錄卷三，退溪全書第四册，葉二〇八。

註一一九：退陶先生言行錄卷七，年譜下，退溪全書第四册，葉一四四。

註一二〇：戊辰經筵啓劄二，退溪全書第一册，葉一九五。

註一二一：朱子答潘恭叔：「敬之一字，萬善根本。」見朱子大全卷五十，葉十九，又退溪答金而精：「譬之治病，敬是百病之藥」，見註八一。

註一二二：語見朱子「己酉擬上封事」，朱子大全卷十二，葉二。

註一二三：戊辰六條疏，退溪全書第一册，卷六，葉一九三。

註一二四：聖學十圖：①太極圖。②西銘圖。③小學圖。④大學圖。⑤白鹿洞規圖。⑥心統性情圖。⑦仁說圖。⑧心學圖。⑨敬齋箴圖。⑩夙興夜寐圖，詳見退溪全書第一册，卷七，葉一九八至二一〇。

註一二五：進聖學十圖箚子，退溪全書第一册，卷七，葉一九七。

註一二六：上沈方伯通源，退溪全書第一册，卷九，葉二六三。

註一二七：題萬竹山房集帖，李子粹語卷二，退溪全書第五册，葉三〇四。

註一二八：答奇明彥，退溪全書第五册，葉二三〇。

註一二九：子貢贊孔子之言，見論語子張。

註一三〇：引見胡一貫先生「生於憂患，動乎險中」，文載六十八年一月九日中央日報。

退溪的事君之道

一、前　言

退溪李滉，字景浩（公元一五〇一——一五七〇），韓國眞城人，其所居有溪，俗名兎溪，先生改爲退溪，因以自號。退溪於五十歲時，卜居于溪西，構寒棲庵而定居，讀書其中，有詩云：

身退安愚分，學退憂暮境。

溪上始定居，臨流日有省。（註一）

此詩無異爲退溪心跡之寫照。身退可安，學退可憂，憂暮境而學無成，不免虛渡此生。「溪上始定居」，見其退意之決，「臨流日有省」，寫其進學之悟。且「日有省」，便有不息其功，精進不已之意。而其淡泊之守，恬退之操，篤學之志，省身之功，亦於此可見一斑。

是年八月，退溪之胞兄李瀣，爲權奸李芑所誣陷，「杖流沒於道」（註二），退溪深愛國家，篤於友于，對於胞兄死於非命，固然椎心泣血，哀痛莫名。對於朝中作威作福，殘害忠良之權奸，尤爲深惡痛絕，恥與爲伍。此更堅定其退歸之志。

退溪天資近道，好學不倦，博通性理諸書，有志聖賢事業，清而不激，介而不矯，自預司馬之試，無復榮進之意。以家貧親老，爲親舊敦勸，勉強應舉，由科第入仕途，非其所願也。（註三）其在朝時，以朝政不綱，權奸用事，誅竄相連，上下否隔，士風浮薄，讒人罔極，事多掣肘，難以有爲。兼以健康欠佳，久居喧囂，違己交病，精神眩恍，轉覺不堪，常有急流勇退之意。嘗謂「仕所以行道，非所以干祿」（註四）。道既不行，仕亦何益？退溪既鮮宦情，又無可爲之時。與其尸位素餐，貶道以徇人；何如高蹈遠引，退身而徇義。

誠如退溪所謂「乞身避位，抱負墳典而來投於故山之中，將以益求其所未至。庶幾賴天之靈，萬有一得於銖累寸積之餘，蘄不至虛過一生，此滉十年以來之志願。（註五）所謂「益求其所未至」，此指追求聖賢學問而言，亦爲其「退身徇義」之目的。或謂退溪之明哲保身，爲爲我之學，退溪不以爲然，並引古人之言云：

李延平曰：當今之時，只於僻寂處，草衣木食，勉修素業。（註六）楊龜山詩曰：莫把疎英輕鬥雪，好藏清豔月明中。是亦皆爲爲我之學云爾耶！

延平之言在退修素業，龜山之詩在免患保貞。二者正可互補相益。此種作法，就表面觀之，似與事君之道無關，然就實質言之，抱樸自守，處晦無悶，不降其志，不辱其身，其高世之節，恬退之行，足以矯世厲俗，使頑廉懦立，大有功於名教，大有裨於士風。其忠君愛國之心，固不以進退而異。

二、七進七退

退溪自明世宗嘉靖十三年甲午（西元一五三四年），踏入仕途，時年三十四，至穆宗三年己巳（西元一五六九）乞退還家，次年庚午即下世。自甲午以訖庚午，首尾三十七年，歷事中宗、仁宗、明宗、宣祖四君。金誠一稱其「出處進退，一循乎義，義有未安，則必奉身而退。如是者前後凡七度，難進易退之操，雖自謂賁育莫能奪。」（同註四）

退溪於己巳年乞退獲准，出城乘船東歸，名士傾朝出餞，賦詩敍別。退溪有詩云：

許退寧同賜玦環，群賢相送指鄉關。
自慚四聖垂恩眷，空作區區七往還。（註七）

考退溪之七進七退，可分明宗、中宗、宣祖三個時期，茲誌各期之進退日期如下：

中宗時期：

一進：甲午四月，任藝文館檢閱、承文院副正字。

一退：癸卯十月，乞假還鄉省墓。

二進：甲辰二月，以弘文館校理召還。

明宗時期：

二退：丙午二月，乞假還鄉，葬外舅權礩。

三進：丁未八月，拜弘文館應教，

三退：戊申正月，求外補，拜丹陽郡守。

十月，換授豐基郡。

己酉十二月，以病三辭於監司，請解官，不待報而歸。

四進：壬子四月，拜弘文館校理知製教，兼經筵侍讀官，春秋館記注官、承文院校理，被召還朝。

退溪自謂：「自癸卯至壬子，凡三退歸而三召還。」（同註五）此雖云四進，然召還則三，以初入仕非召也。

四退：乙卯二月，以病三辭解職，即出城，買舟東歸。

五進：戊午閏七月，上疏乞致仕，不允。赴召西行，九月晦入都。

五退：己未二月，乞假歸鄉焚黃，病未還朝。

六進：丁卯六月，赴召入都，明宗升遐。

六退：丁卯八月，以病免，即東歸。

退溪又謂：自癸卯至于丁卯，二十五年之間，凡六進而六退，顚倒狼狽，無所不有。（註八）

宣祖時期：

七進：戊辰五月，以判中樞府事君，六月承命西行，七月丙寅入都。

七退：己巳三月，乞退，許之。

以上七進七退，中宗朝自甲午至甲辰，歷時十一年；明宗朝自丙午至丁卯，歷時二十二年；宣祖朝自丁卯至己巳，僅及三年。本文所以未列仁宗，因其在位僅九月而崩，且無進退之事，故略而不論。以進退之次數言之，明宗朝四進四退爲最多，其中己酉之退，係擅棄豐基郡守之職，與辭退朝中官職有異。其事中宗與宣祖，其進退各爲三次，然中宗時二進一退，宣祖時爲一進二退。此其所異也。又中宗之時，其甲午之進，乃爲退溪初入仕途，出於自願。其後之進，皆係奉召入都，情非得已。退溪自云：

我之進退，前後似異，前則聞命輒往，後則有徵必辭，雖往亦不敢留。蓋位卑則責輕，猶可一出，官尊則任大，豈宜輕進。（註九）

退溪之進退，所謂「前後似異」，當以癸卯爲分水嶺。鄭惟一亦謂退溪「自癸卯始決退休之志，是時先生年蓋四十三矣。自是以後，一意退歸，雖累被召還，常不久於朝。晚年命召愈勤，控辭益力，上自朝廷，下至草野，無不勸起，而先生之志，不能回矣。」（註一〇）

三、事君四期

退溪自甲午至庚午，歷事四君，長達三十七年，自癸卯至己巳，七進七退。其進退也，篤守事君之義，出仕不由勸勉，退歸不可挽留。出處去就，內斷於心，惟義所在。自謂：「進退須審於措躬，辭受必符於昭鑑。」(註一一)趙穆稱其「一進一退，一去一就，如權之稱輕重，如度之度長短，錙銖必察，不失尺寸。非俗人淺見，所能盡知。」(註一二)綜觀其歷事四君，可分下列四個時期：

㈠第一期：甲午至壬寅，凡九年

此期(三十四歲——四十二歲)退溪由文科大科及第，正式踏入仕途，選補承文院權知副正字，薦授藝文館檢閱，爲正九品。同年十二月，累升務功郎博士，爲正七品。就在同年十月，廷試文臣耆英會圖，排律十韻，退溪居首。(註一三)初露頭角，一鳴驚人。文壇翕然，年少出英才。其實文藝只是退溪之餘事。三十七歲時，一連三遷，官至正六品承議郎。十月丁母憂，自京奔喪，柴毁成疾，幾至不起。守墓三載，移孝作忠。四十歲拜司憲府持平，入對經筵，啓奏中宗，以至誠行事，務合人心。四十二歲拜弘文館校理，在玉堂直廬，有憶梅詩云：

一樹庭梅雪滿枝，風塵湖海夢差池。

玉堂坐對春宵月，鴻雁聲中有所思。(註一四)

退溪趣尚高潔，不樂仕宦，見庭梅雪滿，愈顯其高潔之懷，而風塵多事，湖海多波，差池其夢，能無感慨。玉堂對月，負此春宵，鴻雁聲中，歸思綿邈，雖處榮官，非其所樂也。

㈡第二期：癸卯至壬子，凡十年

此期(四十三歲——五十二歲)自癸卯始決退休之志，其時值中宗晚年，兩尹交惡，勢成水火，終至推刃士林，禍及群賢。(註一五)甲辰、乙巳兩年，中宗、仁宗相繼崩殂，而權奸用事，士禍大起，退溪與丁公熿等數人，同日削職，朝野駭憤。一時名流，或死或竄。退溪雖因李元祿之諫，官復原職。（註一六）然其處境險惡，進退維谷。丙午二月，乞假還鄉，病未還朝，築養眞庵於退溪之東岩，改兎溪爲退溪，因以自號。此亦可見退溪之雅意。

丁未秋，退溪在鄉，拜弘文館應教，承召赴京，未幾而鳳城君之獄又起，退溪知不可救，乃以病免。（註一七）戊申正月，疏請外補，求青松不得，改授丹陽郡守，退溪有詩云：

十載沈痾愧素餐，洪恩猶得郡符懸。
青松白鶴雖無分，碧水丹山信有緣。
北闕戀懷分燭夜，東湖離思賞梅天。
撫摩凋瘵疲心力，鈴閣翻應憶故田。（註一八）

退溪治郡，誠信懇惻，政事清簡，吏民稱便，政績斐然。後以其胞兄李瀣任忠清監司，爲丹陽郡之長官，退溪爲避嫌，上疏力辭，乃改授豐基郡守。時爲戊申十月，退溪四十八歲。次年十二月，以病三辭於監司，不待報而歸。退溪任郡守雖僅兩年，但勤政愛民，民懷去思。充分顯示其忠君愛國之誠。

自癸卯至壬子，十年之間，凡三退歸而三召還。而政府任命退溪的本職與兼職，多達三十餘項，退溪僅勉強接受十項，其他二十多項任命，一概固辭不拜，尤其是任職愈高，辭讓愈堅。正三品以上之職位，一項也未接受。（註一九）

㈢第三期：癸丑至丁卯，凡十五年

此期（五十三歲——六十七歲）時間最長。據年譜，退溪以癸丑四月拜大司成，爲正三品，固辭不獲，諭諸生「以禮義相先，師嚴生敬，各盡其道」，「推入事父兄之心，爲出事長上之禮」，以副國家右文興教之意。（註二〇）

乙卯春，退溪因病三辭解職，即出城買舟東歸。而召命累下，退溪以時不可出，固辭不拜。戊午閏七月，上疏乞致仕，御批不允。退溪疏陳五不宜，極言疾病難仕之意。（註二一）無奈明宗不允，徵召漸峻，退溪不得已詣闕，於九月晦入都，十月拜成均館大司成，旅升嘉善大夫工曹參判。退溪以病三辭不允。

己未二月，乞假歸鄉焚黃，病未還朝，上狀辭職，不允，再被召命，終不赴。上勉許遞參判，移授同知中樞府事，自己未至甲子，六年之間，長帶同知職名。而退溪控辭益力，至乙丑，始奉旨解職。明宗末年，權奸既去。（註二二）下旨累召，除工曹判書、兼大提學等職，退溪以辭小受大爲詞，終不拜命。

㈣第四期：戊辰至庚午，凡三年

此期（六十八歲——七十歲）實始於宣祖即位之月，終於退溪卒年。明宗於丁卯六月升遐，宣祖繼承大統。其年八月，退溪以病免歸，時議紛紜，非之者衆，退溪不爲所動。戊辰六月，承命西行，七月丙寅入都。「都人相傳指之曰：李貳相至矣。」（註二三）退溪詣闕，慨然以格君心爲己任，上六條疏（註二四），期宣祖「宗於聖賢，質於庸學，稽之史傳，而驗之時事」，以爲「古人所謂探淵源而出治道，貫本末而立大中者，初不外此」。又進講程子四箴、張子西銘，其後上聖學十圖，（註二五）以清源正本爲務。宣祖虛己以聽，而朝中大臣，多老事之徒，動輒掣肘，退溪知難以有爲，不得不急於歸計。（註二六）宣祖以退溪辭意甚堅，知不可強，遂許其退。然退溪忠君愛國之心，固不以進退而有異也。

四、以退爲義

退溪學宗程朱，爲一精思力踐、有爲有守之儒者，行道淑世，固儒者之素志。然退溪所處之時代，既非可爲之時，亦無可致之位。益以其體弱多病，恬淡寡欲，浮沉官場，本非所願。是以其出處進退，誠如退溪所自言：「祇欲成就一義字而已。」（註二七）「滉也一生蹤跡常落在退身徇義之一邊。」（註二八）「凡滉所以求合於古人之道者，恒由於退身，而輒乖於致身。」（同註二八）致身所以盡忠，退身所以徇義，盡忠與徇義，原非二事。然在退溪，其於事君一事，則退身徇義之時多，而致身盡忠之時少。

夫當其可之謂時，故孟子稱孔子「可以仕則仕，可以止則止，可以久則久，可以速則速。」（註二九）退溪亦云：

愚嘗妄以爲可進而進，以進爲恭。可不進而不進，以不進爲恭。古之不進者，豈棄命中路而然

乎？可之所在，即恭之所在故也。（註三〇）

退溪所云「可之所在」，即時之所在，即義之所在。退溪又云：

蓋可進而進，固義也，不可進而不進，亦義也。義之所在，即爲事君之道，何可拘也？矧乎滉也，從前苦辭，在道力辭，皆以不能故也。一朝見高官厚祿之來加，乃不計責任如何，而進當之，則是何昔之所不能，今忽變而爲可能耶？（註三一）

退溪認爲事君之道，以義爲準則，義可進而進，固合乎事君之道；義不可進而不進，亦合乎事君之道，而不拘於出處進退。故在朝可以事君，在野亦可以事君，事君之方雖有不同，事君之心則無二致。「正如魯男子所謂，以吾之不可，學柳下惠之可，豈不然哉，豈不信哉！蓋義之所在，隨人隨時，變動不居」。（同註二八）柳下惠之可，固合乎義，魯男子之不可，亦合乎義。孔子所謂：「君子之於天下也，無適也，無莫也，義之與比。」（註三二）退溪之事君，惟義是從，亦即孔子「義之與比」之意。此亦儒者之合乎中道處。

五、法古賢人

退溪之事君，雖揆之於理，斷之於心，義所當退，決志不回。但在另一方面，亦能明於進退之分，合於古人之道，並非一意孤行之流。退溪之言曰：

古之君子，明於進退之分者，一事不放過。少失官守，則必奉身而亟去，彼其愛君之情，必有所大不忍者，然不以此而廢其去者，豈不以致身之地，義有所不行，則必退其身，然後可以徇其義。當此之時，雖有大不忍之情，不得不屈於義所揜也。（註三三）

退溪此論，無異是「夫子自道」，表明自己之心跡。愛君之情與事君之義，有時常不能兼顧。如義所當退，君雖留之，亦可不聽。退溪舉古人之例云：

昔杜範當理宗時，爲參政，以言不用，抗疏請退，帝懇留之，範猶力請不已。帝命閉城門，不許範出，範蓋欲不待命而徑去故也。范純仁自謫所放歸中途，徽宗遣使召之，純仁辭以老病，直還田里。吳澄去國之日，不請而徑去，帝遣使追之不及。以此觀之，古人亦有不待命而去者。（註三四）

明乎此，則知退溪於己酉、乙卯兩年，均因病三辭解職，不待報而徑歸，此與杜範、范純仁、吳澄之故事，如出一轍，並非偶然。不僅此也，退溪認爲臣子之進退，雖遇賢君，然其當政大臣，若有妨撓之事，不得行我所爲，亦不可仕。退溪舉朱子之事曰：

朱子遇孝宗之時，孝宗質美，三代以下，罕出之主，而又招之甚誠，可以仕矣。先生一聞宰執有不平之語，即棄而去之。（註三五）

仕所以行道，非所以干祿，宰執不平，動輒掣肘，道豈可行？退溪戊辰之出，宣祖雖加寵敬，然其求治之誠，不如孝宗，而朝中大臣，又無學術，凡退溪之所欲爲，皆彼之所忌，退溪雖啓奏宣祖，勉以聖賢之學，宣祖優容而已。退溪知難以有爲，歸意益決。乃上聖學十圖以進，所論皆凝道作聖之要，端本出治之原，期宣祖思之習之，退溪曰：「吾之報國，止此而已。」（註三六）退溪又云：

假使有大人之才德，如不量時而動，則無益於國家，而有失於己分。世或有言不見用，徒蒙顯擢者，誠爲可恥也。

往者，晦齋先生上十條疏，特升嘉善，未聞採用疏中之一事，此豈先生之心乎？可爲今日之明戒也。（註三七）

出仕須量時而動，仕非其時，則「無益於國家，有失於己分」，非明智之舉。朱子之不仕孝宗，晦齋之徒蒙顯擢，可爲退溪出處之明戒。

抑有進者，辭小受大，於己則非宜，於人爲可譏。退溪擧宋劉宰、崔與之之事云：

宋劉宰去後，七除官而一不起，滉不讀宰本傳，未知其所除前後爵秩高下之如何。至於崔與之，以知成都府，辭歸廣州，後以禮部尚書召，辭十三疏而不至，繼以參政召，又繼以右相召，皆力辭，終不至。與之之意，必以辭小受大，市井之心，非朝廷所以處己之道。故寧不奉君命，而必遂己志。此其可謂不知事君之意乎，故後之尚論者，謂與之當時已老病，不堪致力王事，宜其不出，且以與之爲有大臣風，未聞以違君命罪之也。（註三八）

退溪之老且病，甚於崔與之，而退溪之處境孤危，亦與崔與之相若。與之時，眞德秀、洪咨夔、魏了翁諸人，相繼而去，（註三九）而退溪於丁卯病免東歸後數日，安舜佐、金世憲均以老病不職罷逐，（註四〇）退溪若在朝，縱然不被罷逐，亦豈能自安？若退溪徒以君恩爲重，一切受而無辭，有進無退，則誠如退溪所言，「是君使臣，臣事君，不以禮義，而以爵祿也。」（同註九）以此爲事君之道，未見其可，且此風一開，則冒進之徒，以爲己利，士風人心，不問可知。

六、深意微旨

退溪歷事四君，七進七退，其進也難，其退也易。進非得已，退而後安。退溪認爲事君之道，不在聞命奔走，其答李聾巖云：

伏見辭狀草，辭簡而義明，禮恭而情懇，上以盡忠愛之誠，下以遂退閒之願，雖有遲延之恨，不爲病也。而眞足以使人仰德而起敬，聞風而激懦，以此報國酬恩，亦已多矣。何必不度禮義，聞命奔走而後可以盡事君之道乎？」（註四一）

此書雖是稱美聾巖之恬退，實亦退溪心跡之自白。退溪一生之事君報國，其深意微旨，固非吾人所能窺測，然諦觀退溪之言論行誼，似可歸納爲以下三項：

(一)崇聖學

退溪自癸卯以後，決志退休，有徵必辭，講學益專，任道益重。其論學必本於聖賢。其在朝廷，亦常以聖學格君心之非，正大人之事。晚年於戊辰六條疏中，提出「敦聖學以立其本」、「明道術以正人心」，此二者乃凝道修德之大端，化民成俗之大本。其於經筵講義，亦以輔養君德爲心。而其具體可行之方案，則爲上聖學十圖。十圖之工夫，以學與思並重，思爲聖功之本，學爲聖德之基，而以

「敬」之一字貫徹始終。以之發見於事業，不難出治道而安邦國。退溪忠君報國之誠，盡寓于十圖之中。蓋聖賢千言萬語，莫非存心之法，而存心之要，十圖盡之矣。

㈡尚名教

名教亦聖學中事，孔子作春秋，即在提倡名教。孔子主張「君使臣以禮，臣事君以忠」（註四二）。蓋君臣以義合，義者事之宜。退溪之事君，最重出處之義。退溪於戊午辭職疏中，特提出仕之五不宜，此五不宜，關乎名教甚大。蓋君之使臣有時而不可強，臣之事君有時而不敢徇，正因禮義攸關，名教所繫。誠如退溪所謂：「此等之事，古人視之如飲食裘褐，然躬行者不以危憂，見聞者不為駭異，良史書之於策，以垂後世者，此其無所見而然哉？其必有大關於名教之中故也。」（註四三）君主退人以禮，臣下事君有義，君臣各守其分，國之綱維始張。見其禮而知其政，聞其風而仰其德，名教之化人，不賞而民知勸。

㈢正士風

退溪所處之時，士風澆薄，人心不正，故惟有礪恬退之節，以敦厚風俗。退溪云：

嘗聞朱文公之言曰：士大夫之辭受出處，又非獨其身之善而已。其所處之得失，乃關風俗之盛衰，故尤不可以不審也。（註四四）

明宗時李芑、尹元衡等濁亂朝廷，政風敗壞，又有妖僧普雨欺君罔上，蠹國害民，（註四五）退溪既深知其道不行，故退志益堅，控辭益力，期潔身勵俗，使世人知「終南果不是仕宦之捷徑，北山無復有後黷之移文」（註四六）蓋致仕之禮有終，奔競之門可杜。若不顧出處之義，惟冒進之為事，如渡江河而無維楫，則士風敗壞，末流所至，必至人慾橫流，廉耻道喪矣。退溪弟子金誠一云：

近世士大夫讀書，則惟知決科之利，而不知有聖賢之學。居官則惟知寵祿之榮，而不知有恬退之節，泯泯蚩蚩，無耻無義，自先生之起，為士大夫者，始知所以為人之道，不在彼而在此。（註四七）

以上所論崇聖學、尚名教、正士風三者，其精神原為一貫。名教亦聖學中事，而士風即名教之效驗，名教既崇，士風自正。聖學則其本源。本立而道生，道生則民自化。

七、結論

孔子云：「隱居以求其志，行義以達其道，吾聞其語矣，未見其人也。」（註四八）退溪雖歷事四君，然仕非其時，在朝日淺。蓋以君心求治不誠，大臣復多掣肘，故一意退歸，再三懇辭，以求其志，以進其學，綜其一生，辭官七十餘次，洎乎晚年，其病益深，控辭愈亟，至有二日之內，連上六啓之紀錄。（註四九）於此可見其情之切，其心之苦。雖以君臣義重，諭志懇切，不得已扶病赴召，然未嘗久留於朝。其於聖賢之學，或面對，或啓劄，或著說，或為圖，條分縷析，窮原究委，丁寧周至，無復餘蘊，其忠君愛國之心，雖閒居而不忘於懷。晚年所慮益深，念念以輔養君德，扶翼士林為己任。己巳乞退獲許，朝士咸惜其去。右相洪暹以書相別，有「白鷗波浩蕩，萬里誰能馴」之句。退溪答以「尙憐終南山，回首清渭濱」之句，（註五〇）有不忘君恩，不忍徑去之意。

綜觀退溪自癸卯決志退休，以訖己巳歸隱。雖隱居求志之時多，行義達道之時少。此乃時勢使然，固無礙其忠君之誠，淑世之心。

乙丑夏，文定王后喪，太學生請誅妖僧普雨，至於空館，嶺南儒，尙州儒生通文一道詣闕上疏，更請妖僧之罪。禮安人士方議去就，退溪以爲不可。或謂草野狂生，雖似過激，何妨一行。退溪聞之曰：「儒者以中道自處，猶恐有過，況先以過激自處耶？」（註五一）

所謂「儒者以中道自處，猶恐有過」，此見退溪之游心儒學，非止潛修實悟，又能身體力行，謹愼將事。其出處進退，一事不放過；其辭受取予，一毫不苟且。其退身徇義，求合於中道，無愧於古人，有裨於名檢。嘗謂：「夫貴通達而賤名檢，西晉之所以亡也。方今聖上勵精至治，廟謨所急，莫先於貴名檢，激風節，以變頹靡之末習，區區妄見，正欲致謹於此。」（註五二）此見其憂之深，慮之遠，謹之至，行之力。忠君愛國，出于至誠。義之所在，賁育不能回其志，壁立萬仞，濂溪方可同其清。其衣被儒林，沾溉後學，雖與考亭方軌可也。

【附註】

註 一：增補退溪全書册四，年譜上，葉一二一。

註 二：同註一，案李瀣事跡，詳見退溪全書册二，文集卷四十七，嘉善大夫禮曹參判、兼同知春秋館事、五衛都總府副總館李公墓碣銘。

註 三：退溪全書冊四，年譜上，葉一一五，十一年壬辰：先生自中司馬試，無意舉業，兄大憲公白母夫人勸之赴舉。又退溪全書冊一，文集卷十，葉二八二，與曹植書云：「復緣家貧親老，強使之由科第取利祿，滉當彼時實無見識，輒爲人言所動，一向措身於誕妄之地。」

註 四：退溪全書冊四，葉十六，退陶言行祿卷一，金誠一實記。

註 五：退溪全書冊一，文集卷十，葉二八二，與曹植書。

註 六：退溪全書卷十七，葉四四八，丁卯九月二十一日，答奇明彥書引李延平語，自注：「不記全語，大意如此」。案李延平之言云：「吾儕在今日，止可於僻寂處，草衣木食，苟度此歲月爲可，他一切置之度外，惟求進此學問，爲庶幾耳。」見延平問答，壬午四月二十二日書，岡田武彥主編，廣文書局出版。

註 七：退溪全書，冊一，文集卷五，葉一五四。

註 八：退溪全書，冊一，文集卷七，葉二一七，乞致仕歸田劄子三。

註 九：退溪全書，冊四，退陶言行錄卷四，葉六九。

註一〇：退溪全書，冊四，退陶言行錄卷一，葉一八，言行通述。

註一一：退溪全書，冊一，文集卷七，葉二一六，己巳二月廿九日，乞致仕歸田劄子二。

註一二：退溪全書，冊四，退陶言行錄，卷一，葉十二，言行總錄。

註一三：退溪全書，冊四，退陶言行錄，卷六，年譜上，葉一一五。

註一四：退溪全書册二，外集卷一，葉五四七，玉堂憶梅。

註一五：李德弘云：「先生言尹任事曰：蓋尹元老明廟之舅，尹任仁廟之舅，而仁廟久在東宮，仁聖慈孝，中外屬心，上下翕然士君子鼓舞興起，元老輩本以兇狡之人，雖極猜忌，而無言可斥；雖欲構陷，而無釁可乘。趣附權勢，求婚於任，任終不許之，以此兩尹遂成嫌隙，胥動浮言：闕內或有非常變故。任亦以銅臭武夫奔走宣言於士大夫間曰：元老輩謀危東宮，不利社稷，一時正人君子，無不扼腕攘臂，期以輔翼春宮，以死自許。……於是元老輩以此交蘁競螫，以簒逆論之，推刃士林，芟夷群賢，其禍滔天，慘於黨錮，何可忍言。」詳見退溪全書，册四，退陶言行錄，卷五，葉九三。

註一六：退溪全書，册四，退陶言行錄卷六，年譜上，葉一二〇：芑姪校理李元祿素重先生，力諫芑，林百齡芑之黨也，亦言於芑曰：李某謹愼自守，人所共知，今若罪此人，人必以爲前日被罪者皆誣枉。由是芑又詣闕，謝前啓不審，請還給牒。」

註一七：退溪全書，册四，年譜上，葉一二〇：丁未十二月，病辭除儀賓府經歷。時國論愈乖，兩司弘文館交章請罪鳳城君，先生知力不能止，以病免。」

註一八：退溪全書册一，文集卷一，葉六五，赴丹山書堂朴仲初、閔景說、南景霖、尹士推餞席留贈。

註一九：參見鄭飛石李退溪小傳，葉二十六，丁範鎭、陳祝山譯。

註二〇：退溪全書，册四，退陶言行錄，卷七，年譜中，葉一二三。

註二一：退溪全書，册一，卷六，葉一七〇，戊午辭職疏。案所謂五不宜如下：諱愚竊位，可謂宜乎？病廢尸祿，可謂宜乎？虛名欺世，可謂宜乎？知非冒進，可謂宜乎？不職不退，可謂宜乎？

註二二：乙丑十二月，除同知，時尹元衡既死，士林想望治化。詳見退溪全書，册四，退陶言行錄卷三，葉二〇三。

註二三：退溪全書，册四，退陶言行錄卷七，年譜下，葉一三七。

註二四：退溪全書，册一，文集卷六，戊辰六條疏，其六條爲：①重繼統以全仁孝。②杜讒間以親兩宮。③敦聖學以立治本。④明道術以正人心。⑤推腹心以通耳目。⑥誠修省以承天愛。

註二五：退溪全書，册一，文集卷七，聖學十圖爲：第一太極圖，第二西銘圖，第三小學圖，第四大學圖，第五白鹿洞規圖，第六心統性情圖，第七仁說圖，第八心學圖，第九敬齋箴圖，第十夙興夜寐箴圖。

註二六：退溪全書，册四，退陶言行錄，卷三，葉二〇六，禹性傳云：先生戊辰之出，不可謂無其意，而一時老事之徒，悠悠泛泛，度時日，饕利祿者相環也。凡先生所欲爲，皆彼之所忌。或有建白，非惟泥而不行，又從而指目之，動與爲矛盾，不得一有施設，則不爲其事而享其爵祿，豈先生之心哉？

註二七：退溪全書，册一，文集卷六，戊午辭職疏，葉一七二。

註二八：退溪全書，册一，文集卷十七，葉四四八，答奇明彥。

註二九：孟子公孫丑篇上。

註三〇：退溪全書，册一，文集卷九，葉二七二，答閔判書箕。

註三一：退溪全書，册一，文集卷九，葉二七九，答朴參判淳。

註三二：論語里仁篇。

註三三：退溪全書，册一，文集卷十七，葉四四六，答奇明彥。
註三四：退溪全書，册四，退陶言行錄，卷三，葉二〇七，金誠一記。
註三五：退溪全書，册四，退陶言行錄，卷三，葉二〇六，禹性傳記。
註三六：退溪全書，册四，退陶言行錄卷三，葉二〇八，李珥記。
註三七：退溪全書，册四，退陶言行錄卷三，葉二〇四，李德弘記。
註三八：退溪全書，册一，文集卷九，葉二七〇，答洪相國退之。
註三九：宋史卷四〇六，崔與之傳，葉一二三六二，新校本。
註四〇：退溪全書，册一，文集卷九，葉二七一，答洪相國退之。
註四一：退溪全書，册一，文集卷九，葉二六一，答聾岩李相國。
註四二：論語八佾篇。
註四三：退溪全書，册一，文集卷六，戊辰辭職疏二，葉一七八。
註四四：同註三一，案又見性理大全，卷五十，葉七九四。
註四五：退溪全書，册四，退陶言行錄，卷五，葉九五，鶴錄。
註四六：退溪全書，册一，文集卷九，葉二八〇，答朴參判淳。
註四七：退溪全書，册四，退陶言行錄，卷一，葉一六。
註四八：論語季氏篇。

註四九：退溪全書，册一，文集卷八，葉二五二，大提學謝恩後辭免啓，八月二十三日，同日三啓；八月二十四日，同日六啓。

註五〇：退溪全書，册四，退陶言行錄，卷三，葉二〇六。

註五一：退溪全書，册四，退溪言行錄，卷四，葉二二七、二二八。

註五二：退溪全書，册四，文集卷九，葉二六九，答洪相國退之。

退溪的中道思想

一、前言

中道思想是儒家思想的重要特色，論語記載：堯以「允執其中」四字授舜，僞古文尚書衍爲「人心惟危，道心惟微，惟精惟一，允執厥中」十六字，以爲舜授禹之辭，此即所謂十六字心法，爲我國堯舜以來歷聖相傳之心法，至孔子而後大，至其孫子思而後詳，再傳至孟子而後大明，孟子沒後不得其傳，下逮周子及程子兄弟，有以接夫千載不傳之緒（註一）。周子曰：「無欲則靜虛」（註二）。程子曰：「敬則虛靜」（註三）。不爲外物所動謂之靜；不爲外物所實謂之虛。孔子之不惑，孟子之不動心，皆因心有所主，敬而無失，無欲無私，一循天理，不偏不倚，允執厥中，要而言之，周子程子之學，皆以誠爲本，以敬爲要，至於朱子表彰四書，集北宋諸儒之大成，博文約禮，兩極其致，誠明交修，內外合一，條理細密，工夫篤實，其與張南軒往復論辨之書，於儒家之中道思想，多所闡發（註四），而其中庸章句序一文（同註一）歷述儒家道統之正傳，開示中道思想之義蘊，尤爲深切著明，朱子此種思想，對於篤好朱學之退溪，自有其極爲深刻之影響。

二、時代背景

退溪李滉，生於韓國李氏朝鮮燕山君七年辛酉（一五〇一），其時適當「戊午史禍」之後（註五），士林之禍，方興未艾，燕山專制朝政，欺壓勳臣，迫害儒士，百僚鉗口，莫敢正言，史稱「甲子士禍」，時在燕山君十年，上距「戊午史禍」，相隔不到六年，在兩次士禍中，許多儒臣士子，或死或竄，倖免者遯跡窮山，遠離黨爭是非，消除仕宦念頭。

至中宗即位之初，重用儒者趙光祖，一時以善類同超擢者不少，相與協力，修明法度，百僚聳勵，士風丕變，而南袞等舊有學派，排拒道學，與趙相抗衡，舊臣怨之，因事攻訐，而有「己卯士禍」（註七）至中宗晚年，兩尹交惡，明宗幼沖，權奸用事，尹元衡一派專權，黨同伐異，「推刃士林，芟夷群賢，其禍滔天，慘於黨錮」，是爲「乙巳士禍」（註七）。

退溪於晚年入侍新王宣祖時，曾慨乎言之：

我祖宗深恩厚澤，功德巍巍，但士林之禍，起于中葉，廢朝戊午、甲子之事，不須言矣。中廟朝己卯之禍，賢人君子，皆被大罪，自是邪正相雜，奸人得志，報復私怨之時，必以爲己卯餘習，士林之禍，連續而起，自古未有如此之時也，明廟幼沖，權奸得志，一人敗，又一人出，相繼用事，士禍不忍言矣，臣以旣往之事啓之者，欲爲將來之大戒也。（註八）

士林之禍，由來已久，權臣在位，賢臣退隱，雖有忠義之士，耿介之懷，亦難有所作爲，退溪知道不行，其出處之道，不得不審時度勢，期于必退，此即孔子「邦有道則知，邦無道則愚」（論語公冶長）「天下有道則見，無道則隱」（泰伯）之意。

退溪處於一個憂患的時代，生于憂患，長於憂患，故其操心危而慮患亦深，因而淡泊名利，不求聞達，自云：

鄙書多慮患之語，似乎無端，老生更歷世故之日多，自然慮至於此。愚見此事，極一生辛苦工夫，僅可庶幾，而舉足之始，虛聲先播於世，此古今之通患，甚可懼也。（註九）

所謂「老生更歷世故」，「極一生辛苦工夫」，此皆飽經憂患艱苦自得之言，而其憂患意識之特別強烈，自不待言，退溪有詩云：

憂患從來玉汝身，動心忍性境還新，
不須更向玄玄覓，精義尋常自入神。（文集卷二）

此詩乃退溪「送韓士炯往天磨山讀書兼寄南時甫」五首之一，自註云：「時甫重遭患難，後養疾於此山」。詩中肯定憂患之來，有玉成汝身之作用，然須「動心忍性」，開拓新境，又須平常痛下精一之功，窮研其義，以至入神，而時措之宜，即在其中矣。

三、思想淵源

退溪之中道思想，淵源於我國儒家之正統思想，其中尤以心經、四書及朱子書，對退溪之影響最爲深遠，因而退溪於以上諸書，其用功之深，踐履之力，亦非他書可比。

心經一書，雖爲南宋眞德秀所編，明程敏政爲之作附註，其所錄皆聖賢格言及諸儒議論之精粹者，大旨以正心誠意爲本，實治心之藥石，退溪自言：

吾得心經，而後始知心學之淵源，心法之精微，故吾平生信此書如神明，敬此書如嚴父。（註一〇）

退溪弟子黃仲擧以心經所引諸書漫無統紀爲病，退溪不以爲然，答書辨正（註一一），又作「心經後論」，其言有云：「吾觀是書，其經則自詩書易以及于程朱說，皆聖賢大訓也，其註則由濂洛關閩，兼取於後來諸賢之說，無非至論也。」（註一二）

觀此，退溪不獨尊崇心經，且亦肯定程註之價值，其雨晴述懷詩，有句云：

不願少林從達摩，不願崆峒師廣成，

天開一片燭幽鑑，篁墩旨訣西山經。（文集卷一）

篁墩，程敏政之號，西山指眞德秀，此以眞氏心經及程氏之註爲燭幽之鑑，可謂推崇備至。

至於學庸論孟四書，退溪認爲「聖賢之道，非四書無以垂教於天下後世」（註一三），因爲四書爲儒家學說的重要經典，記載孔子、曾子、子思、孟子一貫之道，示學者以修己治人之方，化民成俗之規，尤其可貴者是四書爲中道思想之寶鑑，退溪明言：

論孟中庸皆言「中」，而大學之聖經賢傳則未嘗言「中」何耶？蓋大學乃初學入德之門，而要

之「止於至善」者，所以求之事物當然之極，又何莫非中乎？（同註一三）

雖然四書皆言「中」，而其歸趣，則在中庸。他認爲中庸是「明道之書，傳心之法」（註一四），學者苟能體夫此心之誠，「表裏交養，巨細相涵，自率性修道，而致夫天地位萬物育之功，自造端夫婦，而致其鳶飛天，魚躍淵之妙，則中庸之要豈不於此而得乎？（註一五）此外，退溪所著四書釋義，於中庸一書，頗多致意，且以中庸之道教人，講明其義蘊，揭示心法之要妙。

對於朱子之中道思想，研精覃思，以爲理論之依據，行爲之準則，嘗謂：

「學以不偏爲貴，河洛以下，論此理多矣，而莫備於朱子與南軒論中和之書，其言有云：言靜則溺於虛無，此固當慮，若以天理觀之，動之不能無靜，猶靜之不能無動也，靜之不能無養，猶動之不可不察也，但見得一動一靜，互爲其根，不容間斷之意，則雖下靜字，元非死物，至靜之中，自有動之端焉。」（註一六）

朱子與南軒論中和之書，乃朱子「中和新說」之重要論據，其所論中與和皆直接就心言，主張「以心爲主而論之，則性情之德，中和之妙，皆有條而不紊矣。」（註一七）牟宗三先生對朱子「中和新說」，持肯定態度，評其說「極圓整而有條理」（註一八），退溪弟子金誠一，謂退溪專意朱子書，「章章融會，句句爛熟，其受用如手持而足蹈，耳聞而目覩，故日用之間，語默動靜，辭受取予，出處進退之義，無不脗合於是書。人或質疑問難，則必援是書而答之，亦無不合於事情宜於道義焉。（

註一九）

退溪之「辭受取予，出處進退之義」，實即中道之關鍵所在，所謂「無不脗合於是書」（朱子書），此無異說明朱子書之思想，不僅爲退溪思想之淵源，亦爲退溪行爲之指針。

退溪曾云：

古人不云乎？不敢自信而信其師。朱子，吾所師也，亦天下古今之所宗師也。（註二〇）

退溪此言雖是有爲而言，亦非針道中道思想而發。然朱子中道思想，對退溪思想的影響，是極爲深刻而重大的。

四、中之樞紐

四書之中道思想，發端於大學，歸本於中庸一書，退溪云：「誠爲一書之樞紐，智仁勇爲一書之脈絡」。（同註一三）並認爲四書皆言「誠」，其言云：

庸、學、孟子皆言「誠」，而論語始終之問答，其不及一「誠」，……蓋論語乃示人入道之方也，故凡「言忠信，行篤敬」，所以求仁進德之事，何莫非誠乎？（同註一三）

此言四書皆言「誠」，而中庸尤爲重要，中庸之性道教，皆須以誠爲本，退溪認爲「誠爲中庸之道之大旨」（註二一），良以誠爲善惡之樞機，孔子謂「主忠信」（學而），人能忠信，則誠在其中。中庸稱「不誠無物」，無物則無可成之事，退溪勉安道孫讀易云：

讀易亦是一項大工夫，汝今年入山堅坐，辨此一事甚善，吾非以汝讀易爲非，只是頓無向學憤悱之意，苟用心如此，雖盡誦諸經，不錯一字，何益於事？眞晦庵所謂「棄卻甜桃樹，巡山摘醋梨」者也，近看金禹兩友志趣甚好，能專意此事，立志之誠切如此，何求不得？何學無成？（註二二）

退溪所云「向學憤悱之意」，即是誠意，心苟不誠，何益於事？蓋誠者理之實，發于中則見乎外。「蓋自其眞實無妄而言，則天下莫實於理，自其無聲無臭而言，則天下莫虛於理。」（註二三）不其實，眞實無妄即是誠，無聲無臭即是心，誠是理之實，心是理之源，心具衆理，誠以形之，不誠則理隱而心虛，內以自欺，外以欺人，所惑滋甚，人欲肆而天理滅矣。

誠爲五常之本，百行之源，中庸之戒愼恐懼，愼獨自謙，實際皆是存誠去僞的工夫，聖賢學問，皆是明善誠身之工夫，顏子之擇善固執，是誠之者事，孟子之反身而誠，亦是誠之者事。

易謂「閑邪存其誠」（註二四），猶偏重於個人修己而言，退溪不止以誠自修，以誠待人，又能以誠告君陳誠，其「戊辰六條疏」中，即提出「誠修省以承天愛」之主張，勸勉國君「秉心飭躬，克敬克誠」，「無事而不修省，無時而不恐懼」，「內以自反於身心者一於敬，而無作輟；外以修行於政治者一於誠，而無假飾」，「古人所謂探淵源而出治道，貫本末而立大中」，明示國君誠修省之效驗，此種效驗，亦即中庸中和位育之極功，退溪於「戊辰經筵啓箚」一文中，復引周書曰：「惟聖罔念作狂，惟狂克念作聖」（註二六）作聖作狂，繫乎一念之誠，是知誠之與否，乃聖狂之所由分，故周子以爲「誠者，聖功之本」（註二七）中庸云：「誠則明矣，明則誠矣」，明誠兩進，則能精一執中，故退溪有詩云：

明誠旨訣學兼庸，白鹿因輸兩進功。

萬理一源非頓悟，眞心實體在專攻。（文集卷五）

明誠兩進，明以求知之精，誠以求行之力，愈明愈誠，愈誠愈明，眞心實體，專心致志，精一執中之功，從容中道之妙，不難水到渠成，有以極夫高明之境，而優入聖域矣。

五、中之體用

儒家之學，注重明體達用，而其最大工夫，即是精一執中，其最高境界，即是天人合一，易經繫辭云：

顯諸仁，藏諸用。

此二語已暗寓體用之關係，故馬一浮云：「顯諸仁，從體起用也；藏諸用，攝用歸體也。顯是於用中見體，藏是於體中見用。」（註二八）體用二者，不可分離，惟孔子教人，多言工夫，罕言本體，其意要人即用顯體，蓋人能在實事上用工夫，由工夫而悟本體，始有眞知實得，若徒恃聰明解悟，其解悟必不眞實，以其無實證之故，孟子教人寡欲以養心（註二九），由寡欲之工夫，而達養心之主旨，此仍是攝用歸體之一路，大學之三綱領，則以明明德爲體，以親民爲用，以止於止善爲極則，中庸則以至誠爲體，以修道爲用，是以朱子釋「尊德性而道問學」句云：

尊德性，所以存心而極乎道體之大也；道問學，所以致知而盡乎道體之微也。

退溪之體用觀念，仍本於程朱之一貫主張而加以闡發，程子易傳序有「體用一源，顯微無間」之言，退溪答鄭子中云：

易序體用一源，顯微無間注，朱子曰：自理而言，則即體而用在其中，所謂一源也，自象而言，則即顯而微不能外，所謂無間也。又曰：言理，則先體而後用，蓋舉體而用之理已具，所以爲一源也。言事，則先顯而後微，蓋即事而理之體可見，所以爲無間也。（註三〇）

退溪引朱子之言，說明所謂體用一源，即是：體中有用，用中有體，體用有別而不相離，退溪又推本程子之說云：

夫以體用二字，活非死法，元無不該，妙不可窮如此，以此揆之，豈可徒以體字起於象上，而象之前未嘗有體乎？豈可便謂用字起於動上，而動之前無用乎？（註三一）退溪此說，辨正心無體用之非，認爲心之妙處，只在一體一用，一動一靜之間，此外別無妙處，故其答黃仲舉云：人心備體用，該寂感，貫動靜，故其未感於物也，寂然不動，萬理咸具而心之全體無不存；事物之來，感而遂通，品節不差，而心之大用無不行，靜則寂而未發之謂也，動則感而已發之謂也。人之所以參三而立極者，不出此兩端而已。（註三二）寂而未發，感而已發，未發之中，其體，已發之和，其用也，如何涵養其未發之中，以達其發而中節之和，此中大有事在。退溪答李宏仲云：

人心之中節爲好底，反是爲不好底，能精能一，則不畔於道心，不流於人欲矣。（註三三）

退溪之意，認爲體用一源，須在實事上用功，以未發已發言，則未發爲體，已發爲用，能養得未發之「中」，即有發而中節之「和」，以博文約禮言，約禮爲體，博文爲用。博文即所以約禮，約禮不在博文之外，如此用功，即功夫始有眞知實得。

然朱子嘗言：在中者，未動時恰好處；時中者，已動時恰好處。（註三四）未動時恰好處，是平時涵養之功，已動時之恰好處，則不能無節制省察之功。所謂「大本用涵養，中節則須窮理之功。」（同註三四）所謂「喜怒哀樂自有發時，有未發時，各隨處做工夫」。（註三五）

是知爲學工夫，須內外交養，互相發明。所謂「約禮底工夫深，則博文底功夫愈明，博文底工夫至，則約禮底工夫愈密」。（註三六）

退溪認爲：

先博後約，孔顏思孟，皆有此說，本非不可，但或徒博而不返約，則恐有遊騎出太遠而無所歸之弊。（註三七）

是以精一執中，博文約禮，皆須明體達用，內外交養，其用功之道，有由本而至末者，有由用而達體者。周子有云：「聖人之道，仁義中正而已矣。」（註三八）退溪答李宏仲云：

立天之道章小註：或問於朱子曰：仁爲用，義爲體。若以體統論之，仁卻爲體，義卻是用。朱子曰：是仁爲體，義爲用，大抵仁義中正，各有體用，如惻隱是動，仁便是靜；羞惡是動，義便是靜。……今以四者各有體用之說推之，自中仁之靜處爲體而言，則中仁之動處爲用，蓋四者皆自有體用，故又互相爲體用耳。（註三九）

雖云仁義中正，四者各有體用，然儒者學問工夫，貴乎切己體察，由功夫以見本體，故朱子有句云：

> 不向用時勤猛省，卻於何處味眞腴，
> 尋常應對尤須謹，造次施爲更莫疎。（註四〇）

體必有用，用不離體。即用顯體，最爲方便，平時能在用上著力，不患不能明其本體。退溪答李宏仲云：

> 圓樣方樣，規矩之體也，爲圓爲方，規矩之用也，亦猶寂然不動，心之體也；感而遂通，心之用也。靜而嚴肅，敬之體也；動而整齊，敬之用也。（同註三三）

靜而存養，動而省察，爲朱子一貫之主張。朱子曰：「未發固要存養，已發亦要省察。」（註四一）又云：「已發未發，不必太泥。只是既涵養，又省察，無時不涵養省察。」（註四二）此處朱子明示涵養省察不可分先後，未發已發不可分兩截，退溪推本朱子之意，以敬貫動靜，內外交養，並以靜而嚴肅爲敬之體，動而齊整爲敬之用，而敬爲一心之主宰，故敬而無失，則精一執中之功可致。故伊川云：「敬而無失，所以中也。」（註四三）而退溪之主敬思想，乃其中道思想之重要特色。

六、中之持守

中無定體，隨時而在，易染者欲，難持者心。故中庸所云：未發之「中」，以及發而中節之「和」，皆須平居無事時，靜以存養，動而省察，保持心之警覺，無事時存主不懈，應物時酬酢不亂，時時提撕，摒去私欲，一念之萌，但遏其邪，而存其理，退溪之持敬思想，大抵循程朱之說而衍伸其意，其答鄭子中云：

程子每以坐忘爲坐馳，而其答蘇季明未發之問，反覆論辯，而卒之不過以敬爲言，朱子之論中和，亦曰未發之前，不可尋覓；已發之際，不容安排，惟平日莊敬涵養之功至，而無人欲之僞以亂之，則其未發也鏡明水止，而其發也，無不中節矣。（註四四）

所云「鏡明水止」，指心之本體而言，本體原是未發之「中」，才自家著些意思，便不免有「過或不及」之私。平日之莊敬涵養，即在去其人欲之私，復其本然之善。而其用功之處，則當動靜兼舉，持之以敬，退溪答李宏仲云：

若程夫子所謂敬者，亦不過曰正衣冠，一思慮，莊整齊肅，不欺不慢而已……蓋其曰正衣冠，曰莊整齊肅，是以靜言，然而動時衣冠豈可不正，容止事物豈可不莊整齊肅乎？曰一思慮，曰不欺不慢，是以動言，然而靜時此心，尤不可不主於一本原之地，又豈容有一毫欺慢乎？故朱子又嘗曰：心體通有無，貫動靜，故工夫亦通有無，貫動靜。（註四五）

此段所論，敬貫動靜之理，可謂深切著明，其於答金惇敍書亦云：

> 大抵人之爲學，勿論有事無事，有意無意，惟當敬以爲主，而動靜不失，則當其思慮未萌也，心體虛明，本領深純；及其思慮已發也，義理昭著，物欲退聽，紛擾之患，漸減分數，積而至於有成，此爲要法。（註四六）

所謂「心體虛明，本領深純」此是無事時存養之功，所謂「義理昭著，物欲退聽」，此是有事時省察之效。如此「動靜不失」，而後「中和位育」之極功可致。於此可見敬字工夫，眞聖學之綱領，存養之要法，故退溪云：

> 學者誠能一於持敬，不昧理欲，而尤致謹於此，未發而存養之功深，已發而省察之習熟，眞積力久而不已焉，則所謂「精一執中」之聖學，「存體應用」之心法，皆可不待外求，而得之於此矣。（註四七）

七、中之權衡

心爲一身之主宰，敬爲一心之主宰，學者能持敬不懈，使其心收斂，常保惺惺之明覺，則其應事接物，自能知所擇守，而無「過與不及」之失，退溪答李平叔云：

> 滉常愛朱先生解中庸之義曰：中庸者不偏不倚，無過不及，而平常之理，乃天命所當然，精微之極致也。大抵此道理，全在日用處，平鋪地在那裡，其輕重長短，大小之則，莫不各有恰好

處。（註四八）中庸之理，本爲平常之理，然「莫不各有其恰好處」，如何把握此理，行到恰好處，則非易事。孟子云：

> 權然後知輕重，度然後知長短，物皆然，心爲甚。（梁惠王上）

此心度物，所以甚於權衡之審，以其至虛至靈，無所偏倚之故，其心如未能廓然大公，昧於私智，則其度物，失其中矣。可知中之權衡，存諸一心，心得其正，其宰物自無不正，王陽明云：「中，只是天理。」（註四九）朱子則云：「心固是主宰底意，然所謂主宰者即是理也，不是心外別有箇理，理外別有箇心。」（註五〇）故人心之發，欲其中節，必先中理，然如窮理不精，則此心無所準則，是知「惟精惟一」之功，實爲「允執厥中」之要法，退溪答李宏仲云：

> 嘗觀朱子答張敬夫書曰：熹謂感於物者心也，其動者情也，情根乎性而宰乎心，心爲之宰，則其動也無不中節矣。何人欲之有？惟心不宰而情自動，是以流於人欲，而每不得其正也，然則天理人欲之判，中節不中節之分，特在乎心之宰與不宰，而非情能病之。（註五一）

心之宰與不宰，即中節不中節之分，然物之輕重長短無定，而權度有定，中者天理，天理即權度也，如何使此心純乎天理，即能主宰常定，物欲退聽，發而中節，百體從令，朱子云：

> 敬只是此心自做主宰處。（註五二）

此因敬是常惺惺法，敬中有箇覺處，然天理之精微處，其權度精切爲難，是以孔子有「可與立，未可與權」之言（論語子罕）楊氏云：「知時措之宜，然後可與權。」（註五三）時措之宜，即是中，知中方能知權，退溪云：

聖賢之書未易讀，義理精微未易窮。（註五四）

深知義理之無窮，常歉然有不自滿之意。（註五五）

蓋嘗深思古今人學問道術之所以差者，只爲理字難知故耳，所謂理字難知者，非略知之爲難，眞知妙解到十分處爲難。（註五六）

乃知朱門大居敬而貴窮理，爲學問第一義。（註五七）

窮理在求眞知，能窮究衆理，到十分透澈，自能允執其中，退溪云：

窮理而驗於踐履，始爲眞知；主敬而能無二三，方爲實得。（註五八）

此種眞知實得，即是執中行權之指針，應事接物之依據。至於其最高指導原則，則以義爲依歸，退溪云：

蓋可進而進，固義也，不可進而不進，亦義也，義之所在，即爲事君之道，何可拘也。（註五九）

蓋義之所在，隨人隨時，變動不居，在諸公則進爲義，欲使之爲我所爲，不可也。在我則退爲義，欲使之爲諸公所爲，亦不可也。（註六〇）

義之所在，即中之所在，中無定體，隨時變易，隨人變易，故須因時因人因事而制其宜，退陶言行錄載：

陶山精舍下有魚梁，官禁甚嚴，人不得私漁，先生每當暑月，則必居溪舍，未嘗一到於此，曹南冥笑曰：何屑屑也？我自不爲，雖有官梁，何嫌何避？先生曰：在南冥則當如彼，在我則亦當如是，以吾之不可，學柳下惠之可，不亦宜乎？（註六一）

所謂「以吾之不可，學柳下惠之可」，此即是權，退溪云：

凡事到無可奈何處，無恰好道理，則不得已擇其次者而從之，乃所謂權。

中所以守常，權所以達變，知中然後知權。朱子云：「道之所貴者中，中之所貴者權。」（註六二）權即是時中，權者稱錘，所以稱物之輕重，義者事之宜，權之使其合義，然義之精微處，非聖賢難以企及，義者中之則，智者義之辨。退溪之主敬窮理，智精而義熟，故其出處進退，一循乎義，趙穆稱退溪云：

蓋其一進一退，一去一就，如權之稱輕重，如度之度長短，錙銖必察，不失尺寸。（註六三）

趙穆此言，即是說明退溪之出處，無不合於中道。中庸所謂「君子而時中」，亦可用爲退溪之禮贊。

八、中與現代

現代社會，爲多元化之社會，其所追求者，則爲現代化之生活，然所謂「現代化」，通常指西方之民主科學及其所追求之物質生活和道德修養之標準，而事實上西方之現代化，已形成資本主義社會，如美、英等先進國家，其物質生活雖然不斷提高，但其道德水準卻未見進步。所以陳立夫先生曾慨乎言之：

現代西方資本主義文化是「重財而輕德」，英國的功利主義，美國的實用主義，可爲代表。目前宗教信仰動搖，道德衰敗，一般人民受工商影響，只知牟利賺錢，青年犯罪與日俱增。（註六四）

故「現代化」不能與資本主義文化同義，亦不能與民主科學混爲一談，更非以「現代」時間爲規範，陳榮捷先生認爲：

「現代」一詞，非止於時間言，而實以價值言，即近代人類所共同努力以求實現之價值。（註六五）

此等價值，未必新式者優，舊式者劣，要當視其是否合乎時代需要，是否能增進人類幸福，最近幾年由於世界各地經濟不景氣，而在亞洲的臺灣、南韓、新加坡、香港，其經濟不僅未見萎縮，反而大幅成長，而有「亞洲四小龍」之稱，經西方學者研究探討，認爲這些地區的人民，深受儒家思想之薰陶具有勤勞、敬業、和諧、忠義的精神，同時講求「實事求是日新又新」的精神，凡此種種精神，皆有助於「政治的穩定、社會的和諧、企業的發展、經濟的繁榮」。由此可知儒家傳統的思想，仍有其可大可久的價值。

而退溪的中道思想，要而言之，不外敬義二字，退溪有句云：

主敬還須集義功，非忘非助漸融通，
恰臻太極濂溪妙，始信千年此樂同。（文集卷三玩樂齋）

敬以直內，義以方外，一動一靜，交相爲用，有合乎周子太極之妙。（註六六）且退溪又有「豈敢忘時中」之句（註六七），主敬集義，固爲個人修養之要法，隨時處中，更爲君子所追求之最高標準，然就現代化而言，中道實爲價值學上之「中」，亦可謂是現代化之最佳效果。孫智燊教授以「動機至善，手段至當，效果至佳」釋時中（註六八），稱爲「三至主義」，此種詮釋，亦是以價值言。

尤有進者，時中之中，是不偏不倚，恰到好處，大中至正，無過不及，與孫氏「三至主義」大致無何差異，然時中之時，乃是應變之原則，因時制宜，與時偕行，此中大有事在。退溪於十圖六條疏之中，已略具規模（註六九），可分下列三點言之：

甲、中與修己

退溪聖學十圖中之小學圖，所列立教、明倫、敬身三者，已畫出修己之綱要，而敬齋箴圖，詳列動靜弗違，表裏交正之工夫，實爲「修己以敬」之極則，此外，退溪特提出心法之要，精一之功，而歸本於大學之格致誠正，中庸之明善誠身，且又特揭愼思二字，以爲聖學之本，認爲愼思「能驗於心而明辨其理欲善惡之幾，義利是非之判，無不研精，無少差謬」。（註七〇）愼思所以明辨是非，愼獨所以存誠去僞，所謂「獨臥獨行毋敢慢，尋常何地不爲天」（註七一），修己以敬，先愼其獨，敬而無失，所以爲中，今日雖時代不同，但古人修己功夫，仍有身體躬行之必要。

乙、中與社會

今日社會多元化，人際關係日益密切，人際之疏離感亦與日俱增，故倫理之實踐，宜因時而措其宜，十圖中之白鹿洞規圖，明列五倫之教，然傳統之五倫關係，未能彰顯個體原則，以其帶有隸屬之色彩，不合現代社會多元、平等之精神，似宜倡行大學「絜矩之道」，使人之相處，上下四方，各守其分，各得其平，俗語所謂「將心比心」，人人能爲對方設想，以此準彼，視彼猶此，則可減少人際之齟齬，增進合作之關係，調和群己之情誼。如此，則社會之和諧可致。不難實現「社會公義、團體公利」之原則。

丙、中與政治

退溪所處時代，朝政失綱，奸臣弄權，君子之道消，小人之道長，士林之禍，慘於黨錮。退溪知道不行，故退身循義，息影山林。對於政治主張，在其「戊辰六條疏」中，可窺其端倪，所云「重繼統以全仁孝」，「明道術以正人心」，「推腹心以通耳目」諸條，皆爲救時良藥，繼統是君位繼承問題，道術是政治制度問題，腹心是任用大臣問題，此類問題在當時相當嚴重，今日民主時代，一切公開化、制度化，較易實現政治理想，但此種理想之實現，亦不能忽視儒家禮治的精神；而須禮與法相輔相成，禮之本在敬，法之本在禮，孟子稱：「上無道揆，下無法守」（離婁上）在上者不守禮，在下者不守法，生於其心，害於其政，其國必危。

退溪主張「明道術以正人心」，在今日仍有必要，何謂道術？「出於天命，而行於彝倫，天下古今所共由之路也。」（註七二）天命彝倫，皆德教中事，道是原理，術是方法，如「仁」是道，「恕」即是法，「政者正也」是道，「子帥以正」即是法。今日民主時代雖重法治，但「出於天命，行於彝倫」之道術，仍有講明之必要。

九、結論

退溪之中道思想，彰顯德性主體，其居敬窮理之工夫，精一執中之心法，開出內聖成德之學，對於「化民成俗之意，修己治人之方」，有其積極而深遠之影響，凡此皆屬儒家之學之範疇，惟退溪以韓國學者有此成就，誠屬難能可貴，丁寶蘭教授曾云：

退溪哲學思想源於程朱學說而有所發展，李氏的思想作風更為圓融靈活，貫徹中庸精神，比朱子有過之而無不及。（註七三）

丁氏稱退溪思想「圓融靈活」，即是「貫徹中庸精神」之明效。退溪亦嘗謂：

儒者以中道自處，猶恐有過，況以過激自處耶？（註七四）

退溪對於政事，反對採取「過激」之手段。對於經濟問題，則甚少言及，惟在道德上「嚴於義利之辨，審於取舍之分」（註七五）。此乃儒者之本色，然道德上之嚴辨義利，與經濟上之為民謀利，二者並不衝突，是知退溪若生於今日，亦必主張發展經濟，以裕民生。惟發展經濟，必須「見利思義」，而非「見利忘義」，則可斷言。而儒者之敬業精神，亦必可轉化為企業精神。觀亞洲四小龍之「經濟奇蹟」，亦可證明此點。

西潮作者蔣夢麟氏云：

臺灣之建設靠三子：一、孔子，二、老子，三、鬼子。問什麼叫鬼子，則笑謂洋鬼子。（註七六）

此謂以儒立身，以道處世，以科學辦事。用之於國家建設，西方之科學精神爲利器，儒家之企業精神爲動力，道家之灑脫精神爲潤滑劑，退溪於老莊思想，向持反對之態度。然退溪曾引朱子訓門人曰：

須是忍耐辛苦，做得不快活底工夫，乃是好消息，久久須得力也。……然而又有不可一向如此辛苦者，亦必有時時虛閒休養意思，乃與向所謂忍辛耐苦不快活之功，互相滋益，不可闕一也。……而其於俯仰顧眄之頃，優游涵泳之際，昔所辛苦而不得者，又往往不覺其自呈露於心目之間。朱子白鹿詩所謂「深源定自閒中出，妙用元從樂處生」是也。夫閒中所得之深源，樂處所生之妙用，豈曾無辛苦積累之功，而一朝無故自得且自生哉？（註七七）

所謂「忍辛耐苦不快活之功」，此即儒者「博學不窮，篤行不倦」之精神，所謂「時時虛閒休養意思」，則有類老莊順乎自然逍遙自得之精神。而時中之可貴，在隨時處中，唯義是從，時時調整適應，時時應變更新，擷取衆長，揚棄其短，以求獲致最佳效果。

朱子所謂「深源定自閒中出，妙用元從樂處生」，經退溪之解說，深切著明，義無餘蘊，凡事之成，非一蹴可幾，根深則葉茂，源遠則流長，妙用深源，理無虛生，辛苦累積，水到渠成，爲學如此，爲政亦然。

儒家的中道思想，出於至誠，本乎大公，主張忠恕之道，修己以敬，待人以禮，愛人以德，含蘊世界和平之眞理，爲福國利民，淑世安人的救時良藥。今之所謂「國際公義」、「社會公理」、「團體公益」，皆當於儒家思想中求之。

此次在莫斯科所舉行的退溪學國際學術會議，在本質上是屬於中華儒家的範疇，而儒家思想和共產主義，長久以來，都是處於對立的立場，這次退溪學國際學術會議，能在共產世界的重鎭莫斯科舉行，集中、蘇、美、韓、日等國學者於一堂，肯定儒家思想的正面作用，溝通彼此的意見，促進文化的交流，這是一種前所未有的重大突破，其意義之重大，是毋庸置疑的。

目前西方的文化雖然相當進步，科學日新月異，但對於很多社會問題，並不能得到合理的解決，尤其在經濟快速發展的同時，國民生活的品質，社會道德的水準，並沒有同步的提高，反而有每下愈況的趨勢，這種現象，暴露出資本主義重利輕義的觀念，不能解決人類社會切身的問題，而儒家克己復禮的精神，勤勞儉樸的美德，嚴以律己，寬以待人的忠恕之道，正是調和人際關係的滑潤劑，對於加強國際間的互助合作，促進人類的共存共榮，是大有裨益的，能夠把這種精神發揚光大，有助於促進國際文化的交流，增進世界人類的和平與幸福。

【附註】

註　一：詳見朱子大全卷七十六「中庸章句序」。

註　二：見通書聖學第二十。

註　三：見二程集冊二，河南程氏粹言卷一，葉一一七九，漢京公司。

註　四：見朱子大全卷三十二。

註　五：所謂「戊午史禍」，發生在李朝燕山君四年，當時新興的政治勢力士林派，不滿在朝的執政勳臣，戶曹正郎金馹孫，原任校書館博士，他據其師金宗逌批評世祖之言及其他有關資料，撰成弔義帝文之史料草稿，得罪王室與勳臣，金馹孫等士林派，以此受禍，詳見燃藜室記述六。

註　六：己卯士禍起于朝鮮王中宗十四年己卯（一五一九）勳舊派南袞等排斥程朱學派趙光祖，光祖被謫賜死，新進士人多被流放，退溪外舅權碩，其弟權磌，以己卯士類，與安處謙之獄，被罪死，碩亦坐廢，詳見「趙靜庵行狀」及退溪年譜上。

註　七：退溪全書冊四，退溪言行錄卷四，葉二三一七。

註　八：退溪全書冊四，退陶先生言行錄，卷七，年譜下，六十九歲。

註　九：退溪全書冊一，葉四〇五，文集卷十六，答奇明彥別紙。

註一〇：退溪全書冊四，葉二四，退陶言行錄卷二。

註一一：退溪全書冊一，卷二十，葉五〇四、五〇五。

註一二：退溪全書冊二，文集四十一，葉三二八。

註一三：陶山全書冊四，葉三二四，四書總論。

註一四：退溪全書冊二，文集卷四十，答審姪問目，又於易東書院記中云：「精一執中，舜禹傳心之法也」，見退溪全書冊二，卷四十二，葉三七一。

註一五：陶山全書冊四，葉三二六，四書總論。

註一六：退溪全書冊二，文集四十二，葉三五八，靜齋記。

註一七：朱子大全冊四，卷三十二，葉三十一，答張欽夫。

註一八：牟著心體與性體，冊三，第二章，葉一五〇。

註一九：退溪全書冊四，退陶言行錄卷一，葉一七一。

註二〇：退溪全書冊一，卷十六，葉四〇七，答奇明彥。

註二一：退溪全書冊二，卷四十，葉三〇八，答審姪問目中庸。

註二二：退溪全書冊二，卷四十，葉三一三，與安道孫。

註二三：退溪全書冊二，卷二十五，答鄭子中，葉十一。

註二四：易經乾卦文言。

註二五：以上所引均見「戊辰六條疏」，退溪全書冊一，文集卷六，葉一九〇至一九三。

註二六：退溪全書冊一，文集卷七，戊辰經筵啓箚二，案退溪所引周書之言，見尚書多方。

註二七：周子通書，誠上第一。

註二八：爾雅台答問，卷四，示張仲明。

註二九：孟子盡心下：「養心莫善於寡欲」。

註三〇：退溪全書册二，文集卷二十五，葉三，答鄭子中。

註三一：退溪全書册二，文集卷四二，葉三二九、三三〇。

註三二：退溪全書册一，文集卷十九，葉四八六。

註三三：退溪全書册二，文集卷三十六，葉二三四。

註三四：朱子語類卷六十二，葉二六。

註三五：朱子語類卷三六，葉六。

註三六：朱子語類卷三六，葉十二。

註三七：退溪全書册二，卷三三，答許美叔。

註三八：周子通書道第六。

註三九：退溪全書册二，文集卷三十五，葉二二三、二二四。

註四〇：朱子大全册一，卷六，葉十九、二十。

註四一：朱子語類卷六二，葉二七。

註四二：朱子語類卷六二，葉二九。

註四三：二程集，册二，河南程氏粹言卷一，葉一一七七，亦見朱子語類卷六二，葉十八。

註四四：退溪全書册一，卷二四，葉五八〇。
註四五：退溪全書册二，文集卷三十五，葉二二五。
註四六：退溪全書册二，文集卷二八，葉七十。
註四七：退溪全書册一，文集卷七，葉二〇五、二〇六。
註四八：退溪全書册二，文集卷三七，葉二六〇。
註四九：傳習錄上。五陽明全書册一、語錄卷一，葉十六，正中書局。
註五〇：朱子語錄卷一，葉三。
註五一：退溪全書册二，卷三六，葉二二六。
註五二：朱子語類卷一二。
註五三：見論語子罕朱註引。
註五四：退溪全書册二，卷四一，葉三三〇。
註五五：退溪全書册一，卷十六，葉四〇四，答奇明彥。
註五六：退溪全書册一，卷十六，葉四二四，答奇明彥。
註五七：退溪全書册一，卷十二，葉三四五，答崔見叔問目。
註五八：退溪全書册一，卷十四，葉三七〇，答李叔獻。
註五九：退溪全書册一，卷九，葉二七九，答朴參判。

註六〇：退溪全書册一，卷十七，葉四四八，答奇明彥。

註六一：退溪全書册四，退陶言行錄卷三，葉五三。

註六二：孟子盡心上，子莫執中章朱註。

註六三：退溪全書册四，退陶言行錄卷一，葉十二。

註六四：國際孔學會議論文集，孔學對世界和平之貢獻，葉一一五四。

註六五：國際孔學會議論文集，儒家之兩輪哲學與現代化，葉三。

註六六：參見朱子大全卷七十八，名堂室記。

註六七：語見退溪全書册一，文集卷三，葉一〇四，蒙泉詩。

註六八：國際孔學會議論文集，探中點滴，葉一四七五。

註六九：指聖學十圖及戊辰六條疏，十圖見退溪全書册一文集卷七，六條疏見同書文集卷六。

註七〇：見退溪文集卷六，葉一八五。

註七一：退溪全書册一，文集卷五，不欺堂詩末二句，葉一七五。

註七二：退溪全書册一，文集卷六，葉一八六。

註七三：第九屆退溪國際學術會議論文，朱李之學和社會現代化，原稿葉九。

註七四：退溪全書册四，退溪言行錄卷四，葉二二八。

註七五：退溪全書册四，退陶言行錄卷一，葉十六，金誠一實記。

註七六：西潮第二三章，葉二七九。

註七七：退溪全書册二，文集卷三七，葉二六三，答李平叔。

叄、附篇

朱子學在韓國

一、前言

韓國的漢學，以朱子學爲主流。朱子學傳到韓國，是在元世祖至元二十七年（公元一二九〇年），由韓人安晦軒隨忠烈王至燕京（今北平市），將朱子文集、朱子語類傳至韓國，漸受學者的重視。朝鮮王朝初期，明朝曾頒賜四書五經大全及性理大全等書，而朝鮮王朝的設科取士，又以通四書三經（詩、書、易）者得與其選。故學士大夫之所誦習，無非孔孟程朱之書。而其國各級學校，莫不普遍注重儒學。尤其是朱子學，受到學者的研究與闡揚，對社會產生了深遠的影響。朱子家禮被運用到生活禮儀之中，蔚爲社會之習俗。孝親尊師的思想深入人心。即在今天的韓國民間，比較保守的家庭，仍然保存不少的古禮。例如男女有別的觀念極爲明顯，韓國女子大學遠較我國爲多，未嘗不是受到這種觀念的影響。六十七年八月下旬，筆者曾至韓國南部參觀韓儒李退溪當年講學的陶山書院，書院內有李退溪祠堂，至今仍禁止女性參拜，此規定是否合理，則是另一問題。由此一規定，亦可見其對傳統觀念的尊重。當年的陶山書院學規，是禁止女性進入的。

前面曾提到安晦軒首先將朱子文集傳到韓國，但安氏對於朱子學並沒有什麼研究。在高麗末期，如禹倬、鄭夢周等都很重視性理學，至朝鮮王朝初期，金寒暄和趙靜庵皆宗程朱之學，寒暄篤於踐履，然於道問學工夫似有未盡。韓國當年的川谷書院曾祀程朱，而以寒暄配享，即此可見其學之成就與地位。靜庵名光祖，爲寒暄弟子，其叔父趙元紀、從兄趙廣臨，皆爲善人君子，靜庵學有淵源，又從寒暄問學，其省身克己，常若有不及者。論其爲學，篤實雖不如其師，然其忠君之心，孝友之行，亦不失爲守道之君子。韓儒李退溪曾云：「吾東方理學，以鄭圃隱（即鄭夢周）爲祖，而以金寒暄、趙靜庵爲首。但此三先生著述無徵，今不可考其所學之淺深。」（註一）這是很可惜的事。儘管如此，對於理學的實踐，他們不無倡導之功。

二、李晦齋對大學之見解

李晦齋名彥迪，字復古，自號晦齋（一四九一——一五五三），生于明孝宗弘治四年，卒于明世宗嘉靖三十二年。晦齋英悟過人，天資近道，深於性理之學，窮格踐履，兩臻其工，他在二十七歲時，曾作畏天、養心、敬身、改過、篤志五箴。三十歲又作立箴，其言皆古聖先賢躬行心得切要之旨。對於操存省察，懲窒遷改，能身體力行，實用其功，其几案上書自戒之辭曰：「吾日三省吾身：事天有未盡歟？爲君親有未誠歟？持心有未正歟？」（註二）其嚮道之誠，學力之深，貫精微，徹上下，粹然一出於正，然深玩其義，莫非先儒之緒餘，而其得於朱子者爲尤多。

晦齋於五十七歲，爲奸人誣害，被謫關西，舉家聞命號泣，惟晦齋飲食言笑如平時，不以外物而動其心。在謫所益厲忠貞，爲學益力，曾作大學章句補遺，續大學或問、及求仁錄三書。大學章句和大學或問，都是朱子所作，而晦齋作此二書，旨在闡揚朱子學說，其中大學章句補遺一書，有些地方頗能發朱子所未發。例如在章句上，大學原文「此謂知之至也」一句，朱子認爲「此句之上，別有缺文」，「蓋釋格物致知之義，而今亡矣」。遂取程子之意，而作格致章之補傳。晦齋認爲經文中「物有本末，事有終始，知所先後，則近道矣」，及「知止而後有定，定而後能靜，靜而後能安，安而後能慮，慮而後能得」二節，即是格致章的原文，而錯入經文之中。於是他取出這兩節，以爲格致章之文，而接以「此謂知之至也」一句，認爲此句是「結上文兩節之意」。

此外，他在「續大學或問」一書中，表示他取經文兩節以爲格致章之文的理由是：

此兩節置於三綱領八條目之間，無甚緊切意味，而移之爲格物致知章之文，其意之所包甚廣，無欠於經文，而有補於傳義。反覆參玩，辭足義明，無可疑者。雖晦庵復起，亦或有取於斯矣。(註三)

他認爲如此取經補傳，是「無欠於經文，而有補於傳義」。「又與上下文義，脈絡貫通」其自信如此，故對朱子的格致補傳，不表滿意。他認爲：

致知之要，亦宜有緩急先後之序，由近而及於遠，由人倫而及於庶物。必有以見其至善之所在，而知其所止。然後其所知所得，皆切於身心日用之實，而非外物也。若不務此，而徒欲泛然以觀萬物之理，則正如程子所謂「大軍之遊騎出太遠而無所歸也」。此又不可不察。（註四）

在晦齋看來，朱子格致補傳中所云「即凡天下之物，莫不因其已知之理而益窮之」的主張，是徒欲泛觀萬物之理，正犯了程子所謂「大軍之遊騎出太遠而無所歸」的毛病。因爲致知之要，「宜有緩急先後之序」，「有以見其至善之所在，而知其所止」，此即前文所言大學「物有本末」和「知止而後有定」兩節的道理，也就是晦齋取此兩節以補格致章傳文的理論依據。

其實，格致傳不亡之說，宋丞相董槐即有此主張。董氏以「知止」、「物有本末」二條爲格致傳文。（註五）

董氏之說一出，學者附和者甚多。明儒蔡清（虛齋）考定大學，即本董氏之說，只是將「知止」條置於「物有本末」條之後（註六），此點與董氏小異，但卻與晦齋不謀而合。所不同的是「聽訟」一條，虛齋置於「知止」條下（同註六）當作傳文，晦齋從程子改本移於經文之末，而加按語云：

天下之本在國，國之本在家，家之本在身。故有能修身正家以施於政，則民德日新，而爭訟息矣。如虞芮質成，不敢履文王之庭，感化之妙，自有不期然而然者，此乃聖人明德新民之效，而天下之所由平也。大畏民志，如中庸所謂不賞而民勸，不怒而民威於鈇鉞之意。（同註四）

晦齋認爲「聽訟」一節，所關甚大，「蓋聖人端本化民之要道」，故曾子於經文章末，引孔子之言以明之。朱子將「聽訟」一節定爲傳之四章，以爲是「釋本末」的。朱子此種見解，似有可商。因爲原文結語明明說「此謂知本」，並未提到「末」字，似不宜增字爲訓。而晦齋取伊川之說，移「聽訟」一節於經文之末，而取銷朱子章句之第四章，因而傳文只有九章。此種躋傳爲經之主張，自有其深意在焉。

在文字解釋方面，晦齋以允執厥中爲止於至善，以慮字之義爲思，以發揮程、朱之說。他在續大學或問中謂：

> 至善之義，程子以爲義理精微之極，朱子以爲事理當然之極。又曰：欲明德以新民者，求必至是而不容其少有過不及之差。又曰：明德新民本有一個當然之則，過之則不可，不及亦不可。則程朱雖不明言執中之爲止至善，而所謂極者中之理也，天下之至善，孰有過於中者乎？蓋中與至善，名雖異而理則一，學者不可不知也。（註七）

明明德之止至善是「中」，新民之止至善亦是「中」。「中」是天下之大本，大學之道，亦可謂之中道。蓋天地之間，凡百事物，莫不有中。能執中，即是至善。至於「慮」字，朱子釋爲「處事精詳」，晦齋釋爲「思」，他認爲「聖賢之學，必本於思」，蓋知止而有定，則其思慮益明矣。思之明則又有以研窮物理之所以然，而有得於心矣。思是徹上徹下、思則得之的。義理愈思愈明，爲學愈思愈精。以「慮」爲「思」，以「至善」爲「中」，是晦齋研究大學之心得。他的結論是：

> 蓋中爲明德、新民之極，思爲窮理盡心之要。明德而知至善之爲中，則高不溺於空虛，卑不失之汚賤。新民而知至善之爲中，則過之者抑而就之，不及者引而進之，而無不協於中矣。（同註七）

晦齋以「中爲明德、新民之極」，仍是本於朱子之思想而加以發揮。朱子云：「明德中也有至善，新民中也有至善，皆要到那極處。」（註八）又云：「至善只是極好處，十分端正恰好，無一毫不是處，無一毫不到處。」（同註八）「無一毫不是處」是通體皆善，「無一毫不到處」是通體至善。善與中對言，則或有精組之分，而善不足以盡中。如中庸章句所云「於善之中，又執其兩端，而量度以取中」而用之是也。若單言則中即至善，如大學之止至善，即論語之執中是也。

至於晦齋以「慮」爲「思」，實有未安。朱子明言「慮是思之重複詳審者」，又謂：「慮字看來更重似思字」。（同註八）是「思」與「慮」有別，不可混爲一談。「思」多在事未至之前，「慮」多在事方至之際。「思」之範圍大於「慮」，「慮」之深度精於思。如以秤稱物，「思」是忖量如何去權衡輕重；「慮」是稱物時，又仔細地看。晦齋釋「慮」爲「思」，在意味上似乎輕了。

其「求仁錄」一書，昉自張南軒的「洙泗言仁錄」，內容取「先聖之訓，及諸弟子、子思、孟氏之說，類聚爲篇，諸儒註解要切之言，亦略附錄」（註九）以備「暮年閑中潛玩，深體力行」，此可見晦齋之學，注重躬行實踐，附帶一提的是其子李全仁所記的「關西問答」，其內容皆晦齋之言行，包括「講學窮理之要，修己治人之方」，於此可窺其見困心衡慮於偏荒窮裔之地，未敢蹔時廢學，而其提撕警誨於父子之間，頗有探討之價值，茲誌數條於下，以見其梗概：

仁讀大學，大人問：「大學言省察而不言存養，何如？」仁曰：「未詳知矣」。曰：「心不在焉一節，乃存養也。雖不言存養之方，朱子釋以「敬以直之」之言是也。

仁問曰：「識心見性，不博學多聞，而能致其功乎？」大人曰：「識心見性，何謂也？」仁曰：

「識心之體，見性之源也。」曰：「先儒亦有爲是言者，徒知守心性之理，不致思於天下萬物，則是自守而已，無用於世也。」仁曰：「天下萬物之理，在吾之一心，即物觀理，隨事度宜，則何所不用乎？」曰：「此則堯舜生知之事也。若學者則博學而篤志，切問而近思也。」仁問：「言忠信，行篤敬，可謂君子乎？」大人曰：「可謂君子也。然不能好學，則徒有好善之心，終不能成德矣。」（註一〇）

三、李退溪之敬思想及理氣說

朱子學到韓國李氏朝鮮時代，由李退溪及李栗谷加以傳承發揚，使朱子學大放異彩，而分成兩派。其後韓儒研究朱子學，莫不受此兩派之影響，因而退溪與栗谷，被稱爲李朝二賢。

退溪名滉，字景浩，晚號退溪（一五〇一——一五七〇），比李晦齋僅小十歲。退溪之推尊晦齋，正如朱子之推尊二程。曾作晦齋行狀，極言其學力之深處（同註二）。又謂：「近代晦齋之學甚正，觀其所著文字，皆自胸中流出，理明義正，渾然天成，非所造之深，能如是乎？」（註一一）嘗評晦齋學問爲東方第一（同上）於答李全仁書中，謂「廷臣入啓，有一代儒宗之語」（註一二）觀其所言，可知晦齋之學，對於退溪不無影響。

退溪之學，以朱子爲依歸。幼年嘗背誦論語兼集註，自初章至終篇不差一字。十九歲時初得性理大全，讀之不覺心悅而眼開，日久漸見意味。其後得朱子全書，閉戶靜觀，歷夏不輟，於其書札，尤有所感，遂成「朱子書節要」二十卷，取其尤關於學問而切於受用者表而出之，將使學者讀之，感發興起而從事於眞知實踐，由此而旁通直上，則可泝伊洛而達洙泗。（註一三）此書後來對韓日兩國學者影響很大。日本熊本學者藪愼庵極推重此書，其子藪孤山曾謂：「勉齋之狀朱子，不如節要之盡朱子」（註一四）勉齋爲黃榦字，黃爲朱子弟子，亦爲朱子之壻，曾作「朱子行狀」，退溪有「朱子行狀輯注」（註一五）節要與行狀二者各有攸當，不可相提並論，藪孤山之言，非平情之論，然由此可見日本學者對節要一書之重視。

退溪朱子書節要之成，在使學者知其入處，以爲用功之地。退溪學之最大特色，即在眞知實踐。欲求眞知，貴乎窮理。退溪曾言：「窮理而驗乎踐履，始爲眞知；主敬而無二三，方爲實得」（註一六），至於窮理之方，退溪於答李叔獻書中言之甚詳：

> 窮理多端，所窮之事，或値盤錯肯綮，非力索可通。或吾性偶闇於此，難強以燭破，且當置此一事，別就他事上窮得。如是窮來窮去，積累深熟，自然心地漸明，義理之實漸著，目前時復拈起向之窮不得底，細意紬繹，與已窮得底道理參驗照勘，不知不覺地並前未窮底一時相發悟解，是乃窮理之活法。

他認爲「窮來窮去，積累深熟」並要「細意紬繹」，「參驗照勘」，以收「相發悟解」之效，「是乃窮理之活法」。他有詩云：

> 臥雲庵裏存心法，觀善齋中日用功。要識講明歸宿處，請將踐履驗吾躬。（註一七）

自註：「臥雲庵見語類訓滕德粹處，觀善齋見武夷精舍詩，講明踐履之說見答程允夫書中」。由此看來，可見退溪此種思想，完全是傳承朱子思想而加以發揮。所謂「講明」、「踐履」，即在求得眞知。而於講明、踐履之過程中，其徹上徹下，一以貫之者，則爲敬。前云「主敬而無二三，方爲實得」，可見敬之重要。退溪玩樂齋詩云：

主敬還須集義功，非忘非助漸融通。恰臻太極濂溪妙，始信千年此樂同。（註一八）

自註：「朱子名堂室記，以持敬明義動靜循環之功，爲合乎周子太極之論，足以玩樂而忘外慕，今以名齋，而日加警焉。」退溪此種敬義夾持之主張，是深受朱子的影響，就敬義二者而言，退溪言「敬」較多，此可見其用功所在。其實，主敬亦爲朱子所重，朱子嘗云：

聖門之學，別無要妙，徹頭徹尾，只是個敬字而已。（註一九）

嘗謂敬之一字，乃聖門始終之要，未知者非敬無以知，已知者非敬無以守。（註二〇）

敬爲退溪之中心思想，當亦本於朱子。或謂退溪之主敬思想，與朱子「學者莫先於窮理」者有異。其實不然。觀乎朱子「未知者非敬無以知」之語，可知窮理、主敬原非二事。主敬爲窮理之精神，窮理乃主敬之目的。未有窮理而不主敬者，亦未有主敬而不窮理者。退溪晚年所進聖學十圖，（註二一）其始終之要，不外「持敬」二字。退溪謂：

持敬者所以兼思學、貫動靜、合內外、一顯微之道也。其爲之之法，必也存此心於齋莊靜一之中，窮此理於學問思辨之際。不睹不聞之前，所以戒懼者愈嚴愈敬；隱微幽獨之處，所以省察者愈精愈密。或紬繹玩味於夜氣清明之時，或體驗栽培於日用酬酢之際。俛焉孳孳，既竭吾才，則顏子之心不違仁而爲邦之業在其中，曾子之忠恕一貫而傳道之責在其身。畏敬不離乎日用，而中和位育之功可致；德行不外乎彝倫，而天人合一之妙可得矣。（註二二）

敬乃聖學之所以成始而成終者，退溪所進之聖學十圖，皆以敬爲主。良以敬爲一心之主宰，萬事之本根，凝道作聖之要，端本出治之源，未可一日離乎敬。退溪有詩云：

一寸膠無千丈渾，玉淵秋月湛寒源。端居日夕如臨履，箇是存存道義門。（註二三）

此詩以「寸膠」喻敬，以「千丈渾」喻物欲。「一寸膠無千丈渾」，即「寸膠可救黃流濁」之意。「玉淵」言其清，「秋月」言其明。「玉淵秋月湛寒源」，以喻心體之瑩徹光明，此乃物欲消盡、天理昭然之境界。端居臨履，朝乾夕惕，洞洞屬屬，時存戒懼，此即「存存道義」之門。退溪於答金而精書中有云：「只將敬以直內爲日用第一義」（註二四），以驗夫統體操存。故知持敬須脚踏實地，從日用生活中用功，久則積熟昭融，而有上達天德之妙。

綜上所言，可知退溪是一位注重躬行實踐的學者，其學術對後世之影響，其一爲修己之工夫，亦即道德實踐方面，亦即朱子「居敬」思想之傳承與實踐。其二爲理氣之探討。其最重要者爲四端七情之論辨，退溪分四端爲理發，七情爲氣發，此點對其後之韓儒，激起劇烈之反響。

理氣論爲朱子形上學之重要概念。此概念以朱子答黃道夫書言之最爲明確，其言云：

理也者，形而上之道也，生物之本也；氣也者，形而下之器也，生物之具也。是以人物之生，

必稟此理然後有性，必稟此氣然後有形。其性其形，雖不外乎一身，然而道器之間，分際甚明，不可亂也。（註二五）

朱子以理屬形而上，以氣屬形而下，道器之間，分別甚明。是顯然以理氣爲二物。故他在答劉叔文書中云：

所謂理與氣，此決是二物。但在物上看，則二物渾淪不可分開，各在一處，然不害二物之各爲一物也。若在理上看，則雖未有物而已有物之理，然亦但有其理而已，未嘗實有是物也。（註二六）

就本體說，朱子主張理先氣後。就現象說，則主張理氣合一。他答楊志仁云：

有此理後方有此氣，既有此氣，然後此理有安頓處。（同註二五）

氣因理而有，理待氣而生。「天下未有無理之氣，亦未有無氣之理」（註二七）「理便在氣中，兩箇不曾相離」。（註二八）其理氣合一之主張極爲明顯。

退溪本朱子之說，認爲理氣二者，不雜不離。其言云：

理與氣本不相雜，而亦不相離。不分而言，則混爲一物，而不知其不相雜也。不合而言，則判爲二物，而不知其不相離也。（註二九）

理與氣不雜不離，朱子固如此主張。然退溪之理氣論，則着重於理氣之不雜。以其不雜，是以可分。退溪之理論依據主要是易傳。易傳云：「易有太極，是生兩儀」，退溪則曰：

若曰理氣本一物，則太極即是兩儀，安有能生者乎。（註三〇）

又易傳云「形而上者謂之道，形而下者謂之器」，明道曰：「器亦道，道亦器」，退溪則曰：

明道以其不可離器而索道，故曰器亦道，非謂器則是道也；以其不能外道而有器，故曰道亦器，非謂道則是器也。（同註三〇）

依退溪見解，道自道，器自器，道器之分，即理氣之分。而朱子「理氣決是二物」之主張，亦爲退溪所承認。對於二者之性質，朱子認爲「理純粹至善，氣則雜糅不齊」（註三一）以此之故，退溪主張理貴氣賤，其言曰：

理貴氣賤，然理無爲而氣有欲，故主於踐理者，養氣在其中，聖賢是也。（註三二）

又曰：

理本極尊無對，命物而不命於物，非氣所當勝。故凡發用應接，率多氣爲用事，氣能順理時，理自顯，非氣之弱乃順也。氣若反理時，理反隱，非理之弱，乃勢也。比如王者本尊無對，及強臣跋扈，反與之或爲勝負，乃臣之罪，王者無如之何。（註三三）

氣順理則理顯，氣不順理則理隱。是知氣當順理，理非氣所當勝。此可見理之尊貴。然觀其「率多氣爲用事」之語，亦可見退溪不否認氣之勢力，往往凌駕理之上。正如強臣跋扈，蠻不講理，推其所以如此，實由於「理無爲而氣有欲」。理即道心，氣即人心，人心生於形氣之私，道心原於性命之正。「理純粹至善，氣則雜糅不齊」，退溪傳承朱子思想，而有分屬理氣爲天理人欲之傾向。其後退溪有「四端理之發，故無不善；七情氣之發，故有善惡」之說，即是基於此種思想。

退溪理氣論之特色，即在對四端與七情之論辨，此一論辨之主要內容，見於退溪與奇高峯之往復書中。退溪認爲：

> 情之有四端、七情之分，猶性之有本性氣稟之異也。然則其於性也，既可以理氣分言之。至於情，獨不可以理氣分言之乎？四端之發，孟子既謂之心，則心固理氣之合也，然而所指而言者，則主於理何也？仁義禮智之性，粹然在中，而四者其端緒也。七情之發，程子謂之動於中，朱子謂之各有攸當，則固亦兼理氣也。然而所指而言者，則在乎氣何也？外物之來，易感而先動者莫如形氣，而七者其苗脈也。（註三四）

依退溪之見解，四端非無氣，七情非無理，理氣分言，是就同中而知其有異；理氣合言，是就異中而見其有同。「分而爲二，而不害其未嘗離；合而爲一，而實歸於不相雜」。

高峯認爲四七非有異義，理氣非是二物。其與退溪書有云：

> 子思之言，所謂道其全者，而孟子之論，所謂剔撥出來者也。蓋人心未發則謂之性，已發則謂之情，而性則無不善，情則有善惡，此乃固然之理也。但子思，孟子所就以言之者不同，故有四端七情之別耳。非七情之外復有四端也。今若以謂四端發於理而無不善，七情發於氣則有善惡，則是理與氣判而爲兩物也。（註三五）

高峯認爲四端七情，皆兼理氣，同實異名，不可分屬理氣。退溪認爲四端非無氣，七情非無理，就同中之異而言，自有主理主氣之別，分屬有何不可。退溪以人乘馬爲喩：

> 古人以人乘馬出入，比理乘氣而行正好。蓋人非馬不出入，馬非人失軌途，人馬相須不相離。人有指說此者，或泛指而言其行，則人馬皆在其中，四七渾淪而言者是也。或指言人行，則不須並言馬，而馬行在其中，四端是也。或指言馬行，則不須並言人，而人行在其中，七情是也。（同註三四）

退溪以人喩理，以馬喩氣。以人乘馬比喩理與氣之關係，可謂深切著明。高峯反對退溪，不同意四七分屬之說，以爲二者非有異義，此即退溪所謂「渾淪言之」，惟以七情四端對言，退溪之分屬，實亦有故，由理氣之分屬，因而產生理發氣發之論辯。退溪初主「四端理之發，七情氣之發」，經與高峯往復論辯之後，改爲「四端理發而氣隨之，七情氣發而理乘之」。退溪於六十八歲時進聖學十圖，其第六心統性情圖之下圖即採此說，此亦可見理氣互發說實爲退溪晚年之定論。

高峯於四七之說，起初雖有疑於理氣之分屬，不以退溪之論爲然。其後反覆思之，乃盡棄前說，而從退溪，並作「四端七情後說」，其言有云：

> 孟子論四端，以爲「凡有四端於我者，知皆擴而充之」。夫有是四端而欲其擴而充之，則四端是理之發者，是固然矣。程子論七情，以爲「情既熾而益蕩，其性鑿矣」。故覺者約其情使合於中」。夫以七情之熾而益蕩，而欲其約之以合於中，則七情是氣之發者，不亦然乎？以是而觀之，四端七情之分屬理氣，自不須疑。而四端七情之名義，固各有所以然，不可不察也。（註

三六）

四、李栗谷及韓南塘之氣發說

退溪以四端七情分屬理發氣發之說，實本於朱子語類及鄭之雲之天命圖，退溪答高峯書云：

> 近因看朱子語類論孟子四端處末一條正論此事。其說云「四端是理之發，七情是氣之發」，得是說然後方信愚見不至於大謬。而當初鄭說亦自爲無病，似不須改也。（註三七）

朱子理發氣發之語，其後成爲韓儒朱子學者爭論之焦點。至其所云「鄭說」，即指鄭之雲天命圖中「四端發於理，七情發於氣」之說（註三八），其後退溪改爲「四端理之發，七情氣之發」（註三九），終則改定爲「四端理發而氣隨之，七情氣發而理乘之」二語。及退溪下世，栗谷有四端亦氣發之說，此說產生深遠之影響，於韓儒朱子學中，儼然與退溪學派分庭抗禮。

栗谷名珥，字叔獻（一五三六——一五八四），生有異質，幼著自警文，以聖賢爲準。年二十三，謁退溪於陶山，問主一應事之要。退溪曾贈詩云：

> 病我牢關不見春，公來披豁醒心神。已知名下無虛士，堪愧年前闕敬身。嘉穀莫容稊熟美，纖塵猶害鏡磨新。過情詩語須刪去，努力工夫各日親。（註四〇）

及退溪逝世，栗谷爲文以祭，有「赤子嗷嗷，孰援其溺；長夜漫漫，孰曝秋陽」（註四一）之語。又撰退溪遺事，稱其「深究義理，以盡精微」（註四二）可見二賢相契之深。

栗谷之論理氣，亦承朱子之說，而着重於理氣之不離，此與退溪着重於理氣之不雜者有異。以其着重理氣之不離，故能於異中見其同，以返於道體之一。栗谷亦認四端與七情，猶本然之性與氣質之性。本然之性即在氣質之中。其言云：

四端七情，正如本然之性與氣質之性，本然之性則不兼氣質而爲言，氣質之性則卻兼本然之性。四端猶性之言本然之性也，七情猶性之合理氣而言也。氣質之性實是本性之在氣質者也，非二性。故七情實包四端，非二情也。（註四四）

（註四三）

七情可包四端，四端爲善一邊，七情是兼氣質而言性之全，四端是剔出而言性之本。朱子謂「性非氣質則無所寄，氣非天性則無所成」（註四五）理與氣之關係亦復如此。栗谷曰：

理者氣之主宰也，氣者理之所乘也。非理則氣無所根柢，非氣則理無所依著。既非二物，又非一物。（註四六）

理爲氣之主宰，蓋直承朱子之思想而來，（註四七）氣爲理之所乘，亦即朱子「理搭于氣而行」（註四八）之意。栗谷又云：

理無形也，氣有形也；理無爲也，氣有爲也。無形無爲而爲有形有爲之主者，理也；有形有爲而爲無形無爲之器者，氣也。（註四九）

理爲氣之主，氣爲理之器，此種思想，乃承朱子理氣動靜之說（註五〇），而加以推衍者。由「

理無爲而氣有爲」之見解，便自然產生「氣發理乘」之主張。「氣發理乘」爲栗谷理氣論之中心思想，韓儒稱之爲「氣發一途」。栗谷此種主張之中心理論是：

大抵發之者氣也，所以發者理也，非氣則不能發，非理則無所發。無先後，無離合，不可謂互發也。（註五一）

栗谷自註：「發之以下二十三字，聖人復起，不易斯言」。其自信如此，不容置疑。栗谷又解釋氣發理乘之義云：

見孺子入井，然後乃發惻隱之心，見之而惻隱者氣也，此所謂氣發也。惻隱之本則仁也，此所謂理乘之也。（同上）

栗谷「氣發理乘」之說，蓋承朱子「動靜非太極，而所以動靜者乃太極也」（同註四八）之說而加以發揮者。且朱子弟子陳安卿亦有「惻隱者氣也，其所以能是惻隱者理也」之言（註五二）此理即是「惻隱之本」，即是仁。由此可見栗谷此種思想之所自來。

栗谷「氣發理乘」之說，主要是針對退溪「理氣互發」之說而發。栗谷曰：

四端是七情之善一邊也，七情是四端之總會也。一邊安可與總會兩邊相對乎？朱子發於理發於氣之說，意必有在。而今者未得其意，亦不過曰四端專言理，七情專言氣云爾。非曰四端則理先發，七情則氣先發也。退溪因此而立論曰「四端理發而氣隨之，七情氣發而理乘之」。所謂「氣發而理乘之」可也。非特七情爲然，四端亦是氣發而理乘之也。（同註五一）

依栗谷之見解：「發之者氣也，所以發者理也」。故無論四端七情，皆爲氣發理乘。且理氣原無先後，無離合，故不可謂「理氣互發」。栗谷非議退溪，即是基於此一觀點。

其後栗谷學派韓元震，推尊栗谷「氣發理乘」之說，直謂可與孟子之道性善，周子之言無極同功。元震字德昭，號南塘（一六八二——一七五一）年二十四著人心道心說，推本栗谷「氣發理乘」之論，以批評宋儒蔡沈，黃榦將人心道心分屬理氣之非。自謂其平生尊信栗谷，無異七十子之服孔子（註五三），此較韓儒尊退溪爲「海東考亭」（註五四）尤有過之。惟南塘對栗谷以「人心爲揜於形氣，道心爲氣不用事」之說，亦有不同之看法。南塘云：

人心可善可惡，不可直謂之揜於形氣；凡情之發，莫非氣發，則道心不可謂氣不用事。（註五五）

其論析理精微，於四端七情之關係，仍本栗谷之說，而歸結之曰：

七情約之爲四端，四端衍之爲七情，四外無七，七外無四，則四七非二情也。四端同一氣發理乘，則四端又只是一情也。或以爲四端發於理，七情發於氣，是非達理氣之言也。（註五六）

栗谷但言「四端是七情之善一邊，七情是四端之總會者。」（同註五一）又謂「四端不能兼七情，而七情則兼四端」（註五七）。「四端不如七情之全，七情不如四端之粹」（註五八）

南塘則認爲四端可兼七情，七情可兼四端。並謂栗谷「七情則兼四端」之言爲未備。南塘曰：

朱子曰：「人之所以爲心，不外是四者」云，則四端之兼七情可知矣。又曰：「七情自於四端

橫貫過了」云，則七情之兼四端又可知矣。（註五九）

栗谷認爲四端純善，七情兼善惡，故謂「四端不能兼七情，七情則兼四端」，南塘認爲四端七情則皆兼善惡，故云「四端不外七情，七情不外四端」。七情兼善惡，自不待言。四端兼善惡，似與孟子之言有未合處。在南塘認爲孟子之言偏於善，非爲言情而發，而是爲論性善而發。此點退溪、栗谷皆知之。南塘引朱子「惻隱羞惡也有中節不中節」（同上）之言，以爲四端兼善惡之證。由此言之，則南塘之說，似較栗谷爲圓融，而其實則未必然。朱子「四端亦有不中節」之言，奇高峯亦曾引之以質退溪，退溪答曰：

> 雖甚新，然亦非孟子本旨也。孟子之意但指其粹然從仁義禮智上發出底說來，以見性本善，故情亦善之意而已。今必欲舍此正當底本旨而拖拽下來，就尋常人情發不中節處滾合說去。夫人羞惡其所不當羞惡，是非其所不當是非，皆其氣昏使然，何可指此儳說，以亂於四端粹然天理之發乎？（註六〇）

孟子所指之四端，原不在發於氣處，若以「四端也有不中節」處爲言，則已兼指氣，兼言惡，如此，則已非復四端之謂矣。就此點而言，則南塘四端兼善惡之論，反不若栗谷「四端不能兼七情」之說，較合乎孟子之本意。

至於退溪答奇高峯書中所引朱子語類「四端是理之發，七情是氣之發」之語，高峯見後疑之，以爲是「偶發而偏指」（註六一）。退溪認爲此語是朱門高第輔漢卿所錄，不應有誤（註六二）栗谷學派韓南塘認爲是記者之誤錄（註六三），退溪學派李寒洲，則贊同退溪之見解，舉證說明輔漢卿之記錄不誤（註六四）。兩派爭論不休，各持己見。

五、結　語

退溪理發氣隨之說，易滋誤會，因旣云「理發」，易使人誤爲理有作用。旣云「氣隨」，易使人誤爲理先氣後，而夷考其實，退溪之意並不如此。退溪認爲理氣相須，「未有無理之氣，亦未有無氣之理」，理氣二者互有發用，而其發又相須。互發則各有所主，相須則互在其中。理發者，謂以理爲主。氣發者，謂以氣爲主。以理爲主，非無氣；以氣爲主，非無理。退溪曾明言之：

大抵有理發而氣隨之者，則可主理而言耳。非謂理外於氣，四端是也。有氣發而理乘之者，則可主氣而言耳，非謂氣外於理，七情是也。（同註三四）

四端非理外於氣，七情非氣外於理。理不外於氣，氣不外於理，則知理氣合一，無先後，無離合。且四端主理，指其所以然而言，非謂理有作用。此更可從退溪下列之言見之：

理發爲四端，所資以發者氣也。其所以能然，實理之所爲也。（註六五）

動靜者氣也，所以動靜者理也。（註六六）

退溪此言即栗谷「發之者氣也，所以發者理也」之意。退溪又謂：

理而無氣之隨，則做出來不成；氣而無理之乘，則陷於利欲而爲禽獸，此不易之定理（同註六五）。

此言即栗谷「非氣則不能發，非理則無所發」之意。於此，可見退栗兩賢之見解，在實質上並無大異。

而栗谷學派韓元震，指退溪理氣互發之論，有二歧之弊，「在於不知四端之有善惡，而人心之不外四端」，亦非平情之論。退溪答高峯書中有「雖不可謂七情之外復有四端」之語，推退溪此語，亦有「四端不外七情」之意。「四端不外七情」，則可知四七非二情，又何可說是「二歧之弊」？然在退溪認爲，四七雖非二情，然亦不可謂「四七非有異義」，以其各有所主，不可不分別言之。分別言之，只是同中見其有異而已。

其後退溪學派李寒洲有所以發者理之體，理必須氣而爲體；所能發者理之用，理必待氣而爲用」（註六七）之論，爲退溪「理氣互發」論之註脚，其門人郭俛宇，承寒洲之意，申言之曰：

道理發處，非理獨發，理才發而氣便隨。形氣發處，非氣獨發，氣才發而理便乘。（註六八）

四端之發爲理乘氣，七情之發爲氣隨理，其各有所主之意極爲明顯，理乘氣、氣隨理，貌異而心同，合乎朱子理氣所以然所然之意。栗谷學派如能深切了解退溪理氣說之眞諦，則可減少許多不必要之爭辯。

【附註】

註　一：增補退溪全書（以下簡稱退全）第四册、退陶先生言行錄卷五、類編。

註　二：退全第二册，卷四十九，晦齋李先生行狀。

註　三：「續大學或問」葉三。「晦齋全書」，葉五七〇。成均館大學校大東文化研究院。

註　四：見「大學章句補遺」葉十，晦齋全書，葉五五八。

註　五：黃氏東發曰：辛酉歲，見董丞相行實載此章，謂經本無闕，此特錯簡之釐正未盡者耳。見劉斯原大學通考卷六。

註　六：蔡清考定格致傳云：「所謂致知在格物者，物有本末，事有終始，知所先後，則近道矣。知止而後有定，定而後能靜，靜而後能安，安而後能慮，慮而後能得。子曰：聽訟吾猶人也，必也使無訟乎？無情者不得盡其辭，大畏民志，此謂知本，此謂知之至也。」見大學通考卷七。

註　七：見「續大學或問」葉九，「晦齋全書」葉五七三。

註　八：四書朱子異同條辨大學卷一。

註　九：「晦齋全書」葉二六一。

註一〇：「關西問答」葉六、九、十六。亞細亞文化社。

註一一：退全第四册，退陶先生言行錄卷五。

註一二：退全第一册，卷十三。

註一三：詳見「朱子書節要序」，日本刻版「李退溪全集」上，以下簡稱退集。

註一四：藪孤山送赤彥禮序，引見玄相允著朝鮮儒學史。

註一五：見退集下，葉三六七。

註一六：退全第一冊，卷十四，答李叔獻。

註一七：退全第一冊，文集卷三，示諸友。

註一八：退全第一冊，文集卷三。

註一九：答程允夫書，見朱子大全卷四十一。

註二〇：答符舜功書，見朱子書大全卷五十五。

註二一：聖學十圖爲退溪六十八歲時所進，即：第一太極圖，第二西銘圖，第三小學圖，第四大學圖，第五白鹿洞規圖，第六心統性情圖，第七仁說圖，第八心學圖，第九敬齋箴圖，第十夙興夜寐圖。

註二二：退全第一冊，卷七、進聖學十圖箚子。

註二三：退全第一冊，文集卷五，居敬齋。

註二四：退全第一冊，文集卷二九。

註二五：朱子大全卷五八。

註二六：朱子大全卷四六。

註二七：語類卷一。

註二八：古今圖書集成，理學彙編，學行典，卷十理氣部總論，朱子全書。

註二九：退全第四册、退溪先生言行錄，卷四論理氣。

註三〇：退全第二册，卷四一、非理氣爲一物辯證。

註三一：朱子大全卷四九。

註三二：退全第一册，卷十二，與朴澤之書。

註三三：退全第一册、卷十三、答李達、李天機。

註三四：退全第一册，卷十六，答奇明彥論四端七情第二書。

註三五：退全第一册，卷十六，附奇明彥非四端七情分理氣辯。

註三六：退全第一册，卷十七，附奇明彥四端七情後說。

註三七：退全卷十六，答奇明彥論四端七情第一書。

註三八：退全第二册，卷四一，天命舊圖。案退集下卷，天命舊圖作「四端之發純理故無不善，七情之發兼氣故有善惡」，與退全異。據退溪答奇高峯論四端七情第一書，當以退全所載爲是。

註三九：退全第二册，卷四十一，天命新圖。

註四〇：退全第二册，外集卷一。

註四一：退全第四册，陶山輓祭錄。

註四二：退全第四册，退陶先生言行錄卷一。

註四三：栗谷全書（下簡稱栗全）葉一九二。

註四四：栗全葉四五五。

註四五：性理大全卷三十。

註四六：栗全葉一九七。

註四七：晦庵語錄：問：動靜是氣也，理爲氣之主，便能如此否？曰：是也。旣有理，遂有氣。旣有氣，則理在乎氣之中。古今圖書集成學行典卷十，太極條。

註四八：性理大全卷一。

註四九：栗全二〇九。

註五〇：朱子論理氣動靜曰：「動靜陰陽，只是形而下者，動靜非太極」，此以氣有爲理無爲而言也。又曰：「理有動靜，故氣有動靜；理無動靜，氣何自而動靜乎」？此以氣爲器理爲主而言也。合二說而論之：則氣有爲而理無爲，故動靜者氣也，非理也；氣爲器而理爲主，故動之靜之者理也，非氣也。見南塘集、朱子言論同異考卷一、理氣。

註五一：栗全一九八。

註五二：朱子大全卷五七。

註五三：見南唐集卷十六，答金弘甫。

註五四：語見文廟從祀時中外頒教文，退全第四冊，退溪先生言行錄卷六。

註五五：南塘集卷三〇，人心道心說。

註五六：南塘集卷二九，示同志說。

註五七：栗全葉一九三。

註五八：栗全葉一九二。

註五九：南塘集、拾遺卷六、農巖四七知覺說辨，葉一〇一八。

註六〇：退全第一册，卷十六，答奇明彥第二書，後論，葉四二二。

註六一：同註三四，葉四二〇。

註六二：退溪答奇高峯云：「此一段則數句簡約之語，單傳密付之旨，其記者輔漢卿也，實朱門第一等人，於此而失記，則何足爲輔漢卿哉？」退全第一册，卷十六，葉四二〇。

註六三：孟子四端章，廣錄曰：「四端是理之發，七情是氣之發」。問：「看得來如喜怒哀惡欲，卻似近仁義？」曰：「固有相似處」，按四七分屬理氣之發，固已非實理。又以七情謂非仁義之發，而只曰近似，尤是可駭。皆與先生平日所雅言者不同，可見全段是誤錄。見南塘集，朱子言論同異考卷二，葉一一六三。

又曰：「語類所記，後來主互發之論者，皆以是爲證。然此卻有可商者，朱子之論四端七情，其說亦備矣，而自經傳註解以至文集大全，手筆所記，無一言有近於此說者，則此說之爲誤錄無疑矣，竊想記者之錄此段，亦必不爲全無梗概。朱子當日之論若曰：孟子之論四端，專言理之發，子思之論七情，兼言氣之發也云爾。而記者未能深知其意，而遽認以爲四七之本義遂如此誤錄耳。」南塘集拾遺卷六，農巖四七知覺說辨，葉一〇一六。

註六四：理學綜要卷十：「按大全答輔漢卿曰：所記鄙語亦有小小差誤。再書曰：所錄儘有商量。三書曰：所錄册子看得一半，少有未備者，頗爲補足後便方寄去。書首言年垂七十，然則輔公所錄已經朱子勘正。」

註六五：退全第二册，卷三六，答李宏仲。

註六六：退全第二册，卷四二，靜齋記。

註六七：「寒洲集」卷三八，葉二七。

註六八：「俛宇文集」卷一二八，葉三六。

朱子的武夷櫂歌

——及對陳註的商榷

一、前　言

武夷山在福建崇安縣南三十里，當北緯二十七度四十五分，東經一百十八度零一分，海拔六百餘公尺，相傳漢時有神人武夷君居此，因以爲名（註一）。其山周圍一百二十餘里，峯之大者三十有六，清溪九曲，流出其間，兩崖絕壁，人跡罕至。李左史有詩云：「溪流玉雪三三曲，山鎖烟霞六六峯」，蓋實錄也。溪水靚深，糾結縈廻，翕張變化，不可名狀。有「一曲一灣，一灣一灘」之稱。

宋孝宗淳熙十年癸卯，朱子結廬於武夷之五曲，正月經始，四月落成，名曰武夷精舍。朱子作序以紀其勝云：

武夷之溪，東流凡九曲，而第五曲爲最深。蓋其山自北而南者，至此而盡。聳全石爲一峯，拔地千尺，上小平處，微戴土，生林木，極蒼翠可玩。而四隤稍下，則反削而入，如方屋帽者，舊經所謂大隱屏也。水隨山勢，從西北來，四屈折始過其南，乃復繞山東北流，亦四屈折而出。溪流兩旁，丹崖翠壁，林立環擁，神剜鬼刻，不可名狀。

又朱子之友韓元吉，嘗紀武夷之勝云：

武夷山在閩粵直北，其山勢雄深盤礴，其峯之最大者，豐上而斂下，巋然若巨人之戴弁。緣隙磴道，可望而不可登。谿出其下，絕壁高峻，皆數十丈，側崖巨石林立，磊落奇秀，好事者一日不能盡，則臥小舟航谿而上，號爲九曲，人左右顧視。至其地或平衍，景物環會，必爲之停舟曳杖，徙倚而不忍去。（武夷精舍記）

武夷山水之勝，由此可見一斑。朱子嘗有「出山道中口占」詩云：

川原紅綠一時新，暮雨朝晴更可人；

書册埋頭無了日，不如抛卻去尋春。（朱子大全卷九，葉五）

此詩次於「武夷櫂歌」之前，而在此詩之前，朱子有「蓬萊清淺今幾年，武夷突兀還蒼然」之句（註二）。可知此詩當作於淳熙甲辰之春，與「武夷精舍雜詠」，都是同時期的作品。而其題「出山道中口占」，此山即爲武夷山無疑。因爲此詩次於「武夷櫂歌」之前，而其內容又爲「尋春」而作，故可視爲「武夷櫂歌」的前奏。巴壺天先生認爲：

這首詩是和古靈神贊禪師說的「世界如許廣濶，不肯出，鑽他故紙，驢年去！」的意義相似。道本不在語言文字上，埋頭書卷裏，還不如行脚去徧參諸山的好。（註三）

古靈神贊禪師有「百年鑽故紙，何日出頭時」的詩偈，即是爲此而作。禪人貴在以心傳心，不立語言文字。古靈的話，與朱子此詩，「意義相似」而實不同。朱子不過是即景生情而作此詩。其實，「書册埋頭無了日」，正是朱子篤學精神的寫照，「不如抛卻去尋春」，只是一時有感而發，未必有很深的寓意。一個終日埋首書册的人，面臨「川原紅綠」的美麗景色，和「暮雨朝晴」的晦明變化，免不了靜極思動，油然而生「不如抛卻去尋春」的念頭，那是人之常情。據柳亭詩話說：陸象山聞朱子作此詩，喜曰：「元晦自此覺矣」。柳亭詩話的說法未必可靠，朱子作此詩時是五十四歲，前此朱子有「春日」詩云：

勝日尋芳泗水濱，無邊光景一時新；
等閑識得春風面，萬紫千紅總是春。（朱子大全卷二，葉十）

此詩大概作於三十一歲（註四），比「出山道中」詩早了二十三年。此詩「無邊光景一時新」，即出山詩「川原紅綠一時新」之意，然「無邊光景」是虛寫，「川原紅綠」是實寫，但我們不能根據這兩句以論優劣，認爲虛寫不如實寫好。如果我們將「無邊光景」改成「川原紅綠」，那麼，這詩的結句就不能用「萬紫千紅」了。在後兩句的涵義上，「等閑識得春風面，萬紫千紅總是春」，似較「書册埋頭無了日，不如抛卻去尋春」之句爲圓融。性理大全錄「春日」詩而不取「出山」詩，自有其深意所在。如果以「出山」詩爲悟道，「春日」詩早就悟了。柳亭詩話的說法不可靠，其道理在此。

朱子雖有「書册埋頭無了日」之句，但朱子並非讀死書或死讀書者，朱子主張：

移此讀書工夫，向不讀書處用力，使動靜兩得。（性理大全卷五三，葉五）

觀「動靜兩得」的話，可知「向不讀書處用力」，是指「動」處而言，「靜」存而「動」察，是儒家修養的基本工夫。而暫時抛卻書本，徜徉山林，開豁心胸，疏瀹精神，也是陶冶性情的良法。朱子所謂「不有塵外蹤，何由散愁寂，行行整巾屨，散漫委書帙」（註五），可為「書册埋頭無了日，不如抛卻去尋春」的註脚。當其置身於佳山勝水幽閒迴絕之處，風烟草木，晦明變化，漁舟欸乃，時聞棹歌，心與境適，情與景融，興會淋漓，天機駿利，宣之於詩，眞味發溢，而樂在其中，亦可想見。此所以「與點」之歎，特發於沂水之上；「卒歲」之願，獨詠於蘆峯之巔的主因。朱子之所以作「武夷櫂歌」，亦可作如是觀。

二、武夷櫂歌析論

武夷櫂歌十首，朱子自題云：

淳熙甲辰中春，精舍閒居，戲作武夷櫂歌十首，呈諸同遊，相與一笑。（朱子大全卷九，葉五）

宋季有懼齋陳普（註六），為「武夷櫂歌」作註，認為「朱文公九曲，純是一條進道次序，其立意固不苟，不但為武夷山水也」（註七）。九曲櫂歌，是否如陳氏所說「純是一條進道次序」，頗有商榷的餘地。

至於武夷櫂歌和韻，宋有方岳、明有劉信、張時徹、黃仲昭、鄭善夫、馬豹蔚、江以達，及韓儒李退溪，淸有張坦、來謙鳴、僧明欽、王復禮、董天工（註八）等，蔚爲大觀。

謹就朱子武夷櫂歌十首，分別討論如下：

其一

武夷山上有仙靈，山下寒流曲曲淸；

欲識箇中奇絕處，櫂歌閑聽兩三聲。

陳註：「第一首言道之全體，徹上徹下，無內無外，散之萬物萬事，無所不在，然其妙處，過於膏粱之美、金玉之貴也。不可無人發明，故曰：欲識箇中奇絕處，棹歌閑聽兩三聲。」

羅大經云：「大抵古人好詩，在人如何看，在人把做什麼用，如『水流心不競，雲在意俱遲』，『野色更無山隔斷，天光直與水相通，』『樂意相關禽對語，生香不斷樹交花』等句，只把做景物看，亦可把做道理看，其中亦儘有可玩索處。大抵看詩，要胸次玲瓏活絡。」（鶴林玉露卷八，葉十一）

詩無達詁，「胸次玲瓏活絡」，看詩才能儘可玩索，會心不遠，是則陳註以此詩「第一首言道之全體」，未爲不可。詩有言外之意，方有遠致。解者一落實境，必謂某詩必寓某意，反說成死板矣。陳註雖持之有故，亦未免言之拘滯。

朱子武夷櫂歌十首，歌以武夷得名，溪水九曲，皆出其下，故首句「武夷山上有仙靈」之句，正如文之破題，可以籠罩全詩，而爲九曲詩之張本。「仙靈」以喩自性，武夷以喩全體。就「仙靈」言，寒流由此山而生，此是由體生用。然「仙靈」二字，並非朱子隨意揑造，而是其來有自。前云武夷山因神人而得名，則知武夷山上之「仙靈」，非武夷君莫屬。然而朱子是不信神仙的（註九），那麼，這裡的「武夷山上有仙靈」之句，其意就別有所指了。而就「山下寒流曲曲清」言，流之「曲曲」，起下九曲之溪，而山下流之「清」，以見山上仙之「靈」，此是由用顯體，由「清」顯「靈」。三句「欲識箇中奇絕處」，此「奇絕處」伏下文「九曲」之勝，應上「寒流」之清，有「曲」所以「奇」，九者數之終，絕者奇之最。有「九曲」所以「奇絕」。方輿之內，稱洞天者三十有六，而武夷其一也。「箇中」二字，正見此「奇絕處」之獨特。欲識的「識」字，有「一開眼界」之意。「奇絕」之景當前，誰不「欲」一開眼界，以「識」廬山眞面乎？末句「櫂歌閑聽兩三聲」，「兩三聲」正切「閑聽」二字，聲不在多，多則繁亂，且「繁聲」亦不可「閑聽」。聽歌要有閒情逸致，聽棹歌尤然，聽此「奇絕處」之棹歌，更非如此不可。「閑聽」二字，下得極妙。「兩三聲」與次句之「曲曲清」相映成趣。「曲曲」有「密」意，「兩三」有「疏」意。「曲曲清」予人視覺之美，「兩三聲」予人聽覺之美。朱子詩：「深源定自閑中得，妙用元從樂處生」，奇絕處可識而不可識，可識者形象，不可識者妙有。「識」要有慧眼，更要有慧心。宋戴昺幽棲詩有云：

獨坐小亭觀衆妙，數聲黃鳥綠陰間。（東野農歌集卷四）

「衆妙」只在「數聲」之間，綠陰黃鳥，可遠觀而不可近翫。且觀亦只可「閒」觀，坐亦只宜「獨」坐。自然之妙有，只可偶然得之，會心不遠，方有佳趣。

明張時徹和云「碧水丹山秀且靈，九霄風露玉華清；遊人欲問桃源路，試聽漁郎欸乃聲」。「桃源」、「漁郎」不失典雅，然朱子九曲詩有「漁郎更覓桃源路」之句，張詩似有襲用其意之嫌。且「試聽」未免「有意」，不若「閑聽」句之自然而富逸趣。清王復禮和云：「名山不在產仙靈，浪說蓬萊與太清，樂奏賓雲惟片刻，何如常聽櫂歌聲。」此詩一反朱子之意，前兩句有心求異，未免多事。後兩句強生分別，樂奏片刻，不如常聽櫂歌，一有較量，便落實境，轉覺淡乎寡味矣。

其二

一曲溪邊上釣船，幔亭峯影蘸晴川；
虹橋一斷無消息，萬壑千巖鎖翠烟。

幔亭峯一名鐵佛嶂，其頂平曠，相傳為武夷君設幔亭宴鄉人處，有巨石如鼎，名宴仙壇。宴畢而別，風雨暴至，虹橋斷絕（註一〇），文公蓋用此事，而別有寓意。陳註云：

此首言孔孟去後，道統久絕，其間無窮無盡之妙，首章所謂奇絕處者，皆為氣質物欲所蔽，加以異端邪說為障，沈溺深痼，無能探而見之者。上釣船者，立脚向學之意。幔亭峯影，亦以其始有所見而言也。非有所見，亦不能向學，亦不知道統之無傳。苟知道統之無傳，而有志於學，則是已見正塗，論語所謂「可與共學」者也。

陳註純就道學觀點立說，此點容後再論。吾人就詩論詩，首句承第一首末句「櫂歌閑聽兩三聲」而來，「櫂歌閑聽」，須由水路往探「奇絕處」，然前首只是「欲識」而已。此首「上釣船」，則已見諸行動。由「溪邊而上釣船」，便寓行遠自邇之意。次句述上船後所見，純是寫景。據崇安縣新志：

九曲溪盤繞山中者約十五里，至山前渡合於雲溪、晴川一帶爲一曲。是晴川爲水名。幔亭峯影倒映於晴川之中，其水既清，其影必顯。「蘸」字本謂以物納水。用一「蘸」字，意極生動活潑，化靜態爲動態，轉無情爲有情。清張坦云「一曲輕移上水船，幔亭倒影印澄川」，「上水船」不若「上釣船」之典雅，「倒影」未免落實，用一「印」字，韻味大減，且顯得死板無生氣。原句之妙，全在一「蘸」字。「虹橋」二字，密承「幔亭」，將二三兩句連成一氣，「一斷」二字，突如其來，斬釘截鐵，下接「無消息」三字，可見神仙之說，純屬子虛，仙人不可得見，惟見萬壑千巖，空鎖翠烟。不勝今昔之慨，溢於言表。而第一首所云「奇絕處」，似不可得而識矣。

昔雪竇宗聞馬祖之言，頌詩云：

鐵牛耕破洞中天，桃花片片出深源；

秦人一去無消息，千古峯巒色轉鮮。

鐵牛耕破洞天，可見功力之深。「洞中天」，有似朱詩之「奇絕處」，耕破洞天，則識此「奇絕處」矣。此「奇絕處」，亦可謂即自性妙體，欲識此妙體，不可無鐵牛耕地之精神。「桃花片片出深源」，則如「水到渠成」之自然，此「深源」即自性妙體。朱詩「深源定自閑中出」，此可見功夫不可求速，亦不可強致。程子謂「非着意非不着意」，着意即觸，不着意即脫，此中妙處，難以言宣。孟子云「勿忘、勿助」庶幾得之。「秦人一去無消息」，暗示馬祖示寂不返，「千古峯巒色轉鮮」，以喻精神永在，如千古峯巒，歷久彌新。若工夫不息，本體不昧，則「等閑識得春風面，萬紫千紅總是春」。雖有氣質之蔽，物欲之干，亦如洪爐點雪。朱子此詩，在形式上頗似雪竇宗詩，然其結句則與之相反，「色轉鮮」是更加鮮明，「鎖翠烟」是轉趨晦暗。陳註以「虹橋斷」喻道統久絕，以「鎖翠烟」喻私欲之蔽，此種思想，似受朱子中庸章句序之影響（註一一）。以之論學，則無不可；以之言詩，未免失之於鑿。蓋九曲景觀之美，出於自然，學道縱有一定次序，何能與此天造地設之景觀密合？

後人和者，多推本朱詩遺意，如張坦之「羣仙宴後紅雲冷，散作霜林萬壑烟」；王復禮之「幔亭往事知何處？千載空餘一抹烟」；董天工之「大王亘立千峯揖，鎖盡前山暮紫烟」等是。亦有反用朱詩結句意者，如黃仲昭「山靈似識遊人意，斂盡峯巒遠近烟」；鄭善夫「我是開元李居士，鐵龍吹散萬峯烟」者是。而張時徹之「鶴馭虹橋何處覓，洞簫吹散紫芝烟」，其上句似襲而不見其跡，下句是反而了無新意。似皆不及朱詩之烟水迷離而耐人尋味也。

其三

二曲亭亭玉女峯，插花臨水爲誰容？
道人不復陽臺夢，興入前山翠幾重？

不復，武夷山志作「不作」，陽臺，陳註本作「荒臺」。當以作「不復陽臺夢」爲是。案崇安縣新志：玉女峯在溪南，玉立水濱，娟秀爲諸峯第一，高數十丈，無徑可躋。其頂草木參簇，若鬟髻而戴花者。武夷山志謂其嬝嬝婷婷，有姝麗之態，良然。峯下爲浴香潭，一泓秋水，凝綠澄清。朱詩云

「插花臨水」，蓋紀實也。

此詩前兩句狀玉女峯姿態之美，「插花臨水」之句，用擬人手法，「爲誰容」三字，用問語口氣，引人遐想，頗饒情致。古語云「女爲悅己者容」，凡有待有求者，其境界便不高。三句「道人不復陽臺夢」，隱寓「昨非今是」之意，此是有所了悟而云然。結句「興入前山翠幾重」？「興」字有力，「興入」是悟後之行動，「翠幾重」與一曲「萬壑千巖」遙相呼應，而「箇中奇絕處」，似亦不難尋覓。明劉信詩「多情已斷行雲夢，誰道蓬山隔幾重」，馬豹蔚詩「襄王誤入陽臺夢，錯指巫山第幾重」？「陽臺夢、行雲夢，皆用宋玉高唐賦序故事（見文選卷十九），此亦可證陳註本作「荒臺」之誤。「蓬山」反用李商隱無題詩意（註一二），其格調似乎不高。黃仲昭詩「到來已訝非人境，峯外奇峯更幾重」？此則純就尋幽攬勝立意。峯外有峯，奇外有奇，有好奇心始有尋幽之逸趣，探險之勇氣。「翠幾重」亦用問語？山無盡翠亦無盡，翠無盡興亦無盡。就事實言，山與翠豈能無盡！而吾之興則不可有盡，興盡雖有名山勝水，亦與我不相干，興無盡雖無名山勝水，亦將無往而不自得。

就爲學言，人能遠色，然後始能近道。故陳註云：

此首言學道由遠色而入，人能屏絕此心，然後能奮勇入道。若此心未能勇猛除去，則其志氣終爲其所昏惰，進寸而退尺，「前山翠幾重」，即一曲所謂「萬壑千巖」。「興入前山」，是其志氣清明，故能勇決奮發，必欲入深詣極也。小畜卦初爻辭，全是此意。卦以一陰居四羣陽之志，皆爲其畜止，亦猶玉女之惑人也。初九居卦之初，與之相應，則其志移矣。而以剛居乾健之體，能遠絕擺脫，惑而反復，乾道以行，故曰「復自道，何其咎」？復，反還也；自，由也，亦立脚發初之意。道，乾道也。言始爲四所惑，即知其非，反復而由正道以行，非勇健不能也。始爲所惑，故有咎，既能不遠而復，則所謂咎者悉無矣。何其咎？言安有咎哉！

陳註引易理說詩，未免迂曲。如此讀詩，有何情趣。

其四

三曲君看架壑船，不知停櫂幾何年？
桑田海水今如許，泡沫風燈敢自憐！

案崇安縣新志：小藏峯在三曲，巍然聳立，峭壁干霄。峯半有架壑船、虹橋板、橫插岩隙中，人皆以爲仙跡，而不知其非也。蔣衡記虹橋板云：「架壑船爲架屋時所用，蓋懸崖架屋，人無立足之地，必以索繫船，從岩背垂下，人在船上，乃可施刀，虹橋板乃構屋之餘材」。

據此，則知「架壑船」不過爲造屋立足之用，朱子之詩，因物興感，意別有在。陳註云：

此曲言既能遠色，又當於世間一切榮辱得喪，皆能洗除蕩滌，不以介其胸中，然後俗累皆絕，沛然而入道矣。人惟拘於血肉之軀，故不能不爲榮辱得喪所累。故佛家泡沫風燈之說，雖非正理，亦可以滌人利欲之心，故文公借用之。論語賢賢易色，中庸去讒遠色，直是把作箇大緊要事，故獨先言於二曲，然後於三曲次之以榮辱得喪，晦翁當時之志，當是如此，深味之可見。

陳註先有「朱文公九曲純是一條進道次序」之成見，故先言一曲「立脚向學」，二曲「遠色入道」，三曲不得不「次之以榮辱得喪」，又引易小畜、引大雅文王、引論語中庸以證成其說，若煞有介事，全是一副道學面孔，朱子當時之意，恐不如是之拘。信如陳註所言，則朱子「書册埋頭無了日，不如抛卻去尋春」之詩，未免無病呻吟，言不由衷矣。

此詩首句是寫景，次句觸景生情，思古歎今，以起三句滄桑之變，其結穴處全在末句。借佛家泡沫虛幻之說（註一三），以喩人世之無常，如風燈之易滅，豈敢憐愛此有限之生命，而自暴自棄乎。儒者精神，只是剛勇向前，精進不已，生死念頭，一無掛帶。朱子於彌留之際，猶修書不輟，改定大學誠意章，此種鞠躬盡瘁的精神，即了然於「泡沫風燈敢自憐」之意。韓儒李退溪解釋此詩云：

佛以人世爲夢幻泡影，皆言空也。詩人謂人生一世如風燈，言易滅也。言架壑之船，不知停棹之幾千萬年，則滄海之大，尙變爲桑田如此，況人生一世，如泡沫風燈之須臾空滅者，敢欲控摶而自憐愛乎？（註一四）

李說就詩論詩，似較陳註爲勝。後人和詩，鮮能驂靳。黃仲昭云「壑舟不必窮眞妄，巖上烟雲自足憐」，此純就景觀言。鄭善夫云「覺來天地終歸盡，煉得丹成亦可憐」，此就人生虛空言。僧明欽云「堪嗟朽骨藏巖穴，抹月披風空自憐」，此亦看破人生之言。黃詩較達觀，然無餘韻，鄭、僧二詩未免消極，皆不及朱詩之富情趣而有味也。

其五

四曲東西兩石巖，巖花垂露碧㲯毿；

金鷄叫罷無人見，月滿空山水滿潭。

據武夷山志：大藏峯上有金鷄洞。建安記曰：鷄巖隔澗，西與釣臺相對，半巖有鷄窠四枚，峭不可登。坤元錄云：武夷澗東一巖上有鷄棲。金鷄洞在鷄窠巖下，從舟中仰視，若不甚深廣，昔人嘗聞鷄鳴於此。（註一五）

此詩前二句寫景，毿毿，疊韻連語，形容巖花垂露之態，如羽毛之離披也。用一「碧」字，以見晶瑩之露珠，不掩巖花之本色。而巖花垂露，益增其美。此蓋以巖喻自性妙體，以巖花垂露，以喻此妙體現象之美。無此巖，即無此花，無此花亦無此露。然顯法示道，而人不識，故下句云「金鷄叫罷無人見」。金鷄之叫，既無人知。則衆人之昏昧可知，衆人之昏昧，是吾道之不明。故齊己詩云「道晦金鷄伏，時來木馬鳴」。末句「月滿空山水滿潭」，月無不照，水無不在。用兩「滿」字，見空寂之中，意態飛動，機用不停。此美景佳境，無人欣賞領會，未免有負此「河山並大地，齊露法王身」之召喚。陳註云：

此曲騤騤有得，亦由遠色屏絕俗累，故能進而至於此。東西兩石巖，仰高鑽堅欲得之心切也。巖花垂露，好意思鼎來，不亦說乎之境也。金鷄叫罷無人見，如有所立卓爾，雖欲從之，末由者也。

「巖花垂露，好意思鼎來」，陳註不爲無見。然其仰高鑽堅，如有所立卓爾之論，似失之鑿。和詩如江以達之「金鷄唱徹洞中曉，一片白雲搖碧潭」，來謙鳴之「金鷄去後峯巒渺，明月千年印碧潭」，皆本朱子之意，然不若原韻之自然渾成而有生意也。

其六

五曲山高雲氣深，長時烟雨暗平林；

林間有客無人識，欸乃聲中萬古心。

案平林渡在五曲溪口，丹壁青林，別是一景（註一六）。此詩前兩句寫景，然山高雲深，以喻色界之迷離，而長時烟雨，使此迷離之色界，更加晦暗。不僅深山中暗，平林渡口亦暗。渡口既暗，迷津誰指？正所謂「一片白雲橫谷口，幾多歸鳥盡迷巢」，「長時烟雨」遠比「一片白雲」更能迷人視線。色界如此黯淡，見道談何容易。「林間有客無人識」，此客莫非金鷄之化身？此客殆為夫子之自道。朱子隱居精舍，卜築於溪之五曲，以爲講學之所，其向道之心，即萬古之聖賢心。柳宗元詩云「烟銷日出不見人，欸乃一聲山水綠」（漁父）。烟銷日出，而人不見，山青水綠，櫓聲欸乃，此漁父超然物外、清靜不染之心境，其去住無礙、生機躍然之逸趣，幾人能夠會得。朱子居此，怡然自得，於柳詩奇趣之外，別有人不及知之境。其精舍雜詠有云：

朝開雲氣擁，暮掩薜蘿深；

自笑晨門者，那知孔氏心。（石門塢）

晨門不知孔氏心，人亦不識朱子心。此即「林間有客無人識，欸乃聲中萬古心」之意也。陳註云：

此曲入深，身及其地，獨見自得，識得萬古聖賢心事。然猶有雲氣烟雨，則猶在暗暗明明之間，未能至於貫徹明了，不勞思慮者，察而無不豁然之地也。上蔡先生見程子，程子問其近日所得。對曰：「天下何思何慮？」程子曰：「賢卻發得太早」。蓋理誠如此，然未至於豁然大通，則猶在明暗之間，尚須省察。若遽言何思何慮，反將失之，雖得而未得也。

陳註引上蔡程子之問答，迂而乏味，似嫌蛇足。後之和詩，如劉信之「先生道在羲皇上，誰識悠然太古心」，黃仲昭之「古今遊客知多少，誰識先生一片心」，江以達之「遊人只解求精舍，誰識當年卜築心」。皆能發明朱詩之意。

其七

六曲蒼屏繞碧灣，茅茨終日掩柴關；
客來倚棹巖花落，猿鳥不驚春意閒。

案蒼屏峯在響聲巖北，方正如屏。此詩首二句寫靜態之景，用「繞」「掩」二字，則景中有情，靜中有動。然「繞碧灣」爲自然之靜，「掩柴關」乃人爲之靜。頗有禪人「家住孤峯頂，長年半掩門」之意（五燈會元卷十九）。柴關既掩，不與物接，而能恬然自安，則必有自得之趣。三句「客來倚棹巖花落」，深山之中，白雲深處，柴關長掩，客來相訪。此客必非俗客，此來必非虛來。客慕我而來，我與客相契。客來倚棹，搖落巖花，猿鳥不驚，春意悠閒。則此猿鳥亦是忘機之客。王荊公詩云：

屋繞灣溪竹繞山，溪山卻在白雲間；
臨溪放艇依山坐，溪鳥山花共我閒。

杜松柏兄釋之云：「前二句喻體用如一，此體此用，均在色界事物之中，蓋以白雲比現象界也。後二句之臨溪放艇，喻攝用，依山坐喻歸體。溪鳥山花共我閑，溪鳥山花與介甫，皆自性之作用，明乎此則知物我一如之義矣。」（註一七）爲學貴在虛靜，虛則能容，靜則能安。能容能安，皆自性之作用。王氏「溪鳥山花共我閒」，有「萬物靜觀皆自得」之意，然猶有一「我」字未忘，朱子之「猿鳥不驚春意閒」，則物我泯然無跡，合爲一體，似較介甫之詩更勝一籌也。陳註云：

此曲到此，能靜能安，天地萬物，皆見其一體，智巧私欲，不逃虛照，生意流行，隨處充滿，天地可位，萬物可育。目前皆和順之境，而非末學者之所能見矣。

「能靜能安，萬物一體」，「生意流行，隨處充滿」，陳註這幾句話，有契於朱詩之意。和詩佳者有劉信之「回頭便與塵寰隔，流水白雲心自閒」，江以達之「一望諸峯三十六，無心花發鳥聲閒」。劉句以隔塵寰而心自閒，此境界不能算高，因其沒有經過考驗。必須不隔塵寰而心自閒，才是眞本領。江詩一望諸峯，但見花發無心，與鳥聲共閒，頗有禪人「物我相望鎭日閒」、「箇中渾不似人間」之意境。

其八

七曲移船上碧灘，隱屏仙掌更回看；
卻憐昨夜峯頭雨，添得飛泉幾道寒。

卻，陳註本作「可」，道，陳註本作「度」。又此詩後二句大全本作「人言此處無佳景，只有石堂空翠寒」，案八曲有句云「莫言此處無佳景」，除首字外，餘皆相同，當以武夷山志所載爲是，今從之。

隱屏即大隱屏，一峯峭拔，夷上直下，其下爲朱子書院，即隱屏精舍，爲五曲之勝。仙掌峯在六曲，壁石紋類人指掌者十數處，故以爲名。陳註以大隱屏、仙掌巖爲七曲勝境者誤。

此詩首句「移船上碧灘」，遙應一曲「上釣船」，然「上釣船」是平寫，「上碧灘」是逆筆，前者似自然，後者則費力。既「上碧灘」，其境界自高，然此境界，乃由辛苦移船，逆流而上始得。到此境界，回看五曲之隱屏，六曲之仙掌諸山，歷歷皆在脚下，此時中心甚慰，頓忘旅途之勞。有如吾人爲學，蚤夜孜孜，備嘗辛苦，及至學有所成，造詣既深，回溯往日之艱苦，以視今日之成就，心中自有一番喜悅。然若留戀過去，沾沾自喜，未免有所執滯。下句「卻憐昨夜峯頭雨」，「峯頭雨」以喻由體生用。末句「添得飛泉幾道寒」，動中有靜，是自性妙體的作用，而產生的妙有境界。陳註云：

> 此曲由下學而上達，雖上達而未嘗離乎下學，故曰：隱屏仙掌更回看，可憐昨夜峯頭雨，添得飛泉幾度寒。溫故知新，無窮妙用，源源而來。

下學上達，只是一事，故王陽明云「上達只在下學裏」（傳習錄上），陳註雖有契於此，而猶拖泥帶水，亦嫌見理未瑩。溫故知新，固爲學之要，然用此解詩，未免有執。朱子讀書有感云「問渠那得清如許，爲有源頭活水來」，飛泉添自峯頭雨，妙用無窮自體生。朱子讀書有感詩亦有此意。後之和韻，鮮有佳者。惟董天工詩云「尤憐飛瀑天壺瀉，點入波心春水寒」。天壺乃峯名。朱詩之「峯頭雨」，即指天壺峯。董詩即本朱詩之意，然韻味不及朱詩。

其九

八曲風烟勢欲開，鼓樓巖下水縈洄；

莫言此處無佳景，自是遊人不上來。

鼓樓巖與天壺峯相接，視羣峯特高峻。巖溜飛灑如雨滴澗中，故又名滴水巖。

此詩首句「風烟勢欲開」，風烟欲開而未開，似有佳境在望。然高巖之下，有水縈洄，此景雖平凡，然登陟亦不易，此次句之意。三句轉折，推開一層，以承上起下，「莫言此處無佳景」，用設想語氣，以見前兩句寫景之平凡，人但知無佳景之不足喜，而不知平凡之中，即寓有不平凡之意在。「自是遊人不上來」此語自占地步，兼有慰勉之意。陳註云：

此曲已近於豁然貫通之處，而亦不離於下學，其味無窮，其用無盡，非迂非遠，至易至近，人患不用其力而已，一日用力，無不能者也。

陳註「近於豁然貫通」云云，只是自說自話，朱詩未必有此意。然若謂朱子「自是遊人不上來」之語，只是單純字面之義，則又未免看成死句矣。詩人託興寓意，不無文外遠致，所謂「言不盡意」，讀者會心不遠，始有餘韻。解者一有拘牽執滯，便覺索然乏味。

詩至八曲，已近尾聲，佳景美境，皆已道盡，雖有妙筆，著不得力。細味「風烟勢欲開」之句，雖似有佳景在望，而亦未可必得。然佳景即可得，而亦必有盡。佳景有盡，而吾之遊興，不可有盡。

蓋遊興一盡，則萬事皆休。故方岳詩云「溪山欲盡興無盡，撐入白雲深處來」，「白雲深處」當另有一奇絕之境界。如此用筆，始有不盡之意。又董天工詩云：「桃源有路登仙境，引得遊人次第來」，反用桃源記之意，此皆善於興於詩者。

其十

九曲將窮眼豁然，桑麻雨露見平川；
漁郎更覓桃源路，除是人間別有天。

按平川，地名，在星村渡之南。星村渡一名星渚渡，在九曲溪盡處，文公所謂桑麻雨露之墟也（註一八）。又杜甫詩：「桑麻深雨露」，蓋爲朱詩所本。

此詩首二句敍所見之景，「眼豁然」，見名山閱盡，一片曠然平川，呈現眼前。桑麻雨露，皆平常景物，與前此所歷山環水曲之景，大異其趣。此平常之景，俯拾皆是，觸目皆然，不勞跋涉，不須窮索。遊覽至此，似由絢爛而歸於平淡。然不經絢爛，亦不見此平淡。見此平淡，而以爲極至，則亦有自畫之嫌，而以爲已足，則將興味索然。須知境外有境，天外有天，當如漁人尋幽，更覓桃源仙境，以求天外之天。以此而喩爲學，便有欲罷不能，更上一層之意。陳註云：

此景非人間所多得，公曾以此詩召誘。蓋言人所不知而己所獨得之妙。豁然貫通，無所障礙，日用沛然，萬事皆理，雖優入聖域，而未始非百姓日用之常，夫豈離人絕世有甚高遠難行之事哉！所謂道者，不過若是而已，若舍此而求道，則皆異端邪說、誣民惑世之論，天理之所無，聖賢君子之所屏絕，不以留之胸中者也。

陳註以此曲爲「人所不知而已所獨得之妙」，故下文又云「豁然貫通，無所障礙，日用沛然，萬事皆理」，此皆「獨得」之明效。誠如其說，何須「更覓桃源路，別求人間天」？此可見陳說之不可通。而後之和者，如方岳云「筍輿更問星村路，去看溪南一線天」；楊士倧云「莫道眞遊來此止，更從此去覓壺天」；顧應祥云「更將清興消斜日，風洞重尋一線天」；來謙鳴云「桃源不是秦時客，爲愛名山到洞天」；僧明欽云「奇峯怪石皆堪畫，一處林巒一洞天」；以上詩句，多本朱子詩意，以景致盡處，更欲別尋洞天。韓儒李退溪亦以爲然，其和詩云「勸君莫道斯遊極，妙處猶須別一天」（同註八）。退溪又與答弟子書中，明辨陳註九曲一絕之誤云：

櫂歌九曲一絕四句意，滉當初所見亦與註意同，故初一絕云云（註一九），其後所以改作一絕如此者，非故欲鑿新而立異也。只因反覆詳味本詩之意，及「除是」「別有」四字，而疑其當如此看也。來喩說得本註之意，固是如此，但如此則靄平川以上作吾所自得無窮之趣看矣。然則其下漁郎更覓桃源別有之天者，當作如何看耶？若幷此而同作吾所自得處看，則不當反有更覓仙路，除是人間，而別有一天之語矣。若以此二句作異端老佛之徒，厭常惡近，而覓道於空虛杳冥者看，則其語當有譏誚斥外之意，不宜如是作一段好事，爲若有慕尙歆豔之意也。此詩末句下註云「先生嘗以此句召謗」。此事有無，未有他考，若果有之，則揆以右兩段意，皆不當召謗也。何者？若如上段意看，則所謂別有天者，即在桑麻雨露之中矣，非有傲物輕世之意，何謗之有？若如下段意看，則所謂別有天者，乃指異端者流，不屬先生自家事，亦何因而致謗耶！蓋自八曲「自是遊人不上來」，以一句及此一絕，雖亦本爲景致之語，而其間不無托興寓意處。故鄙意竊謂先生此一絕，本只爲景物而設，而九曲一境山盡川平而已。素號此處別無勝絕，（絕，疑當作境）殆令遊興頓盡處，故詩前二句直敍所見，而末二句意若曰：勿謂抵此境界爲極至處，而須更求至於眞源妙處，當有除是泛常人間，而別有一段好乾坤也。（註二〇）

又云：

蓋九曲乃是尋遊極處，而別無奇勝，若因其無勝，而遂謂遊事了訖，則興盡意闌，而向來所歷奇觀，都成虛矣。故末句云云，意若勸遊人須如漁人尋入桃源之境，則當得世外別乾坤之樂，至是方爲究竟處，不但如今所見而止耳。乃既竭吾才後，如有所立卓爾處，亦百尺竿頭更進一步處。然則此處及八曲所謂「莫言此處無佳境，自是遊人不上來」之類，可作學問造詣處看矣。（註二一）

退溪於上述二書中，駁斥陳註之錯誤，闡明朱詩之寓意，可謂深切著明，義無餘蘊。

三、武夷櫂歌與芹溪詩

朱子武夷九曲櫂歌十首，只是精舍閒居，遊觀興會之作，並無學問次第之意，陳註穿鑿附會，曲曲牽合，然細究朱子詩句，不難發現陳註之誤。又朱子曾作芹溪九曲九首，以贈隱士丘義。此詩朱子大全不載，而收載於古今圖書集成（註二二），茲錄如下：

芹溪九曲

其一

一曲移舟採澗芹，市聲只隔一江雲；
沙頭喚渡人歸晚，回首蘆峯月一輪。

其二

二曲溪邊萬木林，水環竹石四時清；
漁歌櫂入斜陽裏，隔岸時聞一兩聲。

其三

三曲舟行龍虎灘，推篷把酒見南山；
回頭檢點仙蹤跡，萬頃白雲時自閑。

其四

四曲烟雲鎖小樓，寺臨喬木古溪頭；
僧歸林下柴門靜，麋鹿銜花自在遊。

其五

五曲峯巒列翠屏，白雲深處隱仙亭；

子期一去無消息，惟有喬松萬古青。

其六

六曲溪環處士家，鼓樓巖下樹槎枒；
潭空龍去名常在，時見平汀湧白沙。

其七

七曲靈祠瞰水濱，聚魚石上躍金鱗；
林凹路入桃源近，時有漁郎來問津。

其八

八曲硯峯倚碧虛，泉流瀑布世間無；
憑誰染就丹青筆，寫出芹溪九曲圖。

其九

九曲悠悠景最幽，巉巖石峽束寒流；
源深自是舟難到，更有龍池在上頭。

芹溪與武夷溪同屬福建建寧府，芹溪自建陽縣東北之硯山，盤流九曲，而武夷九曲在其西北，雖發源不同，而實一脈相通，相去不遠。芹溪九曲與武夷櫂歌，為朱子九曲詩之雙璧，二詩頗多相似之處，就形式而言，如：

武夷歌	芹溪詩
棹歌閑聽兩三聲	隔岸時聞一兩聲
猿鳥不驚春意閒	萬頃白雲時自閒
虹橋一斷無消息	子期一去無消息
鼓樓巖下水縈洄	鼓樓巖下樹槎枒

以上句型相同，只是文字略有改易。又如「桃源」「漁郎」「回首」、「回看」，同在兩詩中出現。而「鎖翠烟」與「鎖小樓」，「掩柴關」與「柴門靜」，「萬古心」與「萬古青」，其間不無因襲之跡。

次就內容言，「虹橋一斷無消息，萬壑千巖鎖翠烟」與「子期一去無消息，惟有喬松萬古青」，上句俱詠仙人故事。虹橋，指武夷君宴鄉人（同註一〇），子期，指華子期修仙事（註二三）。次句同爲寫景，而寓意則稍有不同。又如「客來倚櫂巖花落，猿鳥不驚春意閒」，與「僧歸林下柴門靜，麋鹿銜花自在遊」，上句言客僧之歸來，下句言鳥獸之安閒自在，在意境上兩者便難分軒輊。値得重視者爲最後九曲的末二句，「漁郎更覓桃源路，除是人間別有天」，與「源深自是舟難到，更有龍池在上頭」。龍池在鼓角山，即芹溪之發源地。漁郎更覓桃源，即此詩之更上龍池。若移作學道之造詣看，桃源、龍池，即是眞源妙處，爲學問之極至，此極至可望而不可及，雖不可及，然亦不可不勉。陳註以武夷九曲一絕，爲「豁然貫通」「優入聖域」之境界，顯然不是朱詩的本意。至其所論九曲「純是一條進道次序」的說法，更是牽強附會的誤解。再證以朱子的芹溪九曲，亦皆就其當前的景致，而發抒其所見所感，雖其間不無託興之處，言外之意，但絕非言進道之序。芹溪九曲如此，武夷九曲亦復如此。

【附註】

註　一：史記封禪書：「武夷君用乾魚」。朱子武夷山圖序：「武夷君之名，著自漢世，祀以乾魚，不知果何神也。」

註　二：朱子有次公濟詩，小序云：「奉同公濟諸兄自精舍來集沖佑之歲寒軒，因邀諸羽客同飲，公濟有詩贈守元章詩，因次其韻。」其詩前四句爲「蓬萊淸淺今幾年，武夷突兀還蒼然，但忻丹籍有期運，不悟翠壁無寅緣」。

註　三：見藝海微瀾十六「道無在無不在」條下，葉二三七、二三八。

註　四：「春日」詩次於「題西林可師達觀軒」之前，題達觀軒之詩作於紹興庚辰多，時朱子年三十一（詳見再題達觀軒詩序），以是知「春日」詩當作於三十一歲，或更前。

註　五：游石馬，以駕言出遊，分韻賦詩，得出字。朱子大全卷九，葉一。

註　六：陳普，字尙德，號懼齋（西元一二四四——一三一五），宋寧德人，居石堂山，學者稱石堂先生，普學於會稽韓翼甫，翼甫卽輔漢卿弟子。入元不仕，隱居授徒，以斯道自任。建州劉純父聘主雲莊書院，造就益衆，著有石堂遺稿，爲朱子嫡派，見宋元學案卷六四、潛庵學案，華世出版社。

註　七：陳普注武夷櫂歌，藝文印書館百部叢書集成、據光緒八年上海黃氏重刻日本天瀑山人林衡輯刊佚存叢書本影印。

註　八：朱子武夷櫂歌和韻，自方岳至董天工之作品，均見武夷山志卷四。中央研究院傅斯年圖書館藏有此書。李退溪詩見增補退溪全書冊一、文集卷一、葉六三、六四，韓國成均館大學校大東文化研究院。

註　九：朱子武夷山圖序：「今崇安有山名武夷，相傳即神所宅，清溪九曲，流出其間，兩崖絕壁，人迹所不到處，往往有枯查插石罅間，以庋舟船棺柩之屬，柩中遺骸，外列陶器，尙皆未壞，頗疑前世道阻未通，川壅未決時夷落所居，而漢祀者，即其君長，蓋亦避世之士，而衆所臣服，而傳以爲仙也。」

註一〇：相傳秦始皇二年八月十五日，武夷君置酒肴，宴鄉人於幔亭峯上，初召男女二千餘人，如期而往，乃見山徑平坦，虹梁架空，體輕心喜，不覺其倦。至山頂，有幔亭，鄉人至亭外，聞擊鼓聲，少頃，空中有呼鄉人爲曾孫，男由東序，女由西進。奏賓雲右仙之曲，行酒進食，百味珍奇，皆非世俗所有。宴畢歌罷，曾孫拜別下山，則風雨暴至，虹橋倏爾斷絕。（詳見古今圖書集成第二十四冊，葉七七二，鼎文一百冊本。）

註一一：朱子中庸章句序略謂堯舜禹相傳之道統，至孟子沒而遂失其傳，至程子兄弟出而續其不傳之緒。

註一二：李商隱無題詩：「劉郎已恨蓬山遠，更隔蓬山一萬重」。

註一三：金剛經：「一切有爲法，如夢幻泡影」。喩世間萬法，無非虛空，轉瞬即滅。

註一四：答李剛而別紙，增補退溪全書第一冊，卷二二，葉五三九，韓國成均館大學校大東文化研究院。

註一五：見古今圖書集成第二四冊，葉七七五，四曲諸勝。

註一六：見古今圖書集成第二四冊，葉七七六，五曲諸勝。

註一七：禪學與唐宋詩學第四章，葉三五八，黎明文化公司。

註一八：詳見古今圖書集成第二四册，葉七七八，九曲諸勝。

註一九：李退溪和朱子櫂歌九曲十首，其九曲曾作二首，其初一絕云「九曲來時卻悃然，眞源何許只斯川；寧須雨露桑麻外，更問山中一線天」。按此文退溪文集不載，引見退溪文集考證卷四，退溪全書第四册，葉五一八。

註二〇：答金成甫別紙，增補退溪全書第一册，卷一三，葉三四六。

註二一：答奇明彥別紙，增補退溪全書第一册，卷十六，葉四二六。

註二二：見古今圖書集成第十八册，葉六八一，職方典，建寧府部。

註二三：相傳漢淮南華子期，師角里先生，得隱仙靈寶法，修煉於硯山。

註二四：鼓角山，上有龍池。相傳唐時，一日雷雨晦暝，有雙龍墜池，須臾大水，鄉人懼而禳之。見古今圖書集成第一八册，葉五九五，建寧府。

主要參考書目

壹、經學類

周易　王　弼注　藝文十三經注疏本

周易程氏傳　程　頤　漢京二程集

易經備旨　鄒聖脈　上海文盛書局

尚書　僞孔傳　藝文十三經注疏本

尚書今古文注疏　孫星衍　商務印書館

尚書釋義　屈萬里　華岡書局

毛詩　鄭　玄箋　藝文十三經注疏本

詩廣傳　王夫之　河洛圖書出版社

詩經釋義　屈萬里　中華文化出版委員會

左傳　杜　預注　藝文十三經注疏本

禮記　鄭　玄注　藝文十三經注疏本

大戴禮記		新興漢魏叢書
四書集注	朱　熹注	世界書局
四書朱子異同條辨	李沛霖	近譬堂本
四書道貫	陳立夫	世界書局
大學衍義	眞德秀撰	四庫全書本
大學章句補遺	李彥廸	韓國亞細亞文化社
續大學或問	李彥廸	韓國亞細亞文化社
經學通論	皮錫瑞	河洛圖書出版社
經學歷史	皮錫瑞	河洛圖書出版社
經學通志	錢基博	中華書局
中國經學史	馬宗霍	商務印書館

貳、史學類

史記	司馬遷　裴駰集解	藝文印書館
漢書	班固　顏師古注	藝文印書館
後漢書	范曄　李賢注	藝文印書館
三國志	陳壽　裴松之注	藝文印書館

晉書　房玄齡等　鼎文書局
宋書　沈約　鼎文書局
南齊書　蕭子顯　鼎文書局
梁書　姚思廉　鼎文書局
舊唐書　劉昫等　鼎文書局
新唐書　歐陽修等　鼎文書局
新五代史　歐陽修　鼎文書局
宋史　脫脫等　鼎文書局
國語　左丘明　中華書局
穆天子傳　郭璞注　中華書局
高士傳　皇甫謐　中華書局
人物志　劉邵　中華書局
資治通鑑　司馬光等　世界書局

叁、哲學類

帛書老子　河洛圖書出版社
老子本義　魏源　商務印書館

書名	著者	出版社
莊子集解	王先謙	世界書局
荀子集解	王先謙	世界書局
呂氏春秋	高　誘注	世界書局
韓非子集解	王先愼	上海印書館
淮南子	高　誘注	華聯出版社
法言	楊　雄	中華書局
白虎通	班　固	新興書局
顏氏家訓	顏之推	漢京文化公司
中說	王　通	中華書局
周子通書	周敦頤	中華書局
二程全書		中華書局
二程集		漢京文化公司
張子全書	張　載	中華書局
上蔡語錄	謝良佐	廣文書局
延平答問	李　侗	廣文書局
朱子大全	朱　熹	中華書局

朱子語類	朱　熹	中華書局
朱子年譜	王懋竑	世界書局
朱子新學案	錢　穆	三民書局
朱子新探索	陳榮捷	學生書局
近思錄	朱　熹	商務印書館
象山全集	陸九淵	中華書局
宋元學案	黃宗羲	華世出版社
明儒學案	黃宗羲	華世出版社
性理大全	胡　廣等	商務印書館
定山集	莊　泉	商務印書館
王陽明全集	王守仁	正中書局
王龍溪語錄	王　畿	廣文書局
學蔀通辨	陳　建	商務印書館
焚書	李　贄	河洛圖書出版社
呻吟語	呂　坤	正文書局
菜根譚	洪自誠	三人行書局

御纂性理精義	李光地等	廣文書局
南雷文定	黃宗羲	中華書局
潛書	唐　甄	河洛圖書出版社
孫夏峯語錄	孫奇峯	廣文書局
思問錄	王夫之	廣文書局
讀四書大全說	王夫之	廣文書局
爾雅臺答問	馬一浮	廣文書局
復性書院講義	馬一浮	廣文書局
讀經示要	熊十力	廣文書局
新唯識論	熊十力	樂天出版社
原儒	熊十力	明倫出版社
東西文化及其哲學	梁漱溟	里仁書局
東方學術概觀	梁漱溟	駱駝出版社
中國文化史	柳詒徵	正中書局
中國哲學的特質	牟宗三	學生書局
心體與性體	牟宗三	學生書局

中國人生哲學概要　方東美　先知出版社

先生之德　方東美　黎明文化公司

中國思想史　錢　穆　華岡書局

中國學術思想史論叢　錢　穆　東大圖書公司

中國哲學史　馮友蘭　明倫出版社

中國學術思想大綱　林師景伊　東方書局

中國思想史論集　徐復觀　學生書局

宋明理學概述　錢　穆　學生書局

宋明理學　吳　康　華國出版社

藝海微瀾　巴壺天　廣文書局

孔學抉微　王　甦　黎明文化公司

人生內聖修養心法　蕭天石　自由出版社

李退溪全集　李　滉　韓國退溪學研究院

增補退溪全書　韓國成均館大學

陶山全書　李　滉　韓國退溪學研究院

退溪年譜　柳成龍等　收在退溪全書內

退溪文集考證　柳道源　收在退溪全書內
李子粹語　李　瀷　收在退溪全書內
晦齋全書　李彥廸　韓國成均館大學
關西問答　李彥廸　韓國亞細亞文化社
栗谷全書　李　珥　韓國大同文化研究院
高峯集　奇大升　韓國儒學資料集成
陽村集　權　近　韓國儒學資料集成
寒洲集　李震相　韓國儒學資料集成
俛宇集　郭鍾錫　韓國儒學資料集成
南塘集　韓元震　韓國雅盛文化社
李退溪小傳　鄭飛石　丁範鎭譯　臺灣師範大學

肆、文學類

文心雕龍　劉　勰　開明書店
昭明文選　蕭　統編　漢京文化公司
詩品　鍾　嶸　弘道詩話叢刊
謝宣城集　謝　朓　新興漢魏六朝百三家集

二十四詩品　司空圖　弘道詩話叢刊
韓昌黎文集　韓　愈　漢京文化公司
柳河東集　柳宗元　中華書局
杜詩鏡銓　楊　倫　華正書局
杜詩詳注　仇兆鰲　漢京文化公司
全唐詩　清聖祖御定　文史哲出版社
蘇東坡全集　蘇　軾　世界書局
文山集　文天祥　四部叢刊本
鶴林玉露　羅大經　開明書店
武夷櫂歌注　陳　普　藝文印書館
全宋詞　唐圭璋編　宏業書局
雲溪友議　范　攄　廣文書局
詩人玉屑　魏慶之　世界書局
苕溪漁隱叢話　胡仔纂集　長安出版社
梅花草堂筆談　張大復　新興筆記小說大觀
滄浪詩話　嚴　羽　弘道詩話叢刊

石林詩話　葉夢得　弘道詩話叢刊
東坡詩話　蘇　軾　弘道詩話叢刊
誠齋詩話　楊萬里　弘道詩話叢刊
四溟詩話　謝　榛　藝文續歷代詩話
詩法家數　楊　載　漢京歷代詩話
詩藪　胡應麟　廣文書局
藝苑巵言　王世貞　藝文續歷代詩話
薑齋詩話　王夫之　藝文清詩話
夕堂永日緒論　王夫之　藝文清詩話
談龍錄　趙執信　木鐸出版社
石洲詩話　翁方綱　木鐸出版社
隨園詩話　袁　枚　長安出版社
原詩　葉　燮　藝文清詩話
幽夢影　張　潮　西南書局
西青散記　史震林　廣文書局
理學六家詩鈔　錢　穆選　中華書局

談藝錄	錢鍾書	龍門書店
國文學	姚永樸	廣文書局
文學研究法	姚永樸	新文豐出版社
中國文學批評史	羅根澤	明倫出版社
中國文學批評史	郭紹虞	商務印書館
中國文學批評	方孝岳	廣城出版社
退溪詩學	王　甦	韓國退溪研究院
禪學與唐宋詩學	杜松柏	黎明文化公司
中國詩學	黃永武	巨流圖書公司
文藝心理學	朱光潛	開明書店
朱光潛美學文集	朱光潛	上海文藝出版社
美從何處尋	宗白華	元山書局
美學與意境	宗白華	淑馨出版社
中國美學思想彙編		成均出版社
中國美學史	李澤厚等	里仁書局
美的歷程	李澤厚	元山書局

中國山水詩研究　王國瓔　聯經出版社

伍、其他

博物志　張　華　中華書局
困學紀聞　王應麟　商務印書館
容齋隨筆　洪　邁　商務印書館
梅譜　范成大　藝文印書館
丹鉛雜錄　楊　慎　藝文印書館
醉古堂劍掃　陸紹珩　考古文化公司
原抄本日知錄　顧炎武　明倫出版社
十駕齋養新錄　錢大昕　商務印書館
東塾讀書記　陳　澧　商務印書館
辜鴻銘的筆記　辜湯生　國民出版社
說文解字注　段玉裁　黎明文化公司
說文解字詁林　丁福保　商務印書館
水經注　酈道元　世界書局
大清一統志　金光杰等　商務印書館

讀史方輿紀要　顧祖禹　新興書局
崇安縣新志　東南合作印刷廠
西潮　蔣夢麟　輔新書局

陸、論文（姓氏筆畫序）

丁寶蘭　朱子之學和社會現代化　九屆退溪學會議論文集
王　甦　四書憂患意識探源　孔孟學報四一期
王　甦　四書中的憂患意識　儒學論文集(一)
王　甦　中道探微　孔孟學報四六期
王　甦　中庸的兩輪哲學　孔孟月刊三四〇期
王一三　從支配宇宙萬物變化的兩個自然法則去了解易經　孔孟月刊二二〇、二二一期
王一三　儒家政治思想的適應性　孔孟月刊二三二期
牟宗三　中國文化大動脈中的終極關心問題　聯合報民國七十二年九月廿八日
牟宗三　文化建設的道路　聯合報民國七十年七月十六日
朱維煥　「執兩用中」釋義　人生三〇三期
李家源　「陶山雜詠」與山水之樂　八屆退溪學術會議論文集
李東歡　退溪詩中的另一世界　四屆退溪學術會議論文集

吳　康　孔門學說——中庸　孔孟學報第八期

杜松柏　儒家的體用觀　孔孟月刊二六八期

杜松柏　且來細解十四道學術研題　中央日報民國七十七年三月廿四日

成中英　中道中和與時中　孔孟月刊二五二期

金周漢　朱子與退溪之文學觀　九屆退溪學術會議論文

胡一貫　生於憂患・動乎險中　中央日報民國六十八年一月九日

唐君毅　儒家精神在思想界之地位　人生二六二期

高　明　孔子的文學觀　孔孟學報二七期

高　明　孔子對中韓儒學的影響　孔孟學報四〇期

陳大齊　孔子仁義思想的體常盡變　孔孟學報一九期

陳立夫　孔子何以被稱爲聖之時者　孔孟月刊十三卷一二期

陳立夫　孔子何以被尊爲萬世師表　孔孟學報三一期

陳立夫　孔學對世界和平之貢獻　國際孔學會議論文集

陳榮捷　儒家之兩輪哲學與現代化　國際孔學會議論文集

孫智燊　探中點滴　國際孔學會議論文集

程元敏　大學改本述評　孔孟學報二三期

楊亮功　時中　孔孟學報一九期
熊公哲　中庸要義臆釋　孔孟學報八期
蔣緯國　宏揚中華道統　中央日報民國七十八年四月五日
蔡茂松　韓國的儒學　孔孟月刊十二卷七期
蔡茂松　韓國的儒學　孔孟月刊十三卷七期
蔡茂松　李栗谷理氣思想及其性情　成大歷史學報三號

參加退溪學國際學術會議發表論文一覽表

回數	年月	地點	論文題目
三	一九七八年八月	漢城	退溪的詩學與詩教
四	一九七九年十一月	臺北師大	退溪的心學
五	一九八一年十一月	漢城	退溪的憂患哲學
六	一九八三年十月	哈佛大學	退溪的梅花詩
七	一九八四年九月	漢堡大學	退溪的九曲櫂歌
八	一九八五年八月	筑波大學	退溪詩的心路歷程
九	一九八七年一月	香港大學	退溪的醉夢詩
一〇	一九八八年九月	漢城	退溪的詠月詩
一一	一九八九年十月	北京	退溪的事君之道
一二	一九九〇年八月	莫斯科	退溪的中道思想

附記：第六、十一兩次會議，承蒙淡江大學惠予補助往返旅費，謹在此敬致謝忱。